# Point mort

Rob Reuland

# Point mort

Traduit de l'anglais (États-Unis)
par Dominique Mainard

*Collection dirigée par*
*François Guérif*

Rivages / Thriller

Titre original : *Hollowpoint*

© 2001, Robert Reuland (Random House, Inc., New York)
© 2004, Éditions Payot & Rivages
pour la traduction française
106, boulevard Saint-Germain, 75006 Paris

ISBN : 2-7436-1202-9
ISSN : 0990-3151

Ce livre est dédié à ma femme, Christine.

## Remerciements

Trois femmes superbes ont fait de ce livre ce qu'il est. Jennifer Rudolph Walsh – dire qu'elle est mon agent serait bien insuffisant. Courtney Hodell, mon éditeur, dont le talent est tel qu'elle parvient à vous convaincre que vous savez écrire. Et, bien sûr, Christine Reuland, sans qui je ne suis rien.

Tous mes remerciements également à Ann Godoff et Random House,
à mes parents,
à Lauren Yaffe,
à Adrienne, Allison, Anthony, Christine et Geraldine – toutes dénommées Abbates –, ainsi qu'à Sarah Almodovar, Sheryl Anania, Coleen Cahill, Lauren Miller, et Ken Powell.

Qu'est-ce qui nous sépare de l'univers
De sang et de semence, qu'est-ce qui fait naître en nous une âme
et nous conduit à Dieu, si ce n'est la culpabilité ?
Archibald MacLeish, *J. B.*

# 1

Un cadavre de plus dans East New York, et tout le monde s'en fout. Même sa famille, si on peut appeler ça une famille – une demi-sœur qui porte un autre nom et une femme efflanquée aux yeux étirés vers les tempes, rongée par la coke, âgée de trente-huit ans mais qui en paraît soixante ; la mère accro qui gisait exténuée sur le divan dans la nuit étouffante de son séjour infesté de cafards, flottant dans des miasmes chimiques tandis que Lamar Lamb abattait l'adolescente dans sa chambre, à peine plus grande que le matelas souillé de taches sur lequel elle a été tuée.

Une petite fille morte de plus, si on peut l'appeler ainsi : elle avait elle-même un enfant, une petite fille.

Sa mère et sa sœur sont assises dans cette salle, sans rien faire, sinon être assises. Ni l'une ni l'autre ne semble se soucier de cette adolescente morte qui n'approchait même pas de ses quinze ans qu'elle ne fêtera jamais, et la veillée funèbre ne présente grand intérêt pour personne, sauf pour moi, au fond de la salle, qui les observe.

Mais à vrai dire, même moi, ce n'est pas à cette adolescente dans sa caisse en sapin que je pense mais à ma propre petite fille morte et à l'Oldsmobile verte, par un jeudi après-midi tout à fait ordinaire, dans une rue tout à fait ordinaire, il y a un an de cela.

*

Mon visage est le seul qui soit blanc dans la pièce ; je suis le seul Blanc de tous ces blocs des quartiers Est de Brooklyn, à l'exception de l'inspecteur qui m'a conduit ici. Il n'a pas de lunettes de soleil, mais il a l'expression d'un homme qui en porte. Il n'y a personne d'autre.

La mère et la sœur sont assises au milieu de la salle, pas trop près du cercueil dans lequel se trouve l'adolescente morte, et le bébé de celle-ci (âgé d'à peu près trois mois) pleure sans faire de bruit. On l'a faite belle. Ses oreilles sont percées.

À présent la mère me toise avec hostilité, une lueur dure dans ses yeux chassieux. Je m'approche et je m'assieds dans la rangée de chaises pliantes derrière elle, mais déjà elle s'est retournée et fait sauter la petite dans ses bras pour qu'elle se taise. Elle lui dit de la boucler et fait claquer les doigts maigres et jaunes de sa main libre à l'attention de la sœur pour que celle-ci prenne un biberon ou je ne sais quoi dans un sac en toile fatigué posé sur le sol. Je me penche pour attirer son attention. Elle fait danser le bébé dans ses bras nerveux. Je patiente, contemplant l'arrière de son crâne, ses cheveux clairsemés avec quelques boucles çà et là, comme un carré de jardin laissé à l'abandon. Son odeur et l'odeur du bébé parviennent jusqu'à moi.

Quand je prononce son nom, elle pivote brusquement sur elle-même, entraînant l'enfant dans son mouvement. Le bébé me dévisage, lui aussi, les lèvres humides et entrouvertes.

Je me présente et je débite le couplet habituel, comme quoi nous sommes désolés, nous faisons tout notre possible – un baratin usé et rebattu, étant donné les circonstances, mais c'est tout ce que j'ai. Parfois, ce n'est pas complètement inutile. Aujourd'hui ça l'est. Toute la scène a quelque chose de terne et de superficiel. Même la photo de l'adolescente décédée n'est qu'une photocopie de celle de son cahier de classe, agrandie. J'ai vu ce visage sur les polaroids qui la représentaient gisant, morte, les yeux écarquillés. Contrairement à son bébé, elle a la peau sombre. Sur la photocopie, sa noirceur rend ses traits indiscernables.

La mère me dit que c'est LL qui a descendu Kayla, que tout le monde sait que c'est LL.

– Miss Iris l'a vu qui se sauvait d'chez moi, ajoute-t-elle. Vous avez parlé à miss Iris, m'sieur le procureur ?

Je réponds que je n'ai pas parlé à miss Iris, mais qu'en ce moment même Lamar Lamb se trouve dans une cellule au premier étage du poste de police du 75e district et qu'il y a passé toute la nuit dernière, depuis que les policiers l'y ont amené.

– Où c'est que vous l'avez trouvé ? me demande-t-elle en se retournant vers moi, emplie d'une surprise non feinte.

– Chez lui, dis-je dans un murmure.

– LL, il a pas de chez-lui. (Elle me parle de LL de sa voix rocailleuse et sonore.) Il a plus de chez-lui. Pour c'que j'en sais, il vivait dans la rue. Et avant ça, il était en taule.

De sa main libre, elle s'évente avec une brochure. À l'intérieur de la pièce, l'air est étouffant et moite. Il n'y a pas de climatisation. La porte d'entrée est ouverte, mais pas un souffle d'air n'accompagne la rumeur de la rue. Juché sur un pied dans l'angle de la pièce, un unique ventilateur dont la tête pend mollement, mélancoliquement tournoie sans grand effet au-dessus de l'adolescente morte – un tournesol d'une taille démesurée.

– Chez sa grand-mère, dis-je. À Cypress Hills.

De nouveau, son visage adopte une expression hostile.

– Je sais où elle habite, sa grand-mère. Elle veut plus de lui là-bas. Elle m'a dit qu'elle avait une injonction. Du juge. Elle m'a montré le papier. Il a plus le droit d'aller là-bas.

– À ce que je sais, ça ne venait pas d'elle.

– Qu'est-ce que vous voulez dire ?

– Qu'il y est retourné, c'est tout. Il ne lui a pas demandé son avis.

– Alors pourquoi vous êtes là ? Si vous l'avez déjà arrêté ?

– Je voulais vous présenter nos... (Je recommence à débiter le blabla habituel, puis je jette l'éponge.) Je dois soumettre l'affaire au grand jury. Pour inculper Lamar Lamb du meurtre.

– Et alors ?

– Il faut que nous parlions de cette nuit-là. Je ne veux pas dire tout de suite. Pas aujourd'hui. Mais je voudrais que vous veniez témoigner devant le grand jury. Ainsi que votre autre fille. (Je regarde la sœur, dont les yeux verts me fixent à présent intensément.) Vous étiez là ? lui demandé-je.

– Oh, bon Dieu, interrompt la mère. J'ai déjà raconté aux flics ce que j'avais vu – c'est-à-dire rien. Et elle, elle a rien vu non plus. On dormait toutes les deux.

Le bébé commence à s'agiter, se tortillant dans les bras de la mère, et celle-ci me chasse d'un geste de la main. Je n'ai pas le choix. Je rebrousse chemin vers l'arrière de la salle, et l'inspecteur m'adresse un signe de tête. Il a raison. Tirons-nous d'ici. Mais à présent quelqu'un me barre le chemin – un homme au crâne rasé pareil à une boule d'obsidienne. Il est très proche de moi. Trop proche. Il pue l'alcool et dégage quelque chose de carnavalesque. Qui est-ce, je n'en ai pas la moindre idée, mais il veut savoir ce que le bureau du Procureur a l'intention de faire. Il sait, lui aussi, que c'est Lamar Lamb qui a descendu l'adolescente. Il dit que Lamar mérite la mort.

— J'vous le demande, lance-t-il. Ce gars, il devrait pas écoper de la peine de mort pour ce qu'il a fait ?

— Ce n'est pas ce que je...

— J'vais vous parler de cette jeune fille, parce que vous la connaissiez pas. C'était une gentille gosse. Elle était... commence-t-il. (Puis il s'interrompt et réfléchit.) Au lycée. Une mignonne petite jeune fille. Elle embêtait jamais personne. Et le bureau du Proc' va... quoi ? Proposer à ce gamin je sais pas quel arrangement pour réduire sa peine ? Le laisser sortir dans... cinq ans ou qu'èque chose comme ça ? C'est pas juste, ça non.

— Personne n'a dit...

Il se rapproche encore davantage, si c'est possible. Son index droit est pointé sur mon sternum comme un pistolet.

— Vous trouvez pas, vous, vous trouvez pas qu'on devrait lui filer la peine de mort pour ce qu'il a fait à Kayla ?

— Absolument, dis-je, sans d'autre raison que pour le faire taire.

Je suis fatigué. Les morts me fatiguent. Les vivants me fatiguent. Cet enfoiré à l'air mauvais, son doigt braqué sur moi comme un pistolet, me fatigue. La mère de la victime, qui refuse de me parler de l'adolescent qui a tué sa fille, me fatigue. Le soleil, la chaleur et ces rues me fatiguent. Mais surtout, Lamar Lamb me fatigue. Lamar Lamb me fatiguait avant même que j'entende son nom. C'est juste la dernière atrocité en date, et même les journaux l'auraient dédaignée si la victime n'avait pas été âgée de quatorze ans, nue et assassinée dans son lit.

ARRESTATION DANS LE MEURTRE À CARACTÈRE SEXUEL D'UNE ADOLESCENTE, lit-on, imprimé en gros titre dans le *Post* d'aujourd'hui, au-dessus de quelques lignes à la page 17 – et au-dessous d'une beauté nue tout en jambes garantissant formellement l'élimination radicale et sans danger de la cellulite :

Les inspecteurs de police de Brooklyn ont annoncé hier soir l'arrestation de Lamar Lamb, 19 ans, originaire d'East New York, après deux semaines d'une chasse à l'homme faisant suite au meurtre de Kayla Harris, le 4 août. Le corps dénudé de la jeune Harris, âgée de 14 ans, avait été retrouvé dans la chambre de son appartement, situé dans la cité de Cypress Hills. Harris, une des plus brillantes lycéennes de Franklin K.

Lane High School, était, selon sa camarade de classe **Lashanta Wayne**, une « fille discrète et gentille » qui aimait l'anglais et les mathématiques. Harris a été tuée d'une balle dans la poitrine. Le commissaire Art Tobin du 75e district d'East New York a déclaré qu' « à l'heure actuelle, la possibilité que l'agression ait eu un mobile sexuel ne pouvait être exclue ». Le procureur Andrew Giobberti, qui a instruit en mai dernier l'affaire du maniaque sexuel du métro Larry Bartlett, baptisé « L'Homme-Araignée », s'est refusé à tout commentaire.

Je me dirige vers la porte, l'inspecteur dans mon sillage, m'arrêtant abruptement pour signer le registre de condoléances d'un gribouillis au-dessous de quatre ou cinq noms. Puis je m'en vais.

Je m'éloigne du salon funéraire et, après la pénombre de la pièce pauvrement éclairée, la lumière au-dehors me semble éclatante. Je plonge la main dans ma poche à la recherche de mes fausses Ray-Ban sport.

*

La Chevy Caprice grise est garée dans Linden Boulevard, sur le trottoir. Personne ne lui prête la moindre attention. Dans ce quartier, il est fréquent de voir des Chevy Caprice (grises, noires ou bleu foncé, cabossées et dépourvues d'enjoliveurs, cartes de police plastifiées glissées sous les essuie-glace) garées sur le trottoir. À présent l'inspecteur est assis à l'intérieur du véhicule, s'efforçant d'ouvrir la portière côté passager. Coincée. La poignée extérieure ne marche pas, je ne peux donc rien faire sinon rester planté là, plissant les paupières et transpirant dans le soleil de l'après-midi dont l'ardeur ne s'est pas calmée pendant que nous étions dans l'immeuble.

Tous les petits commerces de Linden Boulevard sont surmontés d'auvents colorés qui bordent la rue d'un défilé gaiement optimiste de jaune, de bleu, de bleu-vert et de rouge. Des bornes d'incendie, des étals de fruits, de jeunes arbres rabougris, des abribus, des bouches de métro, des panneaux d'interdiction de stationner encombrent les trottoirs. Les bennes et les réverbères sont tapissés de feuilles de papier qui se balancent et oscillent dans une brise à laquelle la touffeur de la ville donne des relents aigres. Les braves citoyens vont et viennent; vieilles femmes en robes imprimées, chaussettes blanches et baskets, hommes et adolescents portant des

15

Air Jordan et des Timberland immaculées, Coréens en tabliers blancs, jeunes filles juchées sur des sandales aux semelles noires de dix centimètres d'épaisseur. Ici, le rythme de la rue est lent, plus lent qu'à Manhattan, par exemple, où l'on marche d'un pas dynamique, agressif. Brooklyn marche – quand on y marche, au lieu de conduire, de traînasser sous les auvents ou sur les perrons, de jouer aux dominos devant les vitrines, ou de discuter le coup au coin des rues, les poings sur les hanches – comme si on n'allait nulle part, sans se presser. Manhattan marche sur nos talons et veut nous botter le train.

Mais ce Brooklyn n'est pas le mien. Ces rues ne sont pas les miennes. Ces endroits – avant que je fasse ce boulot, je n'y allais pas, je ne les connaissais pas. Pas plus que les gens qui y habitent ne connaissent ou ne fréquentent les lieux qui me sont familiers. Personne n'a jamais indiqué du doigt la frontière sur une carte, mais nous savons tous où elle se trouve et nous restons chacun dans notre camp. Autrefois, nous ne nous croisions que dans le métro.

À présent l'inspecteur accable la portière de jurons et soudain la sœur apparaît, surgissant de nulle part, semble-t-il.

C'est une adolescente élancée de seize ans arborant des bijoux dorés clinquants, grande, si grande qu'elle peut me regarder droit dans les yeux, ce qu'elle essaie de faire. Eux seuls laissent deviner une parenté avec sa mère, bien que les siens (d'un vert chlorophylle intense) soient simplement légèrement étirés en amande, sans lui donner l'air sinistre de gargouille de sa mère. Elle s'efforce de me regarder, mais j'ai le soleil dans le dos. Je le sens à travers la laine élimée de ma veste. Sa robe en tissu léger est courte et profondément décolletée, et le noir bleuté de sa peau contraste avec la blancheur de l'étoffe.

— M'sieur, lance-t-elle. Anthony a dit que vous aviez mis LL en prison ou quelque chose comme ça ?

— Je suis désolé pour votre sœur... Vous vous appelez Utopia, c'est ça ?

— Oui. Qu'est-ce qui va lui arriver maintenant ? s'enquiert-elle.

— À Lamb ? Je vais le faire passer en jugement, dis-je. Pour meurtre.

— Ah bon. Il est en prison ?

— Oui.

— Qu'est-ce qui va s'passer, maintenant ? répète-t-elle. Pour LL ?

— Dans un premier temps, je dois le faire comparaître devant le grand jury. Puis, dans un an environ, il y aura un procès. À moins qu'il ne plaide coupable.

– D'accord. Il... euh... il va rester en prison pendant tout ce temps ?

– Vous n'avez plus besoin de vous faire de souci à cause de lui, dis-je. Si c'est ce qui vous tracasse.

– Oui.

– Vous n'avez plus besoin de vous faire de souci, Utopia.

– D'accord.

– On s'occupe de lui, dis-je, mais je pense : *Il ne t'arrivera rien d'effrayant, Opal. Fais dodo maintenant.*

– M'sieur, reprend-elle. Je peux vous téléphoner... si j'ai une question à vous poser ou quoi ?

Je lui tends une carte de visite. Utopia ne m'observe plus ; par-delà mon épaule son regard plonge dans Linden Boulevard, vers le soleil. Elle le contemple, les paupières plissées, puis tourne les yeux vers sa mère qui se tient à présent dans l'embrasure de la porte du salon funéraire, le bébé dans les bras, le regard rivé sur nous. L'espace d'un instant, Utopia me fixe de nouveau, les yeux brillants derrière ses lentilles de contact vertes. Puis elle s'éloigne d'une démarche spectrale, sur ses longues jambes.

*

L'inspecteur est lancé ; un flot inépuisable de plaisanteries sinistres qui ne tarit pas avant que nous soyons de retour à Joralemon Street. Il se soulage de tout ce qu'il a silencieusement digéré là-bas. Il a un hâle d'Irlandais et à peu près vingt ans de métier au compteur. Il conduit la Caprice dans le style de South Brooklyn. L'un de ses bras encercle mollement le volant, qu'il dirige avec son poignet plus qu'avec sa main.

– Regardez-moi ce putain de trou à rats, lance-t-il. L'été. Le pire moment de l'année. Quand il fait chaud, les gens s'excitent comme des poux. (Tandis qu'il parle, ses petits yeux gris bougent vivement de droite et de gauche, comme des poissons.) On croirait qu'ils se laisseraient vivre, comme qui dirait. Peinards. Qu'ils se boiraient une limonade ou un truc comme ça. Histoire de se rafraîchir. Mais c'est le contraire. Vice versa, si vous voyez ce que je veux dire. Ils s'excitent comme des poux et un type, là, va dire quelque chose à un autre, vous voyez, et puis l'autre type, là, va dire un truc genre, ouais, qu'est-ce' tu m' dis, 'spèce de trouduc ? ou je sais pas quoi, et ça commence comme ça. Ils se descendent pour ce genre de trucs.

Je hoche la tête.

– Dites voir, reprend-il, je vous ai déjà parlé de mon plan, là ?

– Non. Quel plan, inspecteur ?

– O.K. Écoutez bien. Je vais vous dire comment diviser les stats dans le 75ᵉ district par... mettons par deux. Vous êtes prêt à entendre ça, monsieur le procureur ? Ce que vous faites, c'est que vous achetez un climatiseur à chacun de ces pauvres gus. Jamais la ville n'aura fait meilleur usage de son putain d'argent. Croyez-moi. C'est aussi simple que ça. Installez un climatiseur dans chacun de ces putains d'appartements. C'est pour ça qu'il y a tant de meurtres par là-bas. Parce qu'il n'y a pas un seul climatiseur...

Alors que je regarde à travers le pare-brise, l'inspecteur se trouve à la périphérie de mon champ de vision, gesticulant de son bras libre pour appuyer ses paroles. Je l'entends suffisamment pour opiner quand c'est nécessaire. Assis sur le siège du passager, je cherche du regard des Oldsmobile vertes et je me demande ce que la sœur de l'adolescente morte voudrait me dire ; mais surtout, je continue à songer à Opal. J'essaie de me souvenir des traits de ma petite fille de cinq ans. J'en suis incapable.

## 2

Le palais de justice (tout en angles droits et en colonnes, noirci par la suie, la fumée, les salissures, les éclaboussures, la crasse, le chewing-gum, les gaz d'échappement de bus, les fientes d'oiseaux, les crottes de chien, la pluie acide, et d'autres traces de la horde humaine qui franchit quotidiennement ses portes de cuivre luisant d'un éclat incongru) se dresse au 210 Joralemon Street, dans le centre de Brooklyn ; une empreinte de pouce grise dans le ciel d'août bleu et poudreux.

Le bureau du Procureur de Brooklyn, où j'accomplis la tâche du ministère public de l'État de New York.

À l'intérieur : un Habitrail[1] de couloirs alambiqués et de minces cloisons beiges en métal et verre dépoli disposées à des angles hasardeux, un antre miteux où des distributeurs de Pepsi luisent et ronronnent au beau milieu des couloirs ; placards de rangement aux portes entrouvertes, inaccessibles derrière des tables recouvertes de formica en lambeaux, fontaines à eau glouglouttantes, rayonnages en imitation bois, papiers et avis punaisés ici et là, qui restent accrochés aux murs bien après qu'ils ont cessé d'être à l'ordre du jour, miettes de bretzels jonchant le sol à côté des bureaux métalliques vert pomme, poubelles pleines fourrées dans un coin et oubliées là — des locaux réduits à l'essentiel, un paradis pour les cafards, surplombé par des néons à l'éclat trop vif.

L'inspecteur gare la Caprice derrière une autre parfaitement identique, elle-même garée derrière une autre, puis une autre encore, ali-

---

1. Marque de cages et d'accessoires pour rongeurs, consistant notamment en tubes en plastique, en cubes faisant office d'abris, etc. (*N.d.T.*)

gnées dans Joralemon Street au pied du 210. Là, dans l'ombre grise de ce bâtiment gris, un caravansérail de Chevy Caprice de toutes les couleurs de la gamme.

Je franchis une porte indiquant EMPLOYÉS DU GOUVERNEMENT et m'engouffre dans un hall d'une hauteur de deux étages empli d'échos, où ne pénètre pas la lumière du jour, parfaitement obscur à l'exception d'un distributeur Good Humor qui diffuse dans un coin une maigre lueur aussitôt absorbée par la semi-pénombre régnant alentour. On n'entend aucun bruit à l'exception du raclement étouffé, mécanique, de l'appareil à polir les sols que pousse un homme. Je ne connais pas son nom. Il lève la main et me fait signe, sans perdre le rythme de la machine. Il manœuvre celle-ci en formant des cercles gracieux, un pendule laconique qui se balance parallèlement au plancher.

— Hé, mon vieux, me lance quelqu'un. Gio. Où c'est que t'étais, bon Dieu?

— Aux obsèques d'une victime.

— Ah. Phil, il t'a cherché, reprend-il de la façon fruste dont il parle notre langue, qui ne lui est pas encore familière. Sa voix ressemble à du cuir brun.

— Ah bon? dis-je distraitement, sans suspendre mon pas.

— Tu n'as pas signalé dans le putain de registre que tu sortais, ajoute-t-il.

Son visage exprime clairement : *Tu ne l'as pas signalé? Qu'est-ce que ça peut bien foutre!*

— Ah bon? dis-je à nouveau, conscient du fait que les grandes ondes de camaraderie qu'il envoie dans ma direction me passent totalement au-dessus de la tête.

— Deux inspecteurs sont venus. Il y a un problème, poursuit-il en fronçant les sourcils. Avec ton affaire. Celle de la fille.

— Quel problème? dis-je sans m'arrêter.

— On t'a cherché un peu partout.

— Quel problème y a-t-il avec mon affaire?

— Même en face, ajoute-t-il dans une parenthèse complice.
Il croit que je suis allé chez Batson.

— Ah, vraiment?

— Oui. (Il hoche la tête.) Pas de problème, mon vieux!

— Merci, dis-je. Merci, Orlando.

— Pas moi!

Il éclate de rire, s'imaginant chez Batson, dans n'importe quel bar. Sans cesser de rire, il incline suffisamment sa haute taille pour que je puisse lire sa kippa, sur laquelle est brodé le mot METS.

– C'est Phil qui y est allé. Quand on t'a trouvé nulle part.

– Très bien, Orlando.

Nous nous dirigeons vers l'ascenseur ; Orlando ajoute, ses paroles s'élevant jusqu'à la voûte qui nous surplombe :

– Mais tu n'étais pas là-bas, bien sûr !

Il ne me croit pas. Ça n'a pas d'importance.

Et si Phil Bloch s'imagine que je suis allé m'offrir un verre en fin d'après-midi ? Ça n'a aucune importance non plus.

\*

Sortant de l'ascenseur au deuxième étage, je passe devant l'inspecteur en charge de l'accueil. Il fait des mots croisés en attendant la fin de son tour de garde. Il me lance un regard dénué d'intérêt. Je le salue sans recevoir de réponse, pour autant que je puisse en juger. Rien n'indique qu'il ait remarqué ma présence, si ce n'est qu'il me laisse passer. Je le contourne, évitant le portique du détecteur de métal. À en croire l'odeur qui flotte dans le couloir, les toilettes ont de nouveau débordé.

À l'intérieur, quelque part dans le dédale de bureaux qui constitue le Département des Affaires criminelles, j'entends la voix de Bloch. Bien que les néons brillent encore d'un éclat aussi vif que ceux d'une serre, on ne voit ni n'entend âme qui vive. J'entre dans mon bureau et je m'écroule sur ma chaise. Si j'avais une porte, je la fermerais.

Voici le dossier de Lamar Lamb ; un épais dossier à soufflet, couleur sang de pigeon (la teinte d'un rubis de bonne qualité) comme le veut la codification, parce qu'il s'agit d'un meurtre. Je le regarde sans l'ouvrir.

Je décroche le téléphone ; je devais appeler quelqu'un, transmettre un message. J'ai oublié le message et me voilà assis, tenant le combiné en l'air, l'index tendu. (Il ne se passe rien.) Je fixe le dossier de Lamb comme un poivrot. Je ne pense à rien. Ma seule pensée est celle-ci : je ne pense à rien.

\*

Le dossier de Lamar Lamb reste fermé dans l'angle le plus éloigné de mon bureau. Rien ne me ferait plus plaisir que de le jeter dans Gowanus Canal et ne plus jamais le voir. Rien ne me ferait plus plaisir que de n'avoir jamais entendu parler de Lamar Lamb et de l'adolescente morte. Une autre petite fille morte.

21

Je planche sur autre chose pendant une heure, pour éviter de rentrer chez moi.

À présent un air d'opéra italien, s'élevant du bureau de Bloch, parvient jusqu'à moi. Quelques minutes plus tard, Bloch lui-même apparaît au seuil de mon bureau – une embrasure sans porte.

Bloch est un bel homme sombre, mais aujourd'hui son corps athlétique est flasque et épais. Quand il a été promu chef de la Brigade criminelle, il y a un an, il a déménagé dans le New Jersey avec sa femme, une jolie infirmière qui l'adore. Son haleine est imprégnée d'une odeur de café et il s'intéresse au matériel stéréo. Son bureau a une porte.

– Qu'est-ce' tu fichais, fiston ? demande-t-il, employant la langue du ghetto pour adoucir sa question directe, presque accusatrice, mais aussi pour se moquer de lui-même, du Bloch qu'il s'imagine être.

– J'étais aux obsèques d'une victime.

– Aux obsèques d'une victime, répète-t-il.

– L'adolescente morte.

– L'adolescente morte.

– Exact, dis-je. Tu as oublié, Phil ?

– Je n'ai pas oublié, réplique-t-il.

(Ce salopard a oublié.)

– Je suis surpris que tu aies oublié cette affaire, dis-je. Tu me l'as confiée la semaine dernière. Tu m'as dit que c'était une *bonne* affaire.

– Bien sûr, la gamine. (Il s'en souvient à présent, mais il croit toujours que j'étais en face, au bar.) Et les obsèques étaient aujourd'hui ? Elle n'a pas été tuée il y a... quoi ? Deux semaines ?

– C'était aujourd'hui.

Dans le quartier où l'adolescente est morte, personne ne se serait chargé du corps sans voir la couleur de l'argent, et il s'est écoulé deux semaines avant que la mère arrive à se le procurer. Et encore, elle n'a rien pu se permettre de plus luxueux qu'un cercueil bas de gamme et quelques heures dans un salon funéraire un lundi après-midi. Après l'autopsie, deux semaines durant, l'adolescente morte a attendu dans la chambre réfrigérée que sa mère fasse ce qu'elle avait à faire – quoi que ce pût être – pour se procurer l'argent, et le froid a refermé l'orifice que la balle avait foré entre ses seins étonnamment opulents, lui rendant un corps intact dans la mort.

– Enfin bref, enchaîne Bloch. Rappelle-moi les faits ?

– J'ai surtout le témoignage d'une voisine. Elle a entendu un coup de feu, et elle a vu le tireur sortir en courant.

– Sortir en courant d'où ?

– De l'appartement. De chez la mère de l'adolescente morte.

– Qui se trouve où ?

– À Cypress Hills. Là-bas, dans le 75ᵉ district.

– L'endroit parfait pour mourir. Quel âge avait la victime ?

– Quatorze ans. Tout juste.

– Génial. Qu'est-ce que ton Mr Lamb avait en tête ?

– Qui sait.

– Il a craché le morceau ?

– S'il l'a fait, personne ne me l'a dit.

– Qu'est-ce qu'il foutait dans l'appartement ?

– C'est à moi que tu poses la question ? J'en sais pas plus que toi.

– Il n'y avait personne d'autre sur les lieux ? s'enquiert-il. Elle habitait là, non ? Personne n'a rien vu ?

– La mère était là. Mais elle n'a rien à nous dire. Et il y a une gamine de seize ans, une demi-sœur ou quelque chose comme ça.

– Et alors ?

– Même chose, que dalle. D'après la mère, elle dormait. Elle a entendu un coup de feu, un seul. Elle s'est réveillée et elle a trouvé sa petite sœur morte.

– On a autre chose pour le jury ? demande-t-il. Ou est-ce qu'il va falloir compter sur le potentiel d'émotion d'une gamine morte pour prouver que...

Bloch (ce crétin) se tait à l'instant précis où il s'aperçoit, trop tard, de ce qu'il est en train de dire. Il reste assis là, une expression comique sur son visage empâté, se demandant ce que je vais faire ou dire. Je ne bronche pas, et il a enfin le bon sens de poursuivre.

– Ils l'ont coincé la nuit dernière ? demande-t-il d'une voix délibérément enjouée.

– Oui.

– C'est ça, dit-il, se forçant encore un peu plus. Il a couru se réfugier chez sa môman, et elle l'a balancé aux flics. Ah, ah, ah !

– J'imagine qu'il connaissait Robert Frost par cœur, dis-je.

Il devine que ce que j'ai à l'esprit est exactement son truc ; son visage s'éclaire de nouveau et il secoue la tête d'un air interrogateur, me signifiant qu'il a besoin d'un autre indice. J'ajoute :

– Le poème sur l'ouvrier saisonnier[1]...

– Continue.

– Celui où il est dit qu'un chez-soi, c'est l'endroit où... Attends voir, dis-je, faisant traîner en longueur... *quand vous y allez, on doit vous laisser entrer.*

---

1. *The Death of the Hired Man*, de Robert Frost, 1961. (*N.d.T.*)

Il éclate trop vite de rire. Il est trop disposé à rire, et il rit avec trop d'énergie. Il aspire de grandes goulées d'air et les exhale bruyamment. Ce n'est pas ma plaisanterie qui le fait s'esclaffer (elle n'est pas drôle) ; mais il veut que je sache qu'il a compris. Je me joins à lui presque par compassion, l'empêchant ainsi de se sentir ridicule. Soudain, nous sommes les deux joyeux larrons qu'il nous imagine être.

*Mais attends !* Je n'ai pas fini.

– J'imagine que son chez-lui, c'est là où il a droit à un ticket d'entrée... pour la prison.

C'en est trop. Sa bedaine est agitée de soubresauts.

– Écoute, reprend-il soudain, retrouvant son sérieux. Un inspecteur est passé tout à l'heure.

– Qui ça ?

– Un petit mec. De la Brigade criminelle du quartier Nord. Mais il a dû filer. On a deux cadavres sur les bras, et sans doute un troisième – et il n'est que six heures et demie ! Les affaires battent leur plein.

– Est-ce qu'il voulait que je reste dans le coin ?

– C'est l'impression que j'ai eue, mon vieux. Il s'appelle Solano. Ça me revient maintenant. Le petit mec.

– Très bien.

– Écoute, dit-il, baissant la tête mais gardant le regard posé sur moi, de sorte que j'aperçois le blanc de ses yeux. Rejoins-nous en face quand tu auras réglé ce que tu as à faire.

Bloch me laisse volontiers boire un verre ou deux. Simplement, il veut être là.

– On verra, lui dis-je.

– C'est entendu ?

– On verra.

*

Après le départ de Bloch je suis fatigué, fatigué, fatigué.

Je regarde fixement mon bureau, un truc en métal gris sans tiroir. Le tiroir s'est décroché sans prévenir après trente ans de service public, répandant son contenu – trombones, sachets de *duck sauce*, petite monnaie, marqueurs, accusés de réception verts, chewing-gum, Post-it jaunes, mots de Stacey, annuaire de l'Association d'assistance juridique – sur le lino vert. Une fois tout cela ramassé, j'avais le pantalon grisâtre de m'être agenouillé sur le sol, les doigts aussi. Aujourd'hui le tiroir est coincé, vide, entre mon bureau et la cloison métallique.

Un modèle réduit de voiture de patrouille est posé sur mon bureau. Je l'ai acheté dans Court Street. L'homme qui les vend est là tous les jours, à côté de celui qui vend des livres sur des sujets tels que Malcolm X et l'Égypte, lui-même installé à côté de celui qui vend des bâtonnets d'encens, de petits flacons d'huiles essentielles, des chaussettes – absolument tout et n'importe quoi. Il a plusieurs portraits encadrés de la reine Néfertiti portant sa coiffe tubulaire en équilibre précaire, et dans cette portion de Court Street flotte une odeur d'encens douceâtre et écœurante qui se mélange aux gaz d'échappement, aux vapeurs du métro et aux relents de graisse de hamburger. À côté se trouve l'homme qui vend de fausses Ray-Ban pour cinq dollars. Impossible de les distinguer des vraies. Quand la police passe dans le coin, il les roule dans un carré de tissu. J'en ai moi-même deux paires.

À côté de lui est installé l'homme qui vend des livres pour enfants sous plastique. Je me souviens de l'un d'eux; un oiseau anthropomorphique essaie de se trouver un meilleur nid. Ayant échoué, il rentre chez lui et entonne une chanson :

> *J'aime ma maison,*
> *J'aime mon nid.*
> *Sur la terre tout entière*
> *c'est mon nid le plus joli !*

Opal me réclamait souvent celui-là. Elle disait :
– Papa, lis-moi celui que j'aime.
– Lequel, Opal ? Sois plus précise.
– Qu'est-ce que ça veut dire, puprécise ?
– De quel livre est-ce que tu parles ?
– Heu, de mon *préféré*.
– Lequel c'est, ton préféré ?
– Papa ! *Mon nid est le plus joli !*
Je lui lisais ce livre, puis j'embrassais sa petite tête blonde et j'éteignais la lumière ; elle faisait semblant d'avoir peur et je restais un moment avec elle, assis sur son petit lit, dans sa petite chambre. Je lui disais de faire dodo. Je lui disais qu'il n'allait rien lui arriver d'effrayant. C'est arrivé, pourtant. Rien de plus qu'un break Oldsmobile vert par un jeudi après-midi tout à fait ordinaire, mais il l'a aspirée par la fenêtre ouverte de ma voiture alors même que je tendais le bras vers elle et ne sentais que le siège vide.

# 3

Il est tard.

Une pendule beige est accrochée au mur beige près de mon box de métal beige, son fil électrique agrafé au mur et courant jusqu'à la plinthe au ras du sol.

Sept heures vingt.

La pendule avance, mais il est quand même tard.

Orlando pointe sa bobine réjouie dans mon bureau et lance « Hé, mon pote », et rien d'autre. Il reste là, à hocher la tête. « C'est l'heure de rentrer à la maison, bordel », ajoute-t-il enfin, souriant et hochant la tête pour s'approuver lui-même.

Sa voix de ténor castillan donne à son langage grossier un ton presque pittoresque – comme un chauffeur de taxi qui brandit le poing à votre intention par la fenêtre de son véhicule et vous traite d'âne ou de chèvre parce que vous vous êtes aventuré distraitement au milieu de la circulation.

Orlando s'inquiète pour moi. Un nuage sombre plane derrière sa gaieté. Il est surpris de me trouver seul dans mon bureau, occupé à ne rien faire, apparemment, si ce n'est contempler la condensation qui ruisselle des énormes climatiseurs faisant saillie de l'autre côté de la fenêtre. Il reste planté là de longues secondes avant de s'éloigner. En dépit de ce qu'il s'imagine peut-être, j'étais très bien tout seul. Je m'y suis habitué. Ce n'est que maintenant, après qu'Orlando a affiché son visage brun et jovial dans mon bureau, que j'ai envie d'aller en face. Je consulte de nouveau la pendule. Sept heures vingt-quatre. Je dois attendre, attendre que mon inspecteur se pointe, que Bloch rentre chez lui. Bientôt, avec une pantomime de regret viril, il prendra congé de sa joyeuse troupe. D'ici là je vais rester dans mon bureau et faire autre chose, n'importe quoi.

J'ouvre un nouveau dossier. J'en retire une épaisse liasse de photocopies de comptes rendus d'interrogatoire DD-5 et, avec un marqueur noir, j'entreprends de masquer les noms, adresses, numéros d'appartement, de téléphone, de sécurité sociale, de beeper, les NYSID[1] et, d'une manière générale, tout ce qui serait susceptible d'indiquer où il est possible de retrouver, menacer ou tuer mes témoins avant qu'ils aient pu témoigner. Tâche gratifiante en ceci qu'elle ne requiert aucun effort intellectuel, mais après quelques minutes je commence à voir double à cause du marqueur. Je me frotte les paupières et jette un coup d'œil au mur.

Sept heures quarante-huit.

Même si Bloch a filé, il est possible qu'il y ait encore là-bas des gens qui me connaissent. En dehors du turbin, les procureurs ont l'esprit convivial. Qu'ils vous voient assis à l'écart et ils viennent vers vous, vous disent un mot gentil, vous offrent un verre ou – pire que tout – vous entraînent d'autorité dans leurs petits groupes bavards et vous imposent leur camaraderie. Et en moins de temps qu'il n'en faut pour le dire, vous vous retrouvez en train d'opiner à des questions et des remarques que vous n'entendez pas vraiment et de vous esclaffer de concert avec les autres comme un abruti.

Plus tard arrivent les étudiantes. Elles se regroupent et installent leurs quartiers autour de longues tables de bois. Je les aperçois depuis mon repère, à l'écart, solitaire : des beautés embarrassées d'elles-mêmes, qui fument des cigarettes d'un air inexpérimenté et décollent nerveusement les étiquettes des bouteilles d'Amstel Light, laissant les fragments de papier tomber à terre. Je suis souvent là, dans mon coin, le chat du bar assis sur une chaise voisine, sa langue allant et venant assidûment sur la fourrure blanche et duveteuse entre ses pattes arrière, dont l'une se dresse de façon obscène dans les airs. Elles ne me remarquent pas, occupé à fomenter des intrigues dans mon coin, isolé et solitaire, vainement transi d'amour pour elles toutes. Je bois et je fomente des intrigues pendant des heures. Personne ne vient m'ennuyer. Des verres apparaissent silencieusement. Quand le chat a fini, il dort. Quand je n'ai plus un sou, je m'en vais.

Histoire de m'occuper, je vais aux chiottes.

Un W.-C. a débordé.

----

1. New York State Identity Number : numéro attribué à un criminel lors de sa première arrestation. (*N.d.T.*)

La cloison métallique arbore un échange de graffitis entre flics anonymes et procureurs anonymes – l'un succédant à l'autre – insulte après insulte, naissant de quelque affront désormais oublié et louvoyant tout autour de la cloison. Une flèche mène de PROCUREUR LIBÉRAL à POUR UNE GRÈVE DES P-V, qui mène à TOUS LES AVOCATS SONT DES PÉDÉS puis à BIEN DIT ESPÈCE DE MAL-BAISÉ. Quelqu'un a gratté *mal*, laissant *baisé*, jugeant ça malin. Comme le reste, je suppose. Il n'y a pas de véritable haine entre « eux et nous », entre les procureurs et les policiers bon teint. Nous ne nous détestons pas, pas vraiment. Nous ne pouvons tout simplement plus nous blairer à force de nous voir ; comme la lassitude d'un très vieux couple (ce que je ne connaîtrai jamais), une familiarité qui se mue en lassitude, puis en mépris. Nous sommes tout ce qu'on fourre dans le salami et que personne n'a envie de voir – pas même nous. En ce qui me concerne, je ne vois pas suffisamment de différence entre nous pour choisir mon camp et je me contente de tracer (avec mon marqueur fluo) une flèche entre *bien* et *baisé*. Voilà qui est mieux.

Un fragment de conversation dans le couloir au-dehors – quelqu'un a été descendu la nuit dernière ; pas d'arrestation, pas de suspect. Les voix et les bruits de pas s'éloignent puis s'éteignent, et le silence s'installe à nouveau.

Je glisse habilement mon pied derrière la lunette des toilettes en émail, en position relevée, qui retombe avec le claquement sec d'une détonation. Je tends l'orteil en direction de la poignée de la chasse d'eau, mais il n'y en a pas. Pas plus que dans les deux cabinets voisins. Dans l'un d'eux flotte du papier de toilette, ainsi qu'un emballage de chewing-gum et un mégot de cigarette dont s'échappe une traînée de nicotine.

\*

De retour dans mon bureau, je décroche le combiné et le colle à mon oreille. La tonalité hachée m'indique que j'ai un message. Il vient de Steven Solano, l'inspecteur de la Brigade criminelle des quartiers Nord de Brooklyn en charge de l'affaire Caper. Je raccroche et je compose le numéro qu'il m'a laissé, ce qui me met en relation avec une bande enregistrée. *Nous vous remercions pour votre appel ; veuillez rester en ligne, nous allons vous répondre dès que possible.* Puis du Vivaldi.

*Et merde.* Je raccroche et je recompose le numéro.

Tout près, une femme invisible, chaussée de tennis, approche d'un pas vif. Sa présence me sort de ma léthargie. Le combiné téléphonique coincé entre l'épaule et l'oreille, j'entreprends de ranger bruyamment mon bureau, lui signalant ma présence. Ce faisant, je remarque pour la première fois une enveloppe posée au bord de la table – cachetée, jaune, de grande taille, qui m'est adressée et arbore un cachet qui m'est familier, ainsi qu'un numéro de dossier que j'identifie aussitôt comme étant celui de Lamb. Un rapport du département médico-légal ? Je ne l'avais pas remarqué. J'ai déjà reçu le rapport d'autopsie du médecin légiste. Je l'ai lu la semaine dernière. Pas de surprise. La cause de la mort est « une blessure causée par une balle reçue dans la poitrine avec perforation du ventricule et du poumon gauches ». L'heure du décès a été fixée à minuit quarante-cinq, le 4 août. L'adolescente était déjà morte à son arrivée à Kings County Hospital, où sont soignées de nombreuses blessures par balle. Les chirurgiens de l'armée s'y préparent à la guerre.

– Brigade criminelle du secteur Nord, annonce une voix dans mon oreille.

– Solano est là ?

– Votre nom ?

– Giobberti. Bureau du Procureur.

– Ouais, euh, quittez pas, dit-il avant de couvrir sans grand succès le micro du combiné.

À travers sa paume, je l'entends appeler : « Hector. Hector ! Stevie est là-bas ? C'est le bureau du Procureur. J'en sais foutre rien. D'accord. » Puis, à moi :

– Ouais, patientez cinq secondes, monsieur le procureur. Il est dans les bureaux. Je vais essayer de vous le passer. Ne quittez pas...

Puis la communication est coupée.

– Bon Dieu, dis-je.

Je compose une nouvelle fois le numéro.

*Veuillez rester en ligne...*

Putain de *Quatre Saisons !*

Dans l'enveloppe jaune, je trouve un rapport d'analyse complémentaire du médecin légiste. Voilà qui est intéressant. Dans le corps de l'adolescente morte : du sperme vivant. Envahi malgré moi par la curiosité, je m'empare du dossier de Lamb et je l'ouvre, le libérant de l'élastique. J'en retire la chemise portant l'inscription « Rapports de police », que Nina a soigneusement rassemblés et que j'ai négligé de consulter.

Je ne l'ai ouvert qu'une fois, quand Bloch l'a déposé sur mon bureau sans fanfare, mais avec un regard grave et lourd de sens. Écrit à la main en lettres majuscules sur le rapport d'investigation de la Brigade criminelle (ce qui suffisait en soi pour deviner que l'affaire ne valait rien) : À L'HEURE ET AU LIEU DITS UN AGRESSEUR EN FUITE A TIRÉ UNE BALLE DANS LA POITRINE DE LA VICTIME (14 A. SF/N), ENTRAÎNANT SON DÉCÈS. (*Quatorze ans, sexe féminin, Noire.*) L'adolescente était un détail anecdotique, entre parenthèses, mais ce n'est pas la raison pour laquelle j'avais glissé son dossier jusqu'au coin le plus éloigné de mon bureau.

Que Bloch aille se faire foutre. N'y avait-il pas une expression dure sur son visage quand il m'a dit : « J'ai quelque chose pour toi, Gio ; une bonne affaire » ? C'est sa façon royale de me ressusciter d'entre les morts.

*Qu'il aille se faire foutre.*

Qu'il aille se faire foutre, lui et sa psychothérapie. Lui et sa vie impeccablement rangée à Cranford, New Jersey, aux côtés de sa jolie infirmière, avec ses vide-greniers du dimanche matin. Lui et son bureau climatisé où pendent des rubans de papier tue-mouches. Lui et sa porte.

*

Le téléphone sonne, c'est Solano.

– Je ne pourrai pas passer vous voir ce soir, monsieur le procureur, dit-il.

– Ça chauffe par chez vous ?

– Une fusillade, plusieurs victimes, répond-il, déjà fatigué. Un autre type vient d'être déclaré mort à son arrivée à l'hôpital. Je suis coincé ici pour cinq, six bonnes heures.

– Contentez-vous des grandes lignes, alors, dis-je ; mais pas de réponse. Il s'adresse à quelqu'un d'autre.

Enfin, il reprend :

– Bon, alors voilà. L'affaire de la nuit dernière ? L'arrestation ici, à Cypress ? Lamb ?

– Oui.

– Le type s'est mis à table. Quand on l'a amené ici, il s'est un peu lâché.

– Vraiment ?

– Il a une autre version des faits à vous donner. Je pense que vous allez peut-être vouloir vous intéresser à quelqu'un d'autre sur ce coup-là.

– Ouais, dites toujours. Qui, par exemple, Steve ?

– Écoutez. J'ai des trucs à régler ici. Je passerai vous voir demain matin.

– Entendu. Qui avez-vous en tête ?

De nouveau, il s'adresse à quelqu'un d'autre, puis .

– Écoutez. Apparemment, tout ça est peut-être une affaire de coup de feu accidentel. Une dispute, et le coup part. Comment savoir. Je passerai vous voir demain matin.

Il raccroche, et la photocopieuse pulvérise le silence qui s'ensuit.

Je repousse le dossier de Lamb jusqu'à son coin de bureau. Je filerai tout ça à Stacey demain matin. Je lui filerai cette affaire. Pas parce qu'elle veut me seconder, ni parce qu'elle pense qu'elle est prête. Et certainement pas parce que nous couchons ensemble au vu et au su de tout le bureau, à l'exception de Bloch, qui ne se rend compte de rien et qui, curieusement, s'imagine qu'en dépit de mes assauts occasionnels sur les oies blanches et les étudiantes du quartier, je ne baiserais jamais une femme que je pourrais aider à progresser dans sa carrière – et certainement pas une jeune procureur qui n'a quitté la faculté de droit que depuis quelques mois à peine.

S'il était au courant ? (Il serait bien capable de moucharder, cet abruti.)

Bloch le candide ; l'imaginer dans son bureau, seul et ignorant de tout, assis sur son canapé en Naugahyde [1]... Il ne se doute absolument pas que ce canapé est un baisodrome et que Stacey et moi nous y laissons tomber de temps à autre avant de rouler sur la moquette rouge et rêche, jusqu'à ce que ses jolies fesses soient à vif et mes genoux rosis ou le contraire si c'est ce dont elle a envie. Il n'en a aucune idée, pas plus qu'il ne sait que je possède encore une clef de sa porte – mon ancienne porte, ma propre clef, et que nous nous en servons quand sa chambre de Midwood nous paraît vraiment trop loin.

Mais pour Stacey, c'est autre chose. Elle ne baise pas avec moi pour une autre raison que parce qu'elle en a envie. Elle le fait parce que c'est possible.

Je ne vais donc pas lui donner cette affaire en guise de troc, et ce n'est pas pour cela qu'elle la réclame. Avec le zèle qui la caractérise, elle estime qu'elle est prête pour une affaire de meurtre et qu'elle la mériterait même si elle ne me gratifiait pas de ses faveurs. Je vais lui donner ce dossier parce que je supporte à peine de le regarder.

---

1. Marque de tissus vinyliques extrêmement résistants. (*N.d.T.*)

*

De nouveau, la photocopieuse émet son ronronnement et sa lumière blanche.

Je me lève presque involontairement. Me haussant sur la pointe des pieds, je jette un regard par-dessus le dédale de verre et de cloisons métalliques beiges. J'aperçois une chevelure blonde et rien de plus.

Je me dirige vers l'extrémité du couloir, le rapport d'autopsie du médecin légiste à la main – mon alibi. Que pourra-t-elle s'imaginer, sinon que je suis venu faire une photocopie ! Peut-être s'interrompra-t-elle pour me permettre de la faire. « Oh, dirai-je, merci », puis, dépassé par la technologie, je tripoterai vainement la machine et elle dira : « Je crois qu'il faut appuyer sur ce bouton-là » ; elle se penchera et appuiera dessus à ma place, se rapprochant de moi.

(Tout cela me traverse l'esprit tandis que je parcours six mètres.)

Plantée près de la photocopieuse, voici la jeune femme, grande, vêtue d'un T-shirt d'homme. FORDHAM LAW. Ses cheveux blonds sont négligemment retenus sur sa nuque à l'aide d'un stylo Dixon Ticonderoga. Elle est immobile, figée. Je suis un intrus. Lorsque j'apparais à la périphérie de son regard, elle tressaille.

– Oh ! s'exclame-t-elle en se tournant vers moi. Je m'apprêtais à faire la roue.

– Allez-y.

– D'accord, répond-elle.

Et elle s'exécute, une main après l'autre, la pesanteur tirant le T-shirt FORDHAM LAW vers le bas lorsqu'elle atteint le point culminant de sa roue. Puis elle l'achève et retombe avec légèreté sur ses Keds blanches.

– Ta-da, voilà tout ce qu'elle dit.

Elle se dirige vers la photocopieuse et ôte ses feuilles de la trieuse. Sur son passage, je sens une fragrance de savon. Alors qu'elle s'éloigne, ses papiers à la main, elle jette un bref regard par-dessus son épaule, un sourire narquois aux lèvres.

Après cela, il ne me reste plus qu'à m'en aller.

# 4

Immobile sur le trottoir en face du 210, à l'endroit où l'escalier du métro plonge sous terre, je fouille vainement dans mes poches.

Il est presque neuf heures, et désormais tout est plongé dans un silence bienséant. Il n'y a pas un chat à l'exception de la silhouette familière de l'homme qui dort sous le portique, niché entre le coin du bâtiment et le trottoir. Ses bras et ses jambes forment des angles étranges avec son corps, comme s'il était tombé d'un avion passant dans les airs. Un grondement retentit sous terre et à travers la grille métallique un souffle d'air humide, empreint de l'odeur mécanique du métro, fait vibrer le bric-à-brac que l'homme a déniché ici et là et étalé sur un carton (des *National Geographic* écornés, une lampe de bureau sur pied, un casque de football américain, des poignées de chasse d'eau, des cartouches d'encre vides).

Je n'ai pas d'argent pour prendre le métro.

Je m'éloigne en direction de chez moi.

À l'angle de Joralemon je m'engage dans Court Street, vers le sud. Il n'y a personne ici, pas de taxis jaunes, aucune voiture, en fait, à l'exception des taxis des compagnies privées – des berlines quatre portes noires flanquées d'antennes de deux mètres cinquante qui roulent à tombeau ouvert sur la portion déserte de Court Street. À l'intersection de Court et de Joralemon, un feu émet une lueur clignotante orange, créant une atmosphère franchement lugubre. Une odeur faible et suave d'encens s'élève du caniveau, où fument encore les vestiges d'un bâtonnet.

Alors que je passe devant chez Batson, une enclave isolée de lumière et de bruit, j'entends quelqu'un crier mon nom. Phil Bloch se tient devant le téléphone public situé à l'angle obscur de la rue. Il raccroche et se dirige vers moi d'un pas rapide, après avoir glissé un doigt dans le réceptacle destiné à la monnaie (sans succès). Il a un sourire aux lèvres et secoue sa grosse tête avec une incrédulité feinte, remontant son pantalon d'un cran, d'abord d'un côté, puis de l'autre.

— Devine qui j'étais en train d'appeler ? demande-t-il.

Je hausse les épaules, les mains dans les poches.

— Toi ! enchaîne-t-il. Qu'est-ce que tu dis de ça ? Je t'appelle, et te voilà. Comme un putain de tour de magie. Tu me dois un *quarter !* ajoute-t-il sur le ton de la plaisanterie, mais il le pense vraiment.

Il s'imagine que je suis venu prendre un verre. Sans ajouter un mot, il me pousse à l'intérieur, sa large paume exerçant une pression au creux de mes reins. Il me fait asseoir d'autorité sur un tabouret de bar au milieu de sa clique. Ils sont installés à l'écart, tout près du climatiseur. Ce sont des hommes moyennement importants quoique très importants à leurs propres yeux, qui viennent ici pour se détendre dans la pénombre anonyme. Tous les soirs ils se retrouvent ici, se levant parfois pour échanger des toasts et se renverser mutuellement le contenu de leurs verres sur les pieds. Ce sont, comme moi, des procureurs de carrière qui ne savent rien faire d'autre, mais aussi des juges, des avocats de la défense, des inspecteurs de police, des politicards du coin ; tous sont des gars de Brooklyn, mais certains sont chaussés de bottes de cow-boys.

À l'intérieur, il fait frais et sombre ; la bière coule à flots ; la clientèle est bruyante et nombreuse ; les filles sont juchées sur de hauts tabourets de bar et dénudent leurs jambes ; les hommes les abordent, exhibant leurs dents, car Batson fait office de rampe de lancement à de nombreuses fornications imbibées d'alcool, un Cape Canaveral de péchés charnels.

Le bar est un rectangle sévère, un wagon de marchandises tout en longueur dont la façade est dépourvue du moindre signe distinctif, hormis une porte métallique enchâssée entre deux fenêtres rondes qui ne laissent filtrer aucune lumière, même en plein jour. Sur la porte, bosselée à hauteur du pied, les mots BATSON BAR ont été inscrits à la main au marqueur noir. Les lettres se bousculent à l'endroit où l'auteur a réalisé – trop tard – qu'il allait manquer de place.

La clique de Bloch semble contente de me voir, et en moins de temps qu'il n'en faut pour le dire je me retrouve en train d'opiner à des questions et des remarques que je n'entends pas vraiment et de m'esclaffer avec les autres comme un abruti. Je les connais tous, bien sûr, et eux me connaissent. Bloch en a hérité en même temps qu'il a hérité de mon bureau. Il tourne tout cela en plaisanterie. Il s'amuse à prétendre qu'il se contente de squatter mon bureau, et qu'un jour je vais revenir l'en chasser. « Oh, oh... Regardez-moi ça, s'exclame-t-il quand j'ouvre sa porte. Le voici. Voici Giobberti. Il veut sûrement récupérer son bureau ! Il va me faire déguerpir d'ici à coups de pied dans le train ! » « Exact, Phil. » J'entre dans son jeu. « Tire-toi d'ici. » À vrai dire, je m'en fiche complètement. (La porte me manque ; c'est tout.) Bloch tourne cela en plaisanterie parce qu'il ne s'en fiche pas. Il aime son bureau. Il aime être un gros poisson dans notre putain de petit bassin. Il plaisante parce qu'il croit que c'est mon bureau, en effet, et qu'un jour je vais bel et bien me pointer et le faire déguerpir à coups de pied dans le train.

J'étais absent depuis – *quoi ? Deux mois ? Trois mois ?* – quand le boss lui a donné ma place. Le procureur l'a bombardé à la tête des Affaires criminelles, sans m'en toucher un mot. Il y a un an, je suis revenu. Au bout de quatre mois, je suis entré dans mon bureau, et Bloch était là. Ainsi qu'une nouvelle table et une nouvelle moquette rouge. Et l'affiche du musée d'Art, et le fauteuil en skaï. Je suis resté figé dans l'embrasure de la porte, la main toujours posée sur la poignée, clignant des yeux, me demandant si j'étais sorti de l'ascenseur au mauvais étage. Mais non – il y avait les mêmes rubans de papier tue-mouches, constellés des mêmes cadavres de mouches. Et le canapé en Naugahyde couleur merde de chien. À l'instant où j'avais ouvert la porte, Bloch avait levé les yeux de son bureau.

– Gio, a-t-il dit en laissant tomber son numéro de *Stereo Review* à terre.

Alors que je restais planté là sans bien savoir où j'étais, la teinte du Naugahyde et l'éclat des tubes de néon m'ont ramené à l'esprit un souvenir dénué d'importance ; un souvenir qui, pour une fois, ne me brisait pas le cœur.

– C'est drôle, ce canapé me fait penser à Mr Kurtz, ai-je dit.

– Qui est Mr Kurtz ? a demandé Bloch.

– C'était mon prof de travaux manuels. En sixième.

– Pourquoi Mr Kurtz, Gio ? a-t-il insisté, et l'expression gênée, embarrassée de son visage s'est effacée, remplacée par une autre, plus indulgente. (Il ne pensait plus à son bureau ; il se demandait plutôt si je n'étais pas revenu trop tôt.)

Je me suis laissé tomber sur une chaise.

– Aucune importance, ai-je répliqué. Et, après un bref silence, j'ai ajouté :

– Je ne suis plus dans la course, alors ?

– Non.

– Depuis quand ?

– La semaine dernière. Je veux dire, c'était moi qui faisais tourner la boutique, de toute façon, Gio. Tu sais... depuis que tu es parti. Depuis – juin, je veux dire. Le boss a officialisé les choses la semaine dernière.

Il y a eu un autre silence. Bloch a posé ses pieds sur son bureau, puis les a enlevés. J'imagine qu'il ne voulait pas me donner l'impression d'être trop à son aise, mais je m'en fichais. Le bureau n'était pas à moi, de toute façon – ce n'était pas la propriété de la ville ; Bloch l'avait acheté lui-même, ainsi que la moquette, l'affiche du musée, la bibliothèque, le fauteuil, le drapeau américain juché sur un pied derrière lui. Quoi qu'il ait pu avoir en tête, ça ne collait pas. Le 210 absorbait tout cela dans son orbite miteuse. Pourtant, j'ai dit :

– Tu as drôlement bien arrangé ça.

– C'est Sandy. Elle a l'œil, tu sais ? Comme si j'étais capable de réussir un truc pareil tout seul ! Qu'est-ce que j'y connais en décoration ? Tu sais ce qu'elle fait ? Elle va à des vide-greniers, c'est comme ça que ça s'appelle. Tous les dimanches. Je surveille les gosses et elle va à des vide-greniers à Cranford.

– Elle va à des quoi ?

– À des vide-greniers.

– C'est drôle.

– Qu'est-ce qui est drôle ?

– Non. Rien, ai-je dit. Simplement, quand Amanda est arrivée ici, à New York, je veux dire, elle m'a demandé s'il y avait des vide-greniers, et je n'avais aucune idée de ce dont elle voulait parler. Nous n'avons pas de vide-greniers, je lui avais dit. Nous n'avons pas de greniers. Nous avons des vérandas. À Brooklyn, les gens organisent des brocantes sur leurs vérandas. Elle s'était mise à fréquenter ces brocantes-là.

– Sandy a vraiment l'œil pour... tu sais. Ce genre de choses. (Il parlait juste histoire de dire quelque chose.) Pour savoir ce qui va avec quoi. Comme si je connaissais quoi que ce soit à ces trucs-là !

– Eh bien, ai-je dit, ça a de l'allure, Phil.

Alors Bloch a promené un regard appréciateur autour de lui ; puis, après un moment, il a dit :

– Personne ne savait quand tu allais revenir. C'est tout.

– Bien sûr, ai-je dit. J'imagine.

Et, après un autre instant de silence, il a dit :

– Je suis désolé, mon vieux. Je veux dire... pour tout.

*

À présent Bloch est assis en face de moi sur un tabouret, l'une de ses cuisses épaisses tournée vers ceux de sa clique, l'autre repliée en un geste protecteur contre mon flanc. Il se penche vers moi et me demande ce que je bois. Son attitude est condescendante, paternelle. Il s'inquiète à mon sujet, il craint que les choses ne tournent mal et ne le couvrent d'embarras.

– De tous les juges, c'est la dernière qu'on voit toujours une cigarette aux lèvres, déclare quelqu'un à ma droite.

Trois ou quatre conversations se déroulent simultanément à présent, et elles me parviennent toutes en même temps. *Elle fume des Chesterfield – et puis il se tourne vers moi et me demande : « M. Dunbar, quelle est votre stratégie, précisément ? – C'est ça ! Jusqu'au filtre, et elle allume la suivante avec le mégot. – Et tu sais ce que je lui ai répondu ? – Jamais le barreau ne – non, je veux rectifier ce que je viens de dire – Alors j'ai dit au juge : « Votre Honneur, je n'ai pas de stratégie particulière ; ma stratégie consiste à éviter à mon client de témoigner, puis à implorer votre clémence ! – Ses doigts sont tout – tu sais, tout jaunes – Jamais ils – Et voilà que ça recommence – Ma stratégie consiste à m'assurer que mes foutus témoins se pointent à l'heure et au jour dits !*

Des rires masculins tout autour de moi.

Ça continue dans cette veine-là, puis un verre apparaît devant moi. Rien qu'à sentir son odeur pure et fraîche, je me sens déjà mieux. J'en bois un premier et je le sens désinfecter mes entrailles viciées. J'en descends un autre et je décide de rester là, sans même avoir besoin de décider quoi que ce soit.

La routine habituelle. Encore un verre, et j'interviens dans la conversation, lançant des traits d'esprit dénués de finesse. Je commence à penser : *Ce ne sont pas de si mauvais bougres, après tout.* Nous nous tordons tous de rire. Bloch se détend et me lance un regard affectueux, sans plus craindre que je sombre soudain dans une de mes crises de cafard et que je lui gâche son plaisir. Il fait pivoter sa cuisse aussi épaisse qu'une souche, l'éloignant de moi. Il me laisse voler de mes propres ailes, me repousse du nid de son entrejambe. Je lance une remarque à propos d'une femme dont le visage ressemble à Cruella et nous explosons tous de rire, mais cette allusion éveille en moi un vide soudain qu'il me faut combler avec d'autres verres.

Néanmoins Bloch me regarde avec un visage radieux. Un autre verre. Encore un. Ils arrivent si facilement. Bloch pense que je vais bien. C'est un brave type. Ce sont tous de braves types. Je les dévisage tour à tour. De braves types, mais qui n'ont pas fière allure : boursouflés, flasques, rougeauds, mal rasés, les traits tirés – la pâleur propre aux avocats. En voilà un dont les cheveux plutôt longs sont rejetés en arrière, lui faisant une crinière de mèches colorées, raide et laquée. (Cette fois, je songe à Simba. Le Roi Lion.)

Des souvenirs d'Opal me submergent ainsi, aux moments les plus inattendus – de façon déloyale – lorsque je m'y attends le moins. Je m'esclaffe de concert avec cette triste équipe, cherchant des étudiantes d'un regard plein d'espoir, et m'en tirant plutôt bien, lorsque m'apparaît la vision du Simba tout miteux d'Opal ; et soudain je ne peux plus que regarder droit devant moi, anesthésié. Je vois Simba recroquevillé dans le petit sac d'Opal. Elle a trouvé un autocollant Barbie quelque part et l'a collé sur le front de Simba – il adhère à sa fourrure jaune –, elle déambule dans la petite cuisine de Windsor Terrace, balançant le sac de droite et de gauche... Elle chante quelque chose – *Je suis un petit puceron, regardez-moi manger, les tendres fleurs sont mon dîner...*

*

Plus tard, elles arrivent. Leurs voix stridentes, effervescentes, bouleversent l'atmosphère du bar, en chassent les vieilles toiles d'araignée poussiéreuses. Des sacoches heurtent le sol. Des ongles décollent des étiquettes d'Amstel Light. Des cigarettes sont allumées. Leurs groupes au timbre aigu s'agitent, pleins d'espoir et de crainte, cependant qu'elles jettent des regards rapides et attentifs autour d'elles en se cramponnant les unes aux autres comme si leur vie en dépendait. Elles sont belles et horribles tandis qu'elles projettent timidement leur corps svelte dans le vaste monde. Ce sont des touristes ici, en réalité. Elles sont encore excitées par la nouveauté de tout ceci. Elles intriguent et anticipent, et leurs intrigues, leurs anticipations, sont aussi importantes que ce qui pourrait se produire. À vingt et un ans, elles savent déjà quoi faire et quoi dire à ce moment-là et elles se comportent comme si ça n'avait guère d'importance, mais après coup elles se demandent encore : *C'est donc ça ?* et elles s'imaginent que c'est pour de vrai.

Bloch suit mon regard. Un pli méprisant se forme sur son front. Il désapprouve. Il ne s'inquiète plus à l'idée que je sombre dans un de mes cafards ; il se dit qu'il m'a laissé sortir trop tôt du nid. (Revoilà sa cuisse.) *Reviens avec nous, Giobberti !*

En voici une, une jeune blonde naïve. Elle s'approche du bar, où elle contemple avec un certain déplaisir son visage dans la glace tout en s'appuyant sur la pointe d'une de ses bottes noires. Me dégageant de l'emprise de Bloch, le trouble-fête, je me lève. À présent elle se trouve à cinquante centimètres de moi ; elle ne me regarde pas. À l'extrémité du comptoir, le barman verse quelque chose dans un verre. La fille regarde droit devant elle. Dans sa main, un billet de cinq dollars plié dans le sens de la longueur, comme le pourboire d'une strip-teaseuse. Je tourne mon regard vers l'extrémité du comptoir – le même regard, empli d'ennui et d'espoir, avec lequel je guette les phares du métro dans les tunnels.

C'est le moment. Je m'apprête à dire quelque chose à la fille, quelque chose que j'ai déjà dit. J'ouvre la bouche, mais...

Avant de pouvoir prononcer un mot, je sens le comptoir s'élever dans les airs. Il s'élève de plus en plus haut, une paroi de noyer luisant. La fille s'est élevée elle aussi. Elle est montée en flottant vers le ciel. Du haut de son perchoir, elle me regarde enfin. Sa botte est toute proche. Je pourrais la lécher. *Comment a-t-elle... ?* De mon point de vue, elle oscille de droite et de gauche comme Stevie Wonder – ainsi que le monde qui me surplombe. Moi seul suis ancré par la gravité. Tout le reste s'est élevé dans les airs, porté par quelque hélium puissant, vertigineux.

– Gio... Bordel, qu'est-ce que... s'exclame Bloch.

Je ne le vois pas, mais il est là-haut lui aussi. Sa voix est aussi stridente que celle d'une fille. Maintenant je sens ses doigts sous mes aisselles, pareilles à de petites saucisses. Je le sens me tirer dans l'air au-dessus de moi. Je m'élève avec légèreté, et quand je suis à la verticale mes pieds se posent de nouveau sur leurs semelles usées. Et je me fige, m'attendant à chuter derechef vers la terre. Mais la gravité est de nouveau mon amie. Je me suis redressé et j'ai atterri sur mes pieds ! Le sol est ferme sous moi.

Bloch remplit mon champ de vision. Je suis si près de lui que je peux distinguer un poil incarné sur son cou ; une île rosée sur une mer blanche. Son bouc bien taillé bouge tandis qu'il parle, silencieusement.

Derrière lui, les visages vides d'expression de sa clique.

À ma gauche, plus trace de la fille.

— Mr Kurtz, dis-je à Bloch.

— Bon Dieu, Gio... siffle-t-il en m'entraînant.

— Mr Kurtz, c'était un prof de travaux manuels, Phil.

Il m'entraîne quelque part. Dehors, peut-être. Mais je veux lui dire quelque chose.

— À Xavernian. Un grand type... Plus grand que toi... Un grand, grand, grand type. 'ccord ?

— Ouais, entendu, réplique-t-il en me guidant sans douceur.

— Et... Je me souviens... L'un des travaux qu'on devait faire, c'était un chienpourordeuvre.

— Un quoi ? demande-t-il, sans réelle curiosité.

— Un chien-pour-ord-euvre, dis-je en articulant.

— Un *chien* – pour hors-d'œuvre ?

— Totalement débile... On avait un bout de bois en forme de... de hot dog... Et on devait lui mettre une tête, des oreilles et des pattes, dis-je, postillonnant pour donner plus de force à mes propos, et des trous dessus – des p'tits trous sur son dos... Devine pour quoi c'était, les trous ?

— Je n'en ai aucune idée, réplique-t-il d'un ton pincé.

— Pour les cure-dents ! Et devine pour quoi c'était, les cure-dents ?

— Nous y voilà, déclare-t-il en ouvrant la porte métallique d'une main et me maintenant en position verticale de l'autre.

— Des cure-dents pour les – *oh merde ! 'ttention !* – des cure-dents pour les ordeuvres !

— D'accord. Te voilà arrivé, dit-il en me faisant franchir l'embrasure de la porte métallique et regagner Court Street.

— Ce putain de truc... Y fallait y mettre des oreilles.

— D'accord, d'accord. Tu peux prendre un taxi ici, dit Bloch. Rentre chez toi, Gio. Rentre chez toi et dessoûle, bordel de merde.

— Phil !

— Quoi, dit-il.

— J'essais d'te dire què'que chose, dis-je sur le trottoir silencieux. Mais t'écoutes pas, Phil – què'que chose de très important.

— D'accord, dit-il avec patience. (*Ce n'est pas un si mauvais bougre, après tout.*) Dis-moi, Gio.

— Les oreilles, Phil... elles étaient en Naugahyde. En putain de Naugahyde marron ! *Exactement de la même couleur que ton canapé.*

# 5

Je me sens beaucoup mieux maintenant, merci bien. Je pourrais toucher mon nez de l'index, d'abord le droit, puis le gauche. Je pourrais discuter longuement avec vous et vous ne vous douteriez de rien. Je marche le long d'une ligne du trottoir pour le prouver à Dieu sait qui.

— C'est l'heure de rentrer à la maison, bordel ! (J'imite la prononciation d'Orlando.) Bordel. Bordel. Mon pote.

*Qui a payé mes verres ? Bloch ? Il ajoutera ça au* quarter *que je lui dois.*

Je rentre chez moi à pied, m'engageant sans trop réfléchir dans les rues vides. *Qu'est-il arrivé au taxi de Bloch ?*

Je marche d'un pas décidé, en suivant une ligne droite.

Je crache.

Le glaviot me retombe dessus.

Je marche jusqu'à l'instant où je m'arrête devant sa maternelle.

Je me suis arrêté, je suis immobile devant le perron de pierre calcaire de la petite école où j'ai déposé Opal deux cents matins – où je l'ai laissée ce jeudi matin-là ; où je suis retourné la chercher l'après-midi.

Des milliers de trajectoires relient le centre de Brooklyn et mon appartement de Windsor Terrace, et mes pas m'ont conduit ici. Je n'étais pas revenu depuis un an. Je n'étais pas revenu depuis sa mort, depuis l'après-midi où elle est montée pour la dernière fois dans ma voiture. À cet endroit précis, elle est montée dans ma voiture dont la climatisation était en panne, les vitres baissées, et à l'instant où je démarrais elle m'a dit quelque chose. *Normalement tu dois –* voilà ce qu'elle m'a dit. *On est presque arrivés à la maison,*

41

ai-je rétorqué alors, mais la maison était plus loin qu'il n'y paraissait ; pour elle, c'était le point de fuite sur la parallaxe des trottoirs longeant Prospect Park Ouest, de plus en plus lointain au fur et à mesure que j'accélérais. Elle ne la reverrait jamais plus, pas plus que je ne la reverrais en gravissant, la portant sur mon dos, les deux volées de marches menant à l'appartement que je ne peux désormais ni me permettre de louer ni me résoudre à quitter.

La façon dont elle s'est débattue avec la ceinture de sécurité – ses petites mains s'acharnant vainement sur la boucle métallique...

Je me souviens de chaque détail de cet après-midi-là. Tout est clair dans mon esprit, sauf la fin, sauf elle ; elle n'est qu'un monogramme sur le bitume, une petite fille roulée en boule et sombrant dans le sommeil.

*

Devant son école, je me prépare à être submergé par une intense émotion face à ce lieu si important de sa courte vie. J'attends qu'un doigt accusateur surgisse des branches, de la façade de pierre calcaire, de la poussière recouvrant les vitres ; qu'il surgisse et se pointe sur moi, me reprochant ce que j'ai fait à mon propre enfant.

Je n'éprouve rien, mais ce n'est pas une absolution ; simplement, je ne peux pas en absorber davantage – je déborde littéralement de culpabilité.

J'attends que m'apparaisse son visage. Je voudrais voir son visage, mais je ne parviens plus à me le représenter.

Pendant un certain temps, après l'accident, son souvenir, sa voix et sa présence continuaient à imprégner mes vêtements, à imprégner l'air, et ils étaient si palpables que je m'attendais à tout instant à la voir bondir de derrière le frigo, comme si tout cela n'était qu'un jeu, et à s'écrier : « Je suis là ! »

Je patiente en face du perron de pierre calcaire, attendant quelque chose. Mais, comme la prémonition d'une idée s'évapore lorsqu'on se concentre, je n'éprouve rien.

*

Sans plus jeter un regard à ce lieu de pèlerinage stérile, je reprends ma route. L'effet de l'alcool s'est dissipé et je suis simplement vanné. J'ai envie de pisser.

Devant moi, une femme s'efforce de jucher sa Harley sur sa béquille. Elle me tourne le dos tandis que je m'approche à pas lents.

Je vois se bander les triceps étroits des bras nerveux qui émergent de son tee-shirt sans manches alors qu'elle lutte contre le guidon de la moto – un enchevêtrement de chrome qui doit peser aussi lourd qu'un veau. Elle se retourne en m'entendant approcher, gênée, sachant que je l'ai vue. Elle a les cheveux courts et des tatouages, ainsi qu'un anneau dans le nez. Mais en dépit des efforts qu'elle a déployés pour s'endurcir, ses yeux sont emplis d'une lueur douce et ses hanches sont amples et maternelles. Elle est loin de ce qu'elle était autrefois, mais pas si loin que ça.

Me voici dans Park Slope, pas très loin de chez moi non plus.

Bien qu'il soit le frère de Windsor Terrace, Park Slope est néanmoins l'enfant préféré. Ici, les rues s'éloignent harmonieusement de Prospect Park et elles portent des noms. Les façades des maisons sont bordées d'arbres. Elles sont plus larges, plus hautes, et à l'intérieur luit l'éclat sourd de l'acajou et du cerisier. Dans ce quartier, des labradors jaunes portant des bandanas rouges en guise de collier galopent sans laisse. Ici, des enfants baptisés James et Jonquil appellent les mères de leurs amis par leur prénom. Ici, des femmes coiffées en brosse et portant des tee-shirts sans manches foncent dans de larges avenues à trois heures du matin, et l'on voit des hommes doux aux cheveux longs porter des bébés dans des sacs kangourous et des chats dans des paniers pourvus de trous d'aération.

Ici, les braves gens empilent soigneusement des livres sur leur véranda pour qui veut les prendre. Ils mettent de côté les bouteilles en verre pour que des sans-abris les échangent contre de l'argent qu'ils échangent contre de minuscules sachets Ziplock remplis de cocaïne. Ils suspendent ces bouteilles dans des sacs en plastique au faîtage délicat de clôtures en fer forgé, dans les volutes desquelles des Mexicains payés un dollar l'heure glissent les menus de restaurants livrant à domicile. Il arrive qu'un sac en plastique vide s'envole jusque dans un arbre et y reste, comme s'il en faisait partie, durant des années. Ou alors il peut s'élever bien plus haut dans les airs et quitter Brooklyn, reposer dans un orme de Queens ou le long des toits de la ville qui remplissent l'horizon, à l'ouest, comme des dents.

Je poursuis mon chemin et Park Slope, au nord, diminue dans mon dos alors que je me rapproche de chez moi. Les *brownstones*[1] deviennent plus communs, plus étroits, plus trapus ; au fur et à mesure que je me dirige vers le sud, ils perdent un étage ou deux comme si, à l'ombre de Park Slope, mon quartier était demeuré

---

1. Bâtiments de grès brun typiques de certains quartiers de New York. (*N.d.T.*)

rabougri. Les frondaisons se raréfient jusqu'à ce qu'il n'y ait plus d'arbres hormis un rare arbrisseau rachitique entouré de crottes de chien desséchées. Le ciel sans étoiles se déploie au-dessus de moi, et au-dessous apparaissent une banque, une boutique vendant des *doughnuts*, une laverie ouverte 24 heures sur 24.

Un buisson accueillant se présente, et je descends ma fermeture éclair. À cet instant, une voiture de patrouille s'approche. Je lui fais signe par habitude. Elle braque son projecteur sur moi et je cligne des yeux en cherchant du regard son matricule sur le pare-choc arrière : 78ᵉ district. *Qui est-ce que je connais dans le 78ᵉ ?*

Bientôt je suis assis sur la banquette arrière, qui est large et recouverte de vinyle comme celle d'un taxi. Je me détourne de la vitre baissée dont le courant d'air me dégrise et je vois le chauffeur me fixer dans son rétroviseur. Son coéquipier a drapé un bras épais autour du dossier de son siège et, se retournant, il me jette un bref regard à travers le grillage de l'habitacle. Aucun d'eux ne prononce un mot. Ils pensent l'un et l'autre : *Les avocats sont tous des tapettes*, ce qui m'amène à l'esprit une pensée que je n'ai personne avec qui partager.

*Merci de m'avoir raccompagné, espèce de mal-baisés.*

\*

Quelques instants plus tard, je suis chez moi.

Une heure plus tard, je ne dors toujours pas.

Je bois des verres d'eau et je mange des macaronis dans ma cuisine presque vide. J'ai mis de la musique. Le boîtier du CD est posé sur la table et je dévisage une femme que je ne connais pas. (Je suis un ringard, un fonctionnaire de justice en caleçon.) Ce n'est pas moi qui ai acheté ce CD ; il appartient à Amanda, qui l'a abandonné derrière elle lorsqu'elle m'a quitté, comme l'un des caissons de Napoléon dans la neige de Moscou. La chanteuse s'appelle Fiona Apple, elle est belle, un fruit exotique, rare, rond et doux. J'ai envie d'en prendre une bouchée. Mais elle se sent triste (chagrine) ; quelque chose en rapport avec son petit ami.

*Quelle connerie, tout ça.*

Le téléphone se met à sonner et je ne bronche pas. C'est Stacey, je le sais. *Qui d'autre m'appellerait à trois heures du matin ? Qui d'autre m'appelle tout court, d'ailleurs ?* Lorsque le répondeur s'enclenche, j'entends ma propre voix, couvrant celle de Fiona, annoncer : « *Vous êtes bien au numéro que vous avez composé... »*

Un bip sonore, et j'attends. *Ai-je vraiment besoin d'un répondeur ?*

Dans l'appartement du dessous, Mrs Kretschmer donne des petits coups secs sur le tuyau de chauffage. Je baisse le volume au minimum. Fiona continue à chanter en silence. Sa photographie est à vingt centimètres de moi. Elle est belle belle belle.

Il doit bien y avoir moyen de la rencontrer.

Je suis assis dans ma cuisine où une étroite fenêtre, côté sud, donne sur l'arrière-cour et le ciel obscur. Je n'ai pas les moyens d'habiter cet appartement seul. Sans l'argent d'Amanda, je n'en ai pas les moyens ; pas plus que d'acheter des lames de rasoir ou de nouvelles chaussures. Tous les quinze jours, le ministère public de la ville de New York me délivre un chèque de 1 374,18 dollars en rétribution de mes services ; le premier de chaque mois, je donne à Mrs Kretschmer 1 650 dollars pour ces deux chambres (dont l'une est vacante), ce salon et cette cuisine. *Mais où irais-je ?* Comment pourrais-je jamais mettre les petites robes d'Opal, ses livres et le reste, dans des cartons ?

Stacey est au bout du fil, mais elle ne prononce pas un mot. En fond sonore, j'entends la radio.

Cet appartement, cette pièce n'ont pas beaucoup changé. S'il arrivait à Amanda de *revenir sans prévenir* (comme j'imaginais autrefois qu'elle le ferait, descendant du même taxi noir dans lequel elle est partie, l'air quelque peu dépenaillé, comme un chat qui rentre chez lui après un orage), elle s'apercevrait que peu de choses ont changé en l'espace d'un an ; si ce n'est que tout est encore plus silencieux à présent, plus silencieux même, si c'est possible, qu'après la mort d'Opal.

Nous avons vécu tous les deux ici pendant dix ans, et avec Opal pendant presque six. À Windsor Terrace, où j'ai grandi mais où je ne suis pas né, car il n'y a pas d'hôpitaux dans ce quartier. Il n'y a d'ailleurs pas grand-chose à Windsor Terrace, à l'exception de tout ce qui m'est familier : les commerces alignés côte à côte dans Prospect Park West, les bars, les églises, les trottoirs et le bitume. Cinq pâtés de coquettes maisons de pierre calcaire pour la plupart séparées les unes des autres, aux teintes sobres. C'est un endroit indépendant et sobre. On peut y trouver des places de parking, mais je ne conduis plus.

Amanda pourrait réemménager dans l'instant, et rien ne lui paraîtrait différent. Elle verrait aussitôt que j'ai tout gardé. Elle dirait que je suis fleur bleue, mais je n'ai rien jeté de ce que j'associe à elle et qui se résume essentiellement à Fiona et aux petits cadeaux des sociétés de produits pharmaceutiques : stylos, lampes torches, blocs de Post-it jaunes, qui tous arborent des noms de médicaments imprononçables et des slogans obscurs et optimistes. (GRÂCE À TERO-FLOXACIN, LE CHG N'EST PLUS QU'UN MAUVAIS SOUVENIR !)

S'il arrivait à Amanda de revenir sans prévenir, elle verrait que je ne l'ai pas reléguée dans le passé.

Si elle appelait, elle pourrait laisser un message sur le répondeur. Me dire, peut-être, où elle se trouve à présent ?

Je crois que si je décrochais maintenant, Stacey se trouverait dans une situation gênante ; en outre, cela m'obligerait à lui parler, ce qui prendrait du temps, et ESPN2 diffuse les moments marquants de l'Open d'Écosse dans dix minutes. C'est Nick Faldo qui anime l'émission. Je suis déjà en caleçon, prêt pour Nick et les fairways écossais qui se déploient sous le ciel gris.

*Remercions Dieu pour l'existence du câble.*

Je continue à manger. Ma longue marche m'a éclairci les idées. Je suis de nouveau moi-même – j'ai cessé de m'étaler comme un blanc-bec – et j'ai faim. Je dévore les macaronis que j'ai achetés à la bodega du coin. Le gosse dominicain qui tient la caisse s'imagine que je suis cinglé ou dangereux. Quand il me voit entrer dans sa boutique, il plonge la main sous le comptoir. Pendant que je fais mes courses, il arrête de regarder la chaîne de télé espagnole et me surveille.

Il faut que je pense à régler la facture du câble.

Je vais oublier, et ils vont de nouveau le couper.

Je me lève et je m'approche de la fenêtre. Voici un jet qui se dirige vers l'aéroport de La Guardia. Derrière lui j'aperçois les lumières d'atterrissage d'un autre avion, et d'un troisième derrière celui-là. Ils font poliment la queue pour se poser à New York. Ils virent quelque part au-dessus de Staten Island et remontent la Huitième Avenue à quelque six cents mètres au-dessus de l'anarchie géométrique des rues de Brooklyn. À leur gauche, si les passagers regardent par les hublots, ils voient Manhattan se déployer tel un cimetière vu des fenêtres d'un train, une infinité de pierres tombales illuminées.

*Pourquoi est-elle encore au bout du fil ? Raccroche, nom de Dieu.*

Stacey a changé depuis quelque temps. Elle n'a plus aucune réticence à m'appeler. Elle m'appelle sans cesse. Elle m'appelle la nuit. Elle veut venir chez moi, et elle veut savoir pourquoi ce n'est pas possible. Elle m'appelle au bureau et veut que nous discutions. Elle m'envoie des mots tendres et incongrus que je lis, un peu gêné, avant de les plier et de les glisser dans le tiroir de mon bureau. Elle m'en a tellement envoyés que le tiroir s'est écrasé par terre. Hier, elle m'a appelé pour me dire qu'elle m'avait aperçu en train de lire dans le square situé près de Borough Hall ; si j'ai le temps de lire, je devrais avoir le temps de déjeuner avec elle, etc.

C'était mieux quand ce n'était pas gagné d'avance. Comment l'expliquer. Si ça ne coûte rien, je n'en veux pas.

*Qui a dit cela ?*

Milton Echeverria ; quand je lui ai demandé pourquoi un beau gosse comme lui devait raquer pour s'envoyer en l'air. J'essayais de l'asticoter, de le déboussoler, mais ça n'avait pas marché. Il m'avait simplement répondu que si ça ne coûtait rien, il n'en voulait pas. Puis il m'avait souri, comme il avait souri lorsque j'avais foiré son inculpation pour meurtre et que je l'avais laissé filer.

Stacey est silencieuse, mais j'entends toujours la radio ; la radio posée sur le bureau de sa chambre, dans l'immeuble de Midwood où je suis allé un nombre incalculable de fois, souvent ivre et toujours en pleine nuit, marchant sur la pointe des pieds pour ne pas réveiller sa mère qui dormait dans la pièce principale, son générateur de bruit d'ambiance[1] allumé. Mais la dernière fois, c'était la routine. Tout était familier et pourtant étrangement déconcertant, comme quand on s'engage dans un escalier mécanique immobilisé. Le délicieux danger de la mère à l'extrémité du couloir, les babioles de fille posées sur la commode, les CD sur le bureau, les piles impressionnantes de *Glamour*, *Elle* et *Cosmopolitan*. Tout ce qui était jadis empli du pur plaisir charnel de la baiser – disparu. Je lui ai dit que je l'aimais, mais c'était juste une main gelée surgissant de la glace et cherchant à agripper une branche d'arbre absente. Elle a presque disparu, comme toutes les autres.

Pourtant, l'espace d'un instant, je l'imagine reflétée dans un miroir. Elle est en train d'enfiler son chemisier et, dans la glace, elle me semble presque parfaite. Je m'approche d'elle mais elle s'est déjà détournée avec une pudeur étonnante, désarmante et touchante, et nous sommes face à face dans la lumière.

« Stace ? » Je décroche quand même. Je répète : « Stace ? », mais c'est trop tard, et je n'entends plus la radio.

Je monte de nouveau le volume de Fiona et Mrs Kretschmer remet ça avec le tuyau de chauffage.

---

1. *White-noise machine :* il s'agit d'un appareil produisant en fond sonore un bruit neutre ou « bruit blanc » destiné à couvrir les bruits de la rue. (*N.d.T.*)

# 6

Le quai où j'attends le métro de la ligne F, un matin de semaine. Il est étrangement désert. Il n'y a personne à l'exception d'un vieillard vêtu d'un coupe-vent en tissu souple, d'une femme et de son enfant. La mère est à dix pas de moi et son petit garçon – qui n'a pas plus de cinq ans – décrit autour d'elle des cercles qui vont s'élargissant. La mère le laisse faire et son visage n'exprime d'autre sentiment que de la lassitude. Elle fixe le mur d'en face, au-dessus du troisième rail, où une affichette indique DANGER POISON et, manifestement, la même chose en espagnol ; elle représente un rat clair-obscur barré d'une croix pour représenter la mort. La mère fixe aveuglément le mur tandis que son fils s'éloigne encore davantage en une apogée périlleuse, et l'expression vide de son visage m'amène à les regarder alternativement l'un et l'autre. Elle contemple l'affiche du poison antirat et non (comme le vieillard au coupe-vent et moi) l'enfant ou le phare unique qui vient d'apparaître, à peine visible, dans le tunnel. Le métro qui approche repousse l'air souterrain devant lui à la façon d'une seringue, et je le sens balayer mon visage. Le courant d'air soulève les cheveux du vieillard – qui sont fins et couvrent comme un film plastique son cuir chevelu apparent – et lorsque enfin l'enfant, inévitablement, silencieusement, succombe à la tombe ouverte où courent les rails, le vieillard n'esquisse pas un geste mais semble seulement s'exclamer « *Oh !* », bien que le mot soit englouti par le hurlement de l'acier frottant contre l'acier ; la mère ne dit toujours absolument rien. À présent le métro est à l'entrée de la station. J'aperçois le conducteur derrière sa vitre. Quand je saute, il est si proche que je distingue la forme de sa casquette, et le gémissement funèbre des freins du train résonne cruellement tandis je me hisse sur le quai derrière le petit garçon.

(Voilà le genre d'abominables visions qui me hantent.)

\*

Dans le métro F du matin, où la pression des corps et la touffeur portent à son comble une gueule de bois bien méritée, j'aperçois Heather Machin-Chose – une jeune fille de Windsor Terrace, la baby-sitter d'Opal. Comme un soldat atteint par une balle, je n'éprouve qu'un sentiment de surprise. Je sais que je ressentirai autre chose bien assez tôt.

– Mr Giobberti?

Elle sourit d'un air anxieux – me regarde, puis regarde l'amie qui l'accompagne avant de tourner de nouveau les yeux vers moi –, incapable de trouver quoi dire. Elle était à l'enterrement, sanglotant à fendre l'âme. Je ne l'ai pas revue depuis ce jour de juin, l'année dernière. Comme tout le monde, elle me juge responsable de la mort d'Opal.

– Heather... Mon Dieu...

Je plie mon journal, le coince sous mon bras et me fraie un chemin dans le compartiment bondé. Je vois bien que nous regrettons tous les deux qu'elle m'ait fait signe.

– Hmm, et voici Karen, ajoute-t-elle, histoire de dire quelque chose.

– Bonjour, Karen, dis-je.

Karen sourit, une jeune fille moderne – jolie – arborant un nombre modéré de piercings.

– Eh bien, eh bien, dis-je. Eh bien, eh bien!

– Comment allez-vous? demande enfin Heather, effleurant mon bras.

– Bien, très bien. Et toi? Qu'est-ce que tu fais en ce moment?

– Je vais à la fac. Je... Karen et moi sommes à l'UAS?

Son intonation ascendante transforme sa phrase en question.

– À l'AS? dis-je, ayant mal entendu.

– Non. (Heather et Karen se mettent à rire. Elles se moquent de moi.) C'est, heu... L'université d'Art et de Stylisme?

– Bien sûr. Vous avez déjà fini le lycée?

– Oui. En mai?

– Ah, vraiment? Eh bien, eh bien!

– Oh! Je n'en pouvais vraiment plus.

– Et moi donc, renchérit laconiquement Karen.

Heather parle très vite. Me penchant, j'approche mon oreille de sa bouche et sens son haleine tiède m'effleurer ; je l'entends à peine à cause du bruit de son souffle, du fracas métallique et syncopé du train, et de l'air qu'exhalent sans grand résultat les climatiseurs au-dessus de nos têtes.

Puis le métro F émerge de terre et s'emplit d'une implacable lumière jaune. Derrière nous, la Quatrième Avenue apparaît et nous nous élevons de plus en plus haut au-dessus de la Troisième Avenue, à la hauteur de la 16e Rue, grimpant encore et encore. Nous plissons tous les yeux et clignons des paupières comme des otages rendus à la liberté. Ce quartier est laid et il l'est plus encore vu d'ici, où le regard n'embrasse pas seulement un unique pâté d'immeubles mais des acres et des acres de morosité ; ce ne sont pas des taudis à proprement parler, mais des immeubles délabrés à loyer très bas. Un quartier qui décline lentement depuis une centaine d'années. De la lessive grise pend aux fenêtres. Ici, des cheminées en brique vacillantes se dressent sur les toits bitumés. Des antennes de télévision – grêles anachronismes – défilent à vive allure et disparaissent. Au loin, à peine visible, la statue de la Liberté s'élève sans être le moins du monde spectaculaire, une vieille chose sordide parmi d'autres vieilles choses sordides.

Heather parle sans reprendre souffle, soulignant ses propos avec ses mains. Son haleine est empreinte d'une odeur de Cheerios et de lait. Je hoche la tête, attentif. Elle remplit l'air de mots pour éviter d'avoir à dire quoi que ce soit. Karen est silencieuse et sombre, elle regarde par la vitre, nous ignorant. Elle a un mince livre de poche à la main. *L'Étranger* de Camus.

Derrière elles apparaît un cimetière : une vaste étendue de mort nichée parmi les vivants. Les morts sont serrés les uns contre les autres. Vues à travers la vitre du métro, les pierres tombales forment une ville hérissée de gratte-ciel.

Quant à Karen...

Elle ne me regarde pas. Elle porte un tee-shirt sans manches trop étroit même pour son corps mince ; il n'est pas enfilé mais superposé sur ses seins qu'aucune autre étoffe n'enferme et remonte légèrement à la taille, révélant sa peau blanche. Là est fixé un anneau solitaire, au-dessus d'un tatouage bleu indiscernable. Ses cheveux – noirs, noirs comme les poils d'un labrador – sont encore humides de la douche. Une veine bleue semblable à l'os d'un bréchet se dessine sur sa tempe translucide. Karen doit sentir que je l'examine d'un regard franchement indiscret, car elle paraît soudain mal à l'aise.

À l'intersection de Smith et de la 3ᵉ Rue, le métro F s'enfonce sous terre, s'engageant dans un tunnel gaiement décoré de graffitis que l'on distingue jusqu'au moment où les ténèbres nous engloutissent de nouveau.

Brooklyn-Centre, mon arrêt, et les portières coulissantes s'ouvrent. Au moment de m'avancer sur le ciment constellé de chewing-gums, je suis incapable de bouger. Je ne peux pas les quitter, pas plus que je ne peux supporter de les regarder plus d'un instant. Je laisse les portières se refermer devant moi. Je reste dans le métro alors qu'il s'enfonce dans Manhattan.

Lorsqu'elles descendent aux alentours de la 40ᵉ Rue, avec soulagement et un geste de la main rapide et gêné, je traverse le quai pour reprendre un métro allant en sens inverse et – libéré à présent de la distraction que représentait Karen – j'attends dans l'hébétude de ma gueule de bois et le sentiment de choc soudain, stupéfiant, que j'ai éprouvé à voir Heather si ostensiblement vivante.

# 7

De retour dans Joralemon Street, j'émerge du sous-sol en bâillant à me décrocher la mâchoire. Tout semble confus dans la lumière brûlante, rien n'est à sa place. En haut des marches, je tourne comme à mon habitude et manque percuter un kiosque à journaux. Je regarde bêtement autour de moi, m'efforçant de comprendre. Tout semble familier, et pourtant tout paraît avoir pivoté et s'être déplacé. Le métro à destination de Brooklyn, j'en prends soudain conscience avec un sentiment de soulagement et de gêne, m'a laissé en face de mon escalier habituel.

Je passe devant l'homme qui vit derrière une colonne crasseuse, douillettement niché dans le giron des forces de l'ordre de Brooklyn. Assis sur la double bouche d'incendie fixée au mur, il chante et secoue les *dimes* et les *quarters* qui emplissent son gobelet Pepsi en carton sulfurisé.

Alors que j'attends l'ascenseur, qui comme d'habitude met trois plombes à arriver, je m'appuie contre le mur. Ça ne va pas. Les gens, leurs voix et leurs odeurs m'oppressent jusqu'à la nausée. Je ne peux même pas supporter de les regarder, mais j'entends leurs bonjours, leurs bavardages matinaux d'amitié futile, et je les hais avec la haine que les malades éprouvent pour les bien-portants.

*Si je peux recommencer à bouger, tout ira bien ; si je peux m'asseoir, tout ira bien ; si je peux trouver une cannette de Pepsi, tout ira bien.*

Au deuxième étage, assise derrière le bureau d'accueil à l'entrée des locaux des Affaires criminelles, se trouve Penny. Penny, comme son bureau, a quarante ans et un gabarit gigantesque. Un assortiment de posters mièvres tapisse le mur derrière elle : des affiches émouvantes qui représentent de petits mammifères arborant des épi-grammes de couleur pastel, en italique. Derrière elle également, scotchée au mur, trône bien en évidence une princesse qu'Opal a dessinée sur un bloc-notes avec un marqueur bleu pâle. Penny me déteste.

— Vous arrivez ? me demande-t-elle, m'arrêtant devant le registre des entrées et des sorties.

Je ne peux pas l'affronter aujourd'hui, je suis trop mal fichu. Je signe et me tourne vers elle, mais elle a déjà plaqué son menton contre sa poitrine et se tripote un ongle ; son cou encadre son visage, une barbe de bourrelets graisseux.

Deux inspecteurs de police m'attendent. L'un d'eux regarde par-dessus la cloison métallique beige qui sépare mon bureau de celui de Nina, ses bras reposant sans effort sur l'arête de la vitre dépolie. L'autre flic est assis à l'intérieur, plongé dans la lecture du *Post*. À l'instant où j'entre, il se lève, passant souplement — comme tous les hommes de petite taille — de la position assise à la position debout. Il plie son journal et le lance sèchement sur mon bureau. Je le connais, et ce depuis huit ans, mais cela n'a strictement aucune importance à ses yeux. Il s'appelle Steven Solano. Je n'ai pas l'honneur de connaître l'autre. Je demande à Solano :

— Vous êtes là depuis longtemps ?

Il se rassoit en croisant ses jambes minces à la manière d'une femme. Il n'a pas fermé l'œil de la nuit, mais il est en meilleure forme que moi. Un calibre .38 dépasse négligemment de sa ceinture. La crosse en bois usé fait saillie comme une virgule. Il a la mine — et dégage l'odeur — d'un fumeur.

— Il est dix heures trente, réplique-t-il.

— J'imagine que ça veut dire oui. Qui est votre collègue ?

— C'est Carson, répond-il avec un signe méprisant de sa petite tête à la chevelure luisante. Celui qui a sa queue à la main, ajoute-t-il en haussant la voix à l'intention de Nina. Bon, ça suffit. Pose ton cul sur cette chaise, lance-t-il à Carson d'un ton impérieux.

Ce dernier n'est pas encore arrivé à ses fins, aussi se détourne-t-il avec une grande réticence. Il promet à Nina que ce n'est que partie remise, ce à quoi elle répond avec une indifférence teintée de mépris qu'elle ponctue du claquement sec d'une agrafeuse. Bien joué. Elle a sans doute levé deux fois les yeux pendant que Carson lui faisait son show, et ne l'a pas gratifié d'un regard en lui disant au revoir. Carson, toutefois, a l'air d'être le genre d'homme auquel la significa-tion d'une telle chose échappe.

— Johnny Carson, dit-il en me serrant la main.

Je ne fais aucun commentaire à propos de son nom. Il semble déçu.

— Assieds-toi, ordonne Solano à son collègue. Au boulot.

— Pourquoi est-ce que vous êtes aussi pressé, Steve? dis-je. Détendez-vous. Comme Carson, là.

Solano esquisse un geste pour toute réponse. Carson nous observe à tour de rôle sans se départir de son expression affable et perplexe. Je demande à Solano :

— Vous avez quelque chose pour moi?

— Comme quoi, par exemple?

— Au téléphone, hier soir, vous m'avez dit que vous aviez parlé avec ce type, Lamb. Vous avez des notes? Vous m'avez apporté votre dossier?

— Je l'ai là.

Il le tapote de son pouce, me défiant presque de le prendre – *t'en veux un bout, de ce dossier?* Le dossier est posé à plat sur son genou, neutre et impeccable. C'est tout Solano, ça – neutre et impeccable.

— Je peux le voir? dis-je.

— De quoi avez-vous besoin?

— J'ai besoin de votre dossier. J'ai besoin du formulaire 5 de l'interrogatoire.

— Je vous en ai apporté une copie, réplique-t-il en me tendant le DD-5 dactylographié.

— Merci, dis-je, m'emparant du formulaire sans le regarder. Qu'est-ce qu'il raconte?

— Tout est là-dedans.

— Pourquoi est-ce que vous ne m'en parlez pas?

— Tout est là-dedans, monsieur le procureur.

Je m'efforce de lire le formulaire 5. Je transpire. Au-dessus de ma tête, une longueur de conduit silencieuse. Un fil de poussière suspendu à une bouche d'aération circulaire reste figé. Pourtant, à six mètres de moi, de l'autre côté de la vitre, les condensateurs ronronnent et gouttent.

Carson s'évente avec un étroit carnet à spirale, guettant d'éventuelles femmes qui viendraient à passer dans le couloir. Je sens l'odeur qui se dégage de son polo. Il a un torse très large et moulé par sa chemise à manches courtes. Ses tétons pointent comme des phares de voiture. Sa cravate est nouée, style inspecteur de police, autour de son cou et croisée au niveau du sternum, les extrémités enfoncées dans sa ceinture. Des gouttes de sueur de la taille d'une coccinelle perlent sur tout son corps. Il transpire même à grande échelle, me dis-je.

Des gens passent devant mon bureau, mais en ce qui me concerne j'essaie de remuer le moins possible. De petites gouttes de sueur naissent à la racine de mes cheveux. Des pucerons de sueur. *Je suis un petit puceron, regardez-moi manger.* J'entends Howard Stern dans la radio de Nina. (Un piéton a été tué par le vélo d'un livreur sur le trottoir dans le West Side, aux alentours de la 40ᵉ Rue.)

Nina apparaît dans l'embrasure de mon bureau.

— Excusez-moi, dit-elle.

Je la regarde, un peu gêné, et elle me sourit tristement.

— Gio, vous savez qu'Omar Jones passe en jugement aujourd'hui. Mitchell veut que son dossier lui parvienne immédiatement.

— D'accord, dis-je distraitement. *Jones ?*

— Oui.

Je sais que Nina écoute les gens parler d'Opal et de moi, et de ce qui s'est passé. La version qui circule au bureau est sans doute suffisamment proche de la vérité pour qu'elle puisse me regarder différemment si elle en a envie, voire me détester. Opal passait des heures entières dans le bureau de Nina après l'école ou le samedi après-midi, fascinée par les cheveux qui flottaient librement sur ses épaules, ses lèvres fardées, son apparence si différente de celle d'Amanda et si proche de l'idée qu'une fillette de cinq ans pouvait se faire d'une beauté féminine à la Barbie.

Opal avait de nombreux amis ici. Elle y passait de longs moments. Amanda, qui était interne en médecine, avait peu de temps à nous consacrer. Elle était à l'hôpital ou, quand elle était à la maison, elle dormait après avoir passé trois jours à apprendre à s'occuper d'inconnus, sans fermer l'œil. Opal, à cinq ans, et moi vivions presque seuls. Nous étions orpheline et veuf. Le soir, je la mettais au lit. Le matin, elle savait qu'elle ne devait pas réveiller sa mère, nous prenions notre petit déjeuner sur la pointe des pieds et j'essayais d'échapper à la corvée de lui préparer son repas de midi.

— Opal, pourquoi est-ce que tu ne manges pas à la cantine aujourd'hui ? Allez, quoi.

— J'ai déjà mangé à la cantine hier. Parce que tu avais oublié.

— Je n'avais pas oublié, Opal. J'étais... Comment est-ce que c'était ? Qu'est-ce qu'ils t'ont servi à manger ? C'était bon ?

— *Mmh*, tu vois, papa, ils m'ont dit que c'était de la pizza.

— C'est bon, la pizza, non ?

– *Mmh*, tu vois, papa, la maîtresse et tout le monde ils disaient que c'était de la pizza, mais moi j'ai trouvé que ça ressemblait à du poisson.

Après l'école, il y avait Heather ; et quand ce n'était pas Heather, c'était moi. Et quand c'était moi, Opal venait ici. J'ai le souvenir d'Opal gambadant de bureau en bureau sur le lino gris-vert, distribuant ses dessins en cadeau à tout un chacun. Certains sont encore scotchés aux murs beiges – des princesses, des baleines, des oiseaux – dessinés sur des blocs-notes au stylo-bille et coloriés avec des Stabilo qu'elle dénichait dans le tiroir de mon bureau doté d'une porte. Je sais où chacun d'eux est accroché, et je dois naviguer avec soin pour les éviter tous. Je passe toujours en flèche devant le bureau de Penny, sans jamais m'arrêter, même pour signer le registre des sorties.

*

Nina, cependant, pense que je suis *gentil*.

– Vous êtes tellement *gentil*, m'avait-elle dit quand j'avais été saisi d'un coup de cafard après l'inculpation pour meurtre d'un accusé.

Nous étions de l'autre côté de la rue, Nina et moi, seuls, après les célébrations d'usage, après que la clique habituelle eut porté un toast à mon intention, à l'Irlande et aux gros nibards, et même au pauvre bougre enfermé tout seul dans sa cellule de Rikers avec la perspective de purger entre vingt-cinq ans et perpète. Quand ils avaient pris en chantant le chemin de chez eux, Nina et moi étions restés seuls dans l'intimité paisible d'un bar vide aux petites heures du matin, et je m'étais demandé à voix haute, à son intention, si j'avais mené cette affaire comme je l'aurais dû. C'était avant la mort d'Opal ; j'étais ainsi en ce temps-là.

– Oh, ne dites pas ça, avait-elle répliqué. Ne parlez pas comme ça.

– Non, vraiment. Je ne sais pas. C'était peut-être l'autre ordure, cette ordure, là, Crisco. Comment est-ce qu'il s'appelle ? Je ne sais pas.

– Mais non.

– Ça pourrait être lui. Ça se pourrait, vous savez. Qui sait ?

– Attendez, avait-elle répliqué. Rafraîchissez-moi la mémoire. C'est celui...

– Qui s'est cavalé juste après. Celui que la vieille dame a vu par la fenêtre.

– Oh, je m'en souviens. Vous croyez? Non.

– Mais on ne peut jamais, jamais être vraiment sûr, vous savez? Personne n'a vu que dalle. Tout ça est...

– Vous êtes trop *gentil*, voilà tout, avait-elle dit. C'est votre problème.

– C'est mon problème?

– Gio...

– Oui.

– Je veux vous dire quelque chose.

– Oui.

– Vous m'écoutez?

– Oui. Je vous écoute.

– Est-ce que vous êtes avec moi?

– Je suis avec vous, avais-je répondu en approchant mon front du sien.

– Non, avait-elle répliqué avec un léger mouvement de recul. Regardez-moi. Regardez-moi bien.

– D'accord.

– Seigneur, avait-elle dit en souriant, gênée. Je me demande si on va se souvenir de tout ça demain.

– Je ne sais pas. J'espère.

– Vous ne vous en souviendrez sans doute pas.

– Pourquoi est-ce que vous dites ça?

– Parce que vous êtes ivre.

– Qu'est-ce que vous avez dit, déjà?

– Vous êtes très gentil.

– Je ne suis pas gentil.

– Pourquoi est-ce que vous dites ça?

– Je ne sais pas. Pourquoi est-ce que vous dites ça?

– Je pense juste que vous êtes – vous savez – un type gentil, avait-elle répondu, intimidée. Je peux vous parler de choses et d'autres et vous êtes... normal, vous voyez.

– C'est ça dont vous voulez que je me souvienne?

– Non, avait-elle dit. Il y a autre chose.

– Bon. Je regrette vraiment que vous ayez dit ça.

– Dit quoi?

– Que je suis gentil.

– Mais pourquoi? C'est vrai.

– « Gentil », c'est ce que les filles disent d'un type avec qui elles ne coucheront jamais.

Elle l'avait fait, pourtant. Nous étions allés chez elle en taxi. À trois heures du matin, franchissant un pont suspendu, nous avions gagné Staten Island où les maisons sont entourées de pelouses. Les sièges du taxi étaient en velours bordeaux et très doux. Je m'en souviens, Dieu sait pourquoi. Je ne me souviens pas de son quartier ni de ce à quoi il ressemblait, hormis l'allée de ciment entourée de gazon que nous avons foulée à l'aube tandis que ses voisins dormaient. Je me souviens qu'elle a tourné la clef dans la serrure. Je me souviens qu'elle a débranché l'alarme. Je me souviens qu'elle a jeté un coup d'œil à l'intérieur avant de me laisser entrer, et je me souviens qu'elle m'a laissé seul, assis sur son lit, pendant un moment. Je me souviens de la façon dont elle m'a regardé quand elle a regagné la chambre, qu'elle s'est tenue immobile devant moi et a laissé sa robe glisser de son corps. Et je me souviens de l'avoir baisée ; mais le lendemain Opal a été tuée, et il n'a plus jamais été question de Nina.

# 8

Nina s'éloigne, perchée sur ses hauts talons, tandis que Johnny Carson la suit d'un regard impuissant.

Puis soudain, Stacey apparaît au seuil de mon bureau.

Elle apparaît au seuil de mon bureau, mais s'immobilise avant d'entrer et nous regarde la regarder ; puis elle fait gracieusement pivoter son corps souple et s'éloigne sans avoir prononcé un mot. Il se dégage d'elle un sentiment de détermination inhabituel, et je me souviens de son coup de téléphone.

Je fais courir mon index le long de la racine de mes cheveux. Le mince filet d'alcool qui court dans mes veines a commencé à filtrer à travers ma peau. Mon estomac me semble souillé, écorché par l'alcool. Mon genou droit me fait mal, mais c'est peut-être juste l'effet de l'âge. (J'ai déjà trente-huit ans.)

Dans ma main, le rapport d'interrogatoire DD-5 rose s'enroule sur lui-même.

– Il fait porter le chapeau à la mère, déclare Solano, sentant le besoin de paraphraser, mais ajoutant sur un ton d'évidence : Vous trouverez tout là-dedans.

Je lis :

Affaire :   Homicide # 69/75
Objet :     Lecture de ses droits à l'inculpé Lamar Lamb, dit
            « LL » ; déclaration verbale de Lamar.

1. Le 20/8 à approximativement 2 h 25, l'inspecteur soussigné accompagné de l'insp. Carson, du 75e district, et de l'insp. Cortes, de la Brigade criminelle des quartiers Nord de Brooklyn, ont trans-

féré Lamar Lamb au 75ᵉ district. Mr Lamb a été placé dans la salle d'interrogatoire.

2. À environ 2 h 25, le soussigné a lu ses droits à Lamar Lamb. Lamb a indiqué qu'il comprenait quels étaient ses droits et qu'il acceptait de répondre aux questions et de faire une déclaration verbale concernant le rôle qu'il a joué dans l'incident.

3. Le soussigné a demandé à Lamar s'il connaissait Kayla Harris et ce dernier a répondu « Oui », et qu'il savait qu'elle était morte. Puis Lamar a déclaré qu'il avait rendu visite à Kayla et qu'il s'était verbalement disputé avec la mère de l'adolescente, Nicole Carbon. Lamar a déclaré que Nicole l'avait menacé d'une arme et lui avait ordonné de s'en aller. Il avait entendu Nicole crier, puis un « bang » retentissant. Il a déclaré, en outre, qu'il avait passé le reste de la nuit chez un ami et qu'il n'était pas allé trouver la police parce qu'il craignait d'être frappé. Interrogé quant au lieu où se trouvait le pistolet, Lamar a répondu qu'il l'ignorait.

Alors que je suis plongé dans ma lecture, j'entends la voix de Penny retentir dans un haut-parleur : « Procureur Giobberti, un visiteur à l'accueil. »

— Il reconnaît qu'il y était, dis-je finalement en reposant le formulaire 5 sur mon bureau. C'est déjà ça.

Solano hausse les épaules, impénétrable.

— Et le reste ? Le reste de son histoire, je veux dire.

— Des conneries, réplique Johnny Carson.

Solano le foudroie d'un regard signifiant *la ferme*.

— C'est pour ça que vous êtes venu hier soir ? demandé-je. Votre visite, c'était pour ça ?

— Son histoire se tient, rétorque Solano.

— Et vous la gobez ?

— Je peux juste vous dire une chose. Le gosse n'a pas l'air de mentir.

— Ah ! le gosse n'a pas l'air de mentir. Vous avez autre chose que ce qu'il vous a raconté ? Ou est-ce que ça suffit à la Crim' de Brooklyn ?

— Je ne prends pas position concernant ce gosse, ni dans un sens ni dans...

— Je vous ai demandé si vous aviez quoi que ce soit d'autre que l'histoire qu'il vous a racontée ?

— Tout ce que j'en dis, c'est que vous devriez peut-être vous intéresser à la mère, riposte-t-il.

— Parce que Lamb a craché sur elle ?

— Parce que le gamin est peut-être réglo, répond-il, cessant d'être sur la défensive.

— Très bien. Il a une autre version des faits, et il la raconte bien. Alors, où est le pistolet ? Vous avez fouillé l'appart', exact ? Et les techniciens de la scène du crime étaient aussi sur les lieux. Vous avez tout passé au peigne fin et vous n'avez pas retrouvé de pistolet, exact ?

— Pas de pistolet.

— S'il y était, les policiers, les techniciens de la scène du crime – quelqu'un l'aurait trouvé.

Il garde le silence. Je reprends :

— Écoutez, Steve. Voici comment je vois les choses ; si la mère avait tiré, l'arme aurait été là quand vous avez débarqué.

— À moins qu'elle l'ait cachée, avance Carson.

— Impossible. Les experts ont dû tout passer au peigne fin. Quelqu'un l'aurait trouvée. La mère a eu – quoi ? quatre, cinq minutes, après que la voisine a appelé les secours ? Impossible, bordel. Le gosse a le pistolet. C'est lui qui a tiré, Steve.

— Écoutez, reprend enfin Solano. Tout ce que j'en dis, c'est qu'il y a peut-être... comment je peux vous expliquer ça ? Quelque chose à creuser dans l'histoire du gamin.

— Le coup serait parti accidentellement ?

— Peut-être bien, ouais.

— Alors c'est la position des services de police dans cette affaire ? Un putain de coup de feu accidentel ?

— Non. C'est juste ce que j'en dis, moi.

— Et quelle est la position des services de police au sujet de ce meurtre, alors ?

— L'enquête est terminée, réplique-t-il. Avec une arrestation à la clef.

— Vous allez la rouvrir ?

— Non.

— La mère de cette fille, Nicole Machin-Chose... Elle fait partie des suspects ?

— Non, rétorque-t-il. Pas officiellement, non.

— Alors l'enquête est encore ouverte, ou quoi ?

— Je vous ai dit qu'elle était bouclée, monsieur le procureur...

— Dans ce cas, à quoi rime cette conversation ? dis-je, d'une voix trop forte.

Quelqu'un qui passe dans le couloir jette un regard à l'intérieur du bureau et me voit presque debout alors que Solano est assis, les bras croisés.

– Bon Dieu, vous m'apportez cette affaire... Je n'en veux pas, de cette putain d'affaire. Vous avez arrêté Lamb.

– Nous avions des circonstances incriminantes.

– Ne jouez pas à l'avocat, dis-je.

Nous nous affrontons du regard, mais il laisse couler.

– Tout ce que j'en dis, c'est que vous devriez peut-être regarder du côté de la mère, répète-t-il. Rien de plus.

– Que *moi*, je devrais regarder du côté de la mère ?

– Ouais, peut-être. Pour le cas où il y aurait quelque chose de fondé là-dedans.

– Et pourquoi pas les services de police ?

– Je crois que nous avons un problème d'ordre juridictionnel, monsieur le procureur. Un truc légal, répond-il, soudain mal à l'aise – son excuse est bidon, et il sait que je le sais. Du fait que l'enquête a été bouclée. Avec une arrestation à la clef, alors maintenant c'est l'affaire du procureur. Sur le bureau du procureur.

– Alors c'est ça.

Il hausse les épaules – un geste bureaucratique, comme pour dire : *Qu'est-ce que vous allez faire ?*

– L'affaire reste entre vos mains jusqu'à ce que j'aie une mise en accusation, Steve, dis-je. C'est comme ça que ça marche.

– *Bon Dieu*, marmonne-t-il en se frottant les paupières, l'air fatigué à présent. Qu'est-ce qu'on fait, alors ?

– Je suis en train de vous dire qu'en ce qui me concerne, j'ai le coupable. Vous voulez faire plonger la mère, vous vous y collez. Et trouvez-moi ce pistolet. C'est Lamb qui l'a.

– Mais pourquoi est-ce qu'elle irait tirer sur sa propre gamine ? s'interroge Carson à voix haute.

Nous ne lui prêtons aucune attention.

– Où est-ce qu'il dit avoir passé le reste de la nuit ? demandé-je à Solano. Chez un ami ? C'est qui, cet ami ?

– Il ne... commence Solano.

– Vous avez fouillé l'appartement de ce type ? Et celui de sa grand-mère ?

– Ouais, mais il est passé par Bedford Armory avant de rentrer chez lui.

– Rien d'intéressant chez la grand-mère ?

– Rien d'utile. Des trucs intéressants, ça oui.

— Comme quoi ?

— Un trou à rats, c'est tout.

— Vous avez mis le foutoir ?

— Un autre genre de foutoir, dit-il. Et depuis, Carson n'arrête pas de se gratter.

Carson lève les yeux.

— Qu'est-ce que...

— Il dit que ça vous démange, lancé-je.

— Où ça ? réplique Carson, un sourire aux lèvres.

— La prochaine fois, mettez des gants en plastique, dis-je.

— Des gants en plastique, répète-t-il. Elle est bien bonne, celle-là !

Stacey passe de nouveau dans le couloir, sans même jeter un coup d'œil à l'intérieur, cette fois-ci, et Johnny Carson s'administre une claque sur le genou.

— Maintenant je me souviens d'où je la connais. Cette fille, la substitut qui vient de passer.

— Qui ça ? demande Solano avec indifférence.

— Celle qui vient de passer. Rappelle-toi. C'est la substitut dont je t'ai parlé. Celle que Mikey s'est envoyée une nuit. Tu te souviens, quand on était avec Mikey l'hiver dernier, à Bay Ridge. Tu te souviens ?

— La baraque avec Jimmy Calloway ? demande Solano.

— C'est ça, répond Carson en riant.

— Pas étonnant que tu l'aies pas reconnue. Maintenant qu'elle est en position verticale.

— Écoutez, dis-je, les interrompant.

Ils sont tous les deux en train de s'esclaffer. (C'est un spectacle perturbant de voir Solano rire.)

— Écoutez, répété-je.

— Quoi ? demande Carson.

— Allez-vous-en ; allez manger quelque chose, allez dormir un peu. Quelqu'un m'attend à l'accueil. Et puis j'attends la visite du témoin, de la voisine, ce matin. Je dois la faire témoigner devant le grand jury tout à l'heure. Revenez après le déjeuner.

Solano renâcle.

— Monsieur le procureur, je n'ai pas fermé l'œil de la nuit...

— Ça vous fait des heures sup, alors. Allez donc voir qui me demande à l'accueil. S'il a l'air bien disposé, envoyez-le-moi.

# 9

– C'est vous le procureur – *Gui-o-bert?* – *berti?*

– Giobberti? dis-je, levant les yeux vers le visage inconnu qui me scrute par-dessus la cloison en verre dépoli de mon bureau. Et vous, vous êtes qui?

– Vous m'avez envoyé une assignation à comparaître...

– Qui êtes-vous?

– Archer, répond-il.

– Tiens donc.

– D.A.A.F.

– D.A.A.F.? C'est quoi, ce putain de truc?

– Département d'analyse des armes à feu, explique-t-il.

– Tiens donc. (J'entre dans son jeu.) Et c'est quoi, ce putain de truc?

– C'est comme ça qu'ils appellent la Balistique, maintenant, pré-cise-t-il en s'asseyant. Depuis qu'ils nous ont transférés à Queens, dans la section de Jamaica.

– Archer, dis-je en frottant mon genou douloureux. Drôle de nom pour un type qui bosse à la Balistique, hein?

– Quoi? Ah! j'ai compris.

– Et si vous me parliez de ce que vous avez là?

Archer réfléchit à la question. Il se redresse sur sa chaise.

– En fait, il n'y a pas grand-chose à dire.

C'est un homme costaud dont la bouche est dessinée comme celle d'un chat, et dont les mains paraissent assez fortes pour broyer des cantaloups. Néanmoins sa façon d'être et ses mouvements sont déli-cats et me font instinctivement chercher une alliance à son doigt; il en porte une. (Je me sens ridicule d'avoir regardé.)

— J'ai examiné la douille, déclare-t-il. La douille qu'on a retrouvée sur les lieux.

— Très bien, inspecteur. Racontez-moi.

— C'est une douille Remington de calibre .25. Marque de percution bien définie. Trace d'extraction parfaitement nette.

Il réfléchit un moment. De fait, il réfléchit en contemplant le plafond. Il le contemple si longuement que je lève les yeux, moi aussi, me demandant ce qu'il voit. Le conduit silencieux serpente parmi les tubes de néon. Rien ne semble clocher.

— C'est à peu près tout ce que je peux vous dire, conclut-il enfin, baissant de nouveau les yeux vers moi.

— Et...?

— C'est tout.

— Et la balle? Le médecin légiste a extrait une balle du corps de la fille.

Il se dérobe, sur la défensive.

— Comme je vous l'ai dit au téléphone, mon boulot se limite à la douille.

— Écoutez, inspecteur, pouvez-vous simplement appeler quelqu'un à la Balistique, et...

— Au D.A.A.F., corrige-t-il.

— Au D.A.A.F., peu importe – et voir ce qu'il en est concernant cette foutue balle?

— Comme je vous l'ai dit, mon travail se limite à...

Je lui pose le téléphone sous le nez et je sors de mon bureau.

*

Sur une feuille de papier scotchée au distributeur de Pepsi, il est inscrit : « Cette machine fonctionne avec de L'ARGENT! Vous êtes PRÉVENUS! », d'une écriture féminine tout en boucles.

Je reste un instant immobile, perplexe, le regard rivé au bouton sur lequel je voulais appuyer.

Depuis peu, je me trouve confronté à ce genre de choses (l'indécision – qui va de pair avec le fait de trop boire, de baiser à droite et à gauche, de traverser la rue, de conduire, d'arracher à la mort des enfants plantés sur la trajectoire de métros et de livreurs chinois). *L'indécision n'est-elle pas une absence de virilité, un symptôme de faiblesse, une minauderie inquiétante? Est-ce – à l'image du reste – le signe que le pire est à venir? Un éclat dans le pare-brise, déployant ses ramifications jusqu'à former une toile d'araignée toujours plus vaste?*

65

Peut-être Bloch a-t-il raison ; peut-être vais-je craquer.

Après ce truc avec Stacey – *quand était-ce ? Dimanche soir ?* –, quand je lui ai dit que je l'aimais sans le penser (et nous savions tous les deux que je ne le pensais pas), je suis resté figé à trois heures du matin dans la bodega du coin de la rue, devant la vitrine réfrigérée, les yeux rivés à une brique de lait solitaire. À l'intérieur du magasin, même à cette heure-là, l'air était encore chaud et confiné, et le lieu dégageait de faibles relents de sciure et de litière pour chat. Je revenais de chez Stacey. Dans ma poche se trouvait une chaussette, et, bien que la tête me tournât encore plaisamment sous l'effet de l'alcool circulant dans mon sang et que son parfum imprégnât encore mes vêtements, je savais que j'avais fait une erreur.

Je savais qu'au matin j'aurais envie de me gifler, et j'essayais de ne plus y penser. Je pensais au lait. Il n'y avait que cette brique solitaire, sordide, qui me faisait penser – à moi. Doit être consommée avant : demain. Je l'imaginais se transformant en fromage rance dans mon frigo vide. *Mais d'un autre côté...* Je m'étais éloigné, pétri d'indécision. Je m'étais dirigé vers la porte de la bodega, au grand soulagement du caissier solitaire, le gosse dominicain à la peau sombre qui s'était détourné de la chaîne de télé espagnole pour me regarder contempler la vitrine réfrigérée. Il était derrière le comptoir, encadré par un rectangle de plexiglas tapissé de barres chocolatées, de sachets d'aspirine, de vitamines, de lames de rasoir et de préservatifs. Sa main était plongée sous le comptoir. *Qu'est-ce qu'il avait là-dessous ?* Il se tenait prêt à réagir, pour le cas où je ferais une connerie.

Tandis que je me dirigeais vers la porte, sa main nerveuse se trouvait toujours hors de ma vue, prête à s'emparer de ce qui se trouvait sous le comptoir – quoi que ce puisse être – comme s'il savait la vérité : que je suis un assassin.

\*

Soudain, le minifrigo installé à l'extrémité du couloir me revient en mémoire ; un cube métallique couvert d'oxydation et d'autocollants de stations de radio, dont le freezer ressemble à l'œil d'un boxeur fermé par le givre. Le minifrigo déborde de sachets en papier marron, de Tupperware et de lasagnes Lean Cuisine, que leurs propriétaires réchauffent au micro-ondes à l'heure du déjeuner, imprégnant ce coin du troisième étage d'une odeur chaude et oléagineuse. À l'intérieur, il y a également des boissons gazeuses. Si j'en

66

prenais une, je pourrais en racheter une autre et la remplacer avant qu'elle fasse défaut à quelqu'un.

C'est un bon plan, pourtant j'hésite. Le minifrigo, je m'en souviens, se trouve dans le bureau voisin de celui de Stacey, et si je ne suis pas prudent elle risque de m'apercevoir. Elle a quelque chose en tête, et je ne peux vraiment pas l'affronter dans l'état où je suis.

Je décide de courir le risque, mais il se trouve qu'elle n'est pas là. Je pique le Pepsi de Dieu sait qui et je me débats avec la languette métallique, qui cède avec un *Pshhhit* médicinal. J'avale une longue gorgée et je sens l'acide ronger les humeurs rances de mon estomac jusqu'à les faire disparaître.

Quand je me retourne, Stacey est plantée devant moi. Malgré moi, je suis content de la voir. En dépit de tout ce qui cloche chez elle – chez nous – elle est... *Qu'est-elle pour moi ?* Quelque chose d'important.

– Bon Dieu, qu'est-ce qui t'est arrivé ? demande-t-elle.

– Quoi ?

– Ton visage.

Elle me considère en fronçant les sourcils.

– Oh, dis-je, promenant ma main sur mon menton. J'ai fait l'impasse sur le rasoir. Ça se voit ?

– Seulement quand on te regarde, rétorque-t-elle.

Elle s'approche pour me scruter de plus près, d'un regard possessif, puis sa main, fine et mince, comme le reste de sa personne, s'empare de la canette. Ses cils, ses sourcils et sa peau sont assortis à ses yeux bruns, mais pas ses longs cheveux, teints en auburn pour rompre la monotonie.

– Avec quoi tu t'es rasé ? Un blaireau ?

– Non, non, dis-je. J'ai besoin de... de...

– De lames de rasoir ? avance-t-elle obligeamment, en buvant une gorgée.

– Exactement.

– Bonjour, dit-elle, me souriant enfin.

– Salut, répliqué-je faiblement.

– Alors, tu as eu mon message, ou quoi ?

– Oui.

– Je suppose que je devrais dire messages au pluriel, hein ?

– Seulement trois.

– Tu t'imagines sûrement que je suis en train de devenir l'une de ces filles dont tu m'as parlé. Qui passent leur temps à t'appeler. Qui envahissent ton *intimité,* ou je ne sais quoi. (Elle contemple la canette de Pepsi, attendant que je dise quelque chose.) Enfin, bref. (Elle hausse les épaules et change de sujet.) Du Pepsi. Tu dois vraiment être mal fichu aujourd'hui. C'est pour ça que tu ne m'as pas rappelée ?

— Non, ce n'est pas pour ça.

— Où est-ce que tu étais ?

— Un enterrement, rien de plus. Ou plutôt une veillée funèbre, je veux dire. Une cérémonie mortuaire.

— Vraiment ?

— Oui.

— Tu n'as pas l'air d'en être si sûr.

— C'est pour ça que je ne t'ai pas rappelée.

— Ça s'est terminé plutôt tard pour un enterrement ou une veillée mortuaire ou une cérémonie funèbre ou je ne sais quoi.

— Maintenant j'ai l'impression d'entendre une de ces filles, dis-je.

— C'étaient les obsèques de l'adolescente ? La petite de quatorze ans ?

— Oui.

— Ah, dit-elle. C'était vraiment triste ?

— Non. C'était... Il n'y avait personne, en fait.

— Mais c'est affreusement triste ! réplique-t-elle, et elle est sincère.

Après un instant de silence, elle reprend :

— Je voulais te parler, Gio. À propos de quelque chose d'important.

— Quelque chose d'important ?

*Nous y voilà.*

— Est-ce que c'est important ? répète-t-elle, comme si elle n'y avait pas encore réfléchi sous cet angle. Ma foi, c'est important pour moi. Assieds-toi.

— Tu es enceinte ou quelque chose comme ça ?

— Si c'est le cas, il n'est pas de toi, mon grand. Allez, assieds-toi.

— Je n'ai pas envie de m'asseoir.

— Soit tu t'assieds, soit tu vas t'écrouler.

— Très bien.

Je m'assois.

— Je vais te dire quelque chose, déclare-t-elle à sa manière directe (l'une des choses qui maintiennent en éveil l'intérêt que je lui porte). Je veux bosser avec toi sur cette affaire de meurtre. L'affaire de l'adolescente.

68

— Non, répliqué-je, Dieu sait pourquoi, bien que j'aie déjà décidé le contraire.

— Pourquoi ?

— Pourquoi veux-tu cette affaire ?

Elle baisse rapidement les yeux.

— Elle semble intéressante.

— Ce n'est pas une bonne affaire.

— Oh, arrête ton char ! riposte-t-elle en relevant les yeux.

— Non. Ce n'est vraiment pas une bonne affaire.

— Qu'est-ce que tu racontes ? Tu as le témoin qui habite sur le palier, tu as...

— Ça n'est pas...

— C'est une affaire géniale – du tout cuit, tu l'as dit toi-même...

— C'est comme ça que je m'exprime ? « *Du tout cuit* » ?

— Je ne te citais pas mot pour mot, crétin.

— J'ai dit... Je ne me souviens plus de ce que j'ai dit. Écoute... Et d'abord, comment se fait-il que tu en saches autant, tout d'un coup ?

— Tu m'en as parlé la semaine dernière. On en a parlé. Bon Dieu. Qu'est-ce que tu t'imagines, que je baise avec toi pour pouvoir glisser un œil dans tes dossiers secrets ?

— Je ne voulais pas dire que ce n'est pas une bonne affaire. (Je proteste, conscient de paraître sur la défensive.) Je voulais dire que ce n'est pas une bonne affaire pour toi.

— Bon, garde ton calme, Stacey, raisonne-t-elle à voix haute. Qu'est-ce qu'il peut bien vouloir dire par là, nom d'une pipe ? Il doit y avoir une explication toute simple, ou alors tu vas devoir lui botter le train.

— C'est une affaire tordue, Stacey, voilà tout. Une fille morte...

— Quoi, tu penses que je ne pourrais pas le supporter ?

Elle recule d'un pas pour ponctuer son incrédulité.

Elle est petite. Même debout devant moi, qui suis assis sur son bureau, ses yeux arrivent à peine à la hauteur des miens. Un mètre soixante (tout juste) pieds nus. L'adolescente de quatorze ans était plus grande que Stacey. Mais elle est bien proportionnée ; on n'a pas l'impression qu'elle soit petite, à moins de juger en comparaison avec autre chose.

Elle porte un petit tailleur bleu, avec une petite jupe bleue. Ce sont des vêtements d'adulte. Se réveiller tôt le matin, s'habiller, partir travailler – être une adulte –, tout cela est nouveau pour elle. Et bien que cela fasse un an déjà, elle y trouve encore l'attrait de la nouveauté. Voyant l'âge adulte la gagner sous la forme de petits

69

tailleurs et de sacs à main, je trouve cela curieusement émouvant, comme si c'était ma fille, comme si je la regardais grandir...

Pourtant, sur son menton, un infime bouton trahit la proximité de l'adolescence.

– Je n'ai pas dit ça. Ce n'est pas ça.

– Quoi, alors ?

Elle ne comprend pas, et je ne peux pas le lui expliquer ; ce n'est pas ainsi que nous agissons l'un avec l'autre.

\*

– La balle est une .25, annonce Archer d'un ton enjoué dès que je franchis le seuil de mon bureau.

Il me l'annonce comme s'il s'attendait à ce que je le félicite d'une petite tape sur l'épaule.

– Bien. Quoi d'autre ?

– Nous ne pouvons pas la comparer avec la douille, si c'est ce que vous voulez savoir. Pas avant d'avoir une arme.

– L'arme, je m'en occupe. Parlez-moi de la balle.

Il a pris des notes sur une serviette en papier maculée de taches de café et il les lit à voix haute, ses lunettes sur le nez :

– Fragment déformé, semi-chemisée, tête creuse. C'est ce qui l'a tuée, conclut-il en reposant ses lunettes. Cette foutue balle à tête creuse. Elle a explosé en l'atteignant. Elle s'est transformée en... en hélice, en quelque sorte, dans son corps.

Je réfléchis quelques instants en silence. Dieu soit loué, le saccharose et la caféine du Pepsi commencent à faire effet et je suis de nouveau capable de penser. Mon téléphone se met à sonner.

– Écoutez. Je veux que vous fassiez une recherche concernant la balle et la douille dans l'ordinateur du fichier central.

Archer contemple nerveusement le téléphone. Voilà qui est intéressant : *quand un téléphone sonne, il faut décrocher !*

– Vous pouvez faire ça pour moi, inspecteur ?

– Oui oui, répond-il distraitement. (J'ai l'impression qu'il va empoigner le combiné lui-même si je ne le fais pas.) Mais les bases de données ne couvrent que ces deux dernières années.

– Voyons si ce type s'est déjà servi de cette arme. Entendu ?

– Oui, oui, répète-t-il, sans trop savoir s'il doit parler ou me laisser répondre au téléphone. Il prie pour que je décroche.

Je m'empare du combiné, et il est visiblement soulagé.

– Et au fait, qu'est-ce que ce connard racontait à mon sujet ?

– Quel connard ?

– Cette espèce de gros lard qui m'a lorgnée toute la matinée. Johnny Walker. Un nom débile dans ce genre-là.

– Carson, dis-je.

– Bon Dieu, il s'appelle vraiment comme ça ? *Johnny Carson ?* C'est possible de porter un nom pareil ?

– Qu'est-ce qui te fait penser qu'il parlait de toi ?

– C'était bien le cas, non ? demande-t-elle d'un ton sans réplique.

– Pourquoi dis-tu ça ?

– Arrête de tourner autour du pot.

– En quoi est-ce important ?

– Je veux savoir ce qu'ils racontaient sur moi. Je veux savoir ce qu'ils t'ont dit.

– Écoute, je te rappellerai plus tard.

– Qu'est-ce qu'il a dit, Gio ?

– À moi, rien, répliqué-je sans mentir.

– Qu'est-ce qu'il a dit ? exige-t-elle de savoir.

– Les conneries habituelles.

– Qu'est-ce qu'il a dit ? insiste-t-elle, lassée de se répéter.

– Des conneries à propos d'un dénommé Mikey quelque chose et de toi. Pour être franc, je n'écoutais pas.

Elle raccroche et rappelle immédiatement. Dans l'intervalle, je hausse les épaules à l'intention d'Archer.

– La Criminelle... dis-je.

– Quoi d'autre ? s'enquiert Stacey.

– C'est tout, vraiment. Je ne faisais pas attention.

Je couvre le combiné d'une main et, de l'autre, je serre négligemment celle d'Archer. Il prend congé à contre-cœur. Le spectacle le réjouit, et il s'attarde un instant dans l'embrasure de la porte avant de tourner les talons.

– Quoi d'autre ? répète-t-elle.

– Pour l'essentiel, que tu es une groupie de flics, dis-je, utilisant l'expression qu'elle déteste. Ça résume à peu près toute l'affaire.

La communication est de nouveau coupée.

Je raccroche et imprime un mouvement tournant à mon fauteuil pour regarder par la fenêtre, sans rien faire d'autre durant de longues minutes.

Puis, derrière l'appareil à air conditionné, je vois Stacey qui grille une cigarette. À présent elle est dehors en compagnie d'autres jeunes substituts – toutes des femmes, et qui toutes fument comme des pompiers, jetant leurs mégots sur les passerelles en bois entourant les climatiseurs et dans les allées où ils se mélangent aux fientes de pigeon sous les semelles.

Stacey m'aperçoit et brandit son majeur à mon intention.

Derrière la vitre, derrière Stacey, derrière les fumeuses juchées sur la passerelle, un sac en plastique D'Agostino solitaire s'élève dans le ciel et s'immobilise un instant, vacillant dans un trou d'air, avant de reprendre son ascension – de plus en plus haut – et de s'éloigner jusqu'à devenir invisible ; juste avant qu'il ne disparaisse, je le vois qui dérive en direction de Williamsburg Bridge.

Lorsque je regarde de nouveau par la fenêtre, un instant plus tard, il y en a un autre, et un autre encore, qui tournoient lentement dans le ciel. Il y a, semble-t-il, des centaines de sacs plastique D'Agostino, Pathmark et Gristede et, en provenance de Manhattan, un sac Fairway qui tournoie à présent mélancoliquement dans le courant d'air ascendant, comme dans un film français. Je vois un petit garçon de dix ans portant des culottes courtes en velours marron parcourir à toutes jambes la passerelle en bois, lançant en direction du ciel quelques syllabes aiguës : « *Maman ! Regarde !* » Je l'imagine dérapant sans bruit sur les fientes et les mégots glissants avant de disparaître. Je m'imagine repêchant l'enfant suspendu par ses culottes Harold Lloyd sur le mât porte-drapeau qui dépasse du bord du toit alors que les Caprice de la police – bleues, noires et grises – vont et viennent deux étages plus bas...

– Affaires criminelles, dis-je dans le combiné du téléphone dont la sonnerie vient de me faire sursauter.

– Mr Giobberti, énonce une voix familière, qui écorche mon nom (intentionnellement) et mêle le sarcasme à un mépris mesuré.

– Oui, dis-je au juge Harbison.

– Juge Harbison à l'appareil.

– Bonjour, Votre Honneur.

– Bonjour, et maintenant auriez-vous l'obligeance de me dire où est le compte rendu de la comparution d'Unique Williams devant le grand jury ?

Un silence. Je cherche la liste répertoriant les affaires dont je m'occupe.

– Il aurait dû être communiqué au tribunal la semaine dernière, ajoute-t-il.

Je cherche toujours.

– Je vous le fais parvenir aujourd'hui même, Votre Honneur.

– Vous feriez bien, Mr Giobberti, si vous ne voulez pas que je rejette votre putain de mise en accusation.

Je regarde de nouveau par la fenêtre : Stacey n'est plus là. Je me lève et je me dirige vers son bureau, comme il était inévitable que je le fasse ; quand je lui demande de m'assister dans cette affaire, elle ne comprend toujours pas que j'ai besoin d'elle, ni pourquoi. Elle croit juste qu'elle a gagné.

# 10

Miss Iris est assise dans la salle des témoins et, dans cet endroit inconnu, quelque peu menaçant (avec ses fenêtres encrassées de suie, sa moquette tachée et ses voix sonores retentissant dans le couloir, derrière la porte qui se verrouille de l'extérieur), elle se cramponne des deux mains à son sac fourre-tout Harrods comme si sa vie en dépendait. Néanmoins, c'est une femme d'un certain rang. Elle ne se laisse pas appeler *Iris* par tout un chacun, mais *miss* Iris – l'aristocratie des bas quartiers. Lorsque j'ouvre la porte d'un geste vif, elle lève les yeux. En dépit de sa taille (ses jambes sont massives comme des marsouins, leur chair dense), elle semble petite dans cette pièce.

Je me présente, puis j'ajoute :

– Et voici Stacey Sharp.

Stacey est mon sac Harrods à moi.

S'ensuivent les préliminaires, qui sont plutôt agréables. Miss Iris se détend. Bientôt elle se montre expansive et désireuse de bavarder, mais je suis impatient d'en venir aux faits. Les personnes dans son genre me portent sur les nerfs. Elle est tout sucre tout miel, aussi débordante de platitudes mièvres que les affiches de chatons punaisées derrière le bureau de Penny. Je préfère les témoins qui n'hésiteraient pas à me poignarder dans le dos ; avec eux, on sait à quoi s'en tenir.

Quand arrive le moment de passer aux choses sérieuses, Stacey mène l'interrogatoire.

– Racontez-nous ce que vous avez vu, miss Iris, demande-t-elle.

– C'était ce gosse, Lamar, déclare-t-elle. (Le ronronnement de son accent jamaïquain me donne envie de dormir.) Il est sorti par la porte d'en face. J'étais assise dans mon canapé, et v'là que j'entends le pistolet.

— Vous vous êtes dit qu'il s'agissait d'un pistolet ?

— J'ai su que c'était un pistolet, ma fille, réplique-t-elle gravement. Est-ce que j'entends pas des pistolets jour et nuit ? Toute la nuit ils font du bruit. Poum, poum, poum. Seigneur ! Une balle a traversé ma fenêtre, juste là. Elle a été cassée, et y a personne qu'est venu la réparer pendant un mois. J'ai dû mettre un sac de courses, un sac en plastique à la place d'une fenêtre, si vous pouvez croire ça, et en plus c'était l'hiver et tout. (Miss Iris frissonne à ce souvenir.) Mais la nuit dont je vous parle, c'était la porte à côté. Poum. Comme ça. Poum. J'ai entendu le pistolet et je me suis dit, v'là des ennuis qui commencent.

— Que s'est-il passé alors ? poursuit Stacey.

— C'est là que j'ai vu le gamin, 'ce pas ? Il sortait par la porte d'en face.

— De l'autre côté du couloir ?

— Oui.

— Comment est-ce que vous l'avez vu ? s'enquiert Stacey.

— Je me suis levée du canapé et je suis allée jusqu'à la porte. Quand je l'ai ouverte, ce gosse était là, Lamar ; le p'tit-fils de Betty.

— Combien de temps s'est-il écoulé entre le moment où vous avez entendu le bruit et celui où vous avez ouvert la porte ? demande Stacey.

— Pas beaucoup. Quand j'ai entendu ça, je me suis dit qu'y allait avoir des ennuis et j'me suis levée tout de suite.

— Est-ce qu'il vous a vue ?

— Je sais pas, répond-elle d'un ton inquiet. Vous croyez qu'il aurait fait quoi ?

— Mais vous le connaissiez, poursuit Stacey. Vous saviez comment il s'appelait.

— Oui.

— Vous l'aviez déjà vu dans l'immeuble ?

— Oui, répond miss Iris. Il traînait toujours dans le coin. Avant, il habitait au rez-de-chaussée. Avec sa grand-mère.

— Il n'habite plus là ?

— Non. Pas depuis un bout de temps.

— Quand l'avez-vous vu pour la dernière fois ?

— Cette nuit-là. Quand il est sorti par la porte d'en face.

— Mais pourquoi ? demande Stacey. Qu'est-ce qu'il pouvait bien faire dans cet appartement ? Quelle raison avait-il d'être là ?

– Il en avait au moins deux, je crois, réplique miss Iris en secouant la tête. Et aucune qu'était très bonne.

– Connaissait-il Nicole Carbon?

– Oh! oui, il la connaissait. Y a un tas d'hommes qui la connaissent, si vous voyez ce que je veux dire, Mr Giobberti. Y a qu'à la regarder pour voir ce qu'elle fabrique, cette femme. Y se passe toutes sortes de choses là-dedans. *Toutes sortes de choses.*

– Lamar était son fournisseur? demande Stacey.

– Ce gosse, il trafique jamais rien de bon.

– Ça faisait combien de temps qu'il lui rendait visite, vous vous en souvenez?

– Deux bons mois, peut-être trois, dit miss Iris. Et avant lui, y en a eu d'autres.

– Qui ça?

– Y en a eu beaucoup.

– Est-ce que vous vous souvenez de l'un d'eux en particulier? s'enquiert Stacey. D'un autre homme que vous auriez vu traîner dans les parages?

Miss Iris y réfléchit.

– Y en a un dont j'me souviens et que je suis pas prête d'oublier. C'était l'handicapé.

– L'handicapé? répète Stacey.

– Il était dans un fauteuil roulant. C'est pas quèque chose qu'on voit tous les jours. Mais il a arrêté de venir à cause de l'ascenseur.

– Comment ça, à cause de l'ascenseur? demande Stacey.

– Y fonctionnait pus, réplique miss Iris.

– C'était quoi, l'autre raison? dis-je.

– Qu'est-ce que vous dites, m'sieur?

– Vous avez dit que Lamar avait une autre raison d'aller dans l'appartement d'en face.

– Eh ben, il en pinçait pour la gamine, Mr Giobberti, vous voyez?

– Pour Utopia? dis-je.

– Oh que non! réplique miss Iris en souriant. Elle est trop bien pour tous les gosses de ce quartier. Elle va pas la fréquenter, cette vermine-là. J'y veillerai. C'est ma petite chérie, vous voyez. Non, m'sieur. C'est pour l'autre qu'il venait. C'est la plus jeune qu'il voyait.

– Comment ça, qu'il voyait?

– Je ne sais pas si c'était pour l'amour ou pour l'argent, mais c'qui est sûr, c'est qu'ils se voyaient.

76

— Qu'est-ce que vous voulez dire ?

— Vous n'écoutez pas ce que je vous dis, Mr Giobberti ? Vous allez obliger une bonne catholique à vous expliquer en toutes lettres des choses qu'on devrait même pas en parler du tout ? La gamine... comme sa mère, elle couchait pour l'argent.

\*

Une fois de retour dans son bureau, Stacey me lance :

— Très bien. Maintenant, dis-moi le reste.

Nous venons de rentrer à pied du tribunal : en ciment, massif, un pur produit des années soixante – en forme de boîte à chaussures et n'inspirant aucun respect, ni à l'intérieur ni à l'extérieur. Là, miss Iris a fait ce qu'elle avait à faire. Raide comme la justice, toujours cramponnée à son sac Harrods, assise dans le box des témoins (le seul endroit en bois de l'étroite salle beige), elle a donné en quatre minutes sa version des faits au grand jury. Debout au fond de la salle, je lui posais des questions. Stacey était assise au premier rang, suivant du regard les questions et les réponses comme si elle assistait à un match de tennis. Et les membres du grand jury avaient écouté miss Iris sans avoir la moindre idée de ce que tout cela signifiait.

— Le reste de quoi ? demandé-je en m'emparant de mon Pepsi, désormais tiède et éventé.

— Qu'est-ce que tu as dans ta manche, à part miss Iris ? Même les jurés te regardaient comme s'ils se demandaient à quoi rimait ce cirque.

— C'était notre premier témoin. Ça se passe comme ça dans le grand jury. Ce n'est pas un procès. On n'a pas toujours le temps de les préparer avant de les faire témoigner ; parfois on est obligé de les envoyer directement au front.

— Ce qui signifie qu'il y a d'autres témoins.

— Bien sûr. Solano va témoigner. Peut-être. Demain, j'ai le type de la Balistique. Et puis...

— Aucun témoin oculaire.

— L'affaire repose sur une présomption de culpabilité, Stacey.

— Même pas, jusqu'ici. (Elle fronce les sourcils.) Miss Iris l'a vu quitter l'appartement. Voilà tout.

— Une minute après la détonation, elle le voit quitter l'appartement ; en ce qui me concerne, c'est suffisant. Qu'est-ce que tu veux de plus ?

– Plus que ça, réplique-t-elle vivement.

– Si tu en veux plus, il va falloir que tu t'y colles, dis-je. Miss Iris est à toi.

– Il y avait deux autres personnes dans l'appartement ? demande-t-elle.

– La mère et la fille.

Elle hoche la tête.

– À les en croire, elles ont dormi tout le temps ?

– Exact.

– Et donc, ta théorie, c'est que... Qu'est-ce que c'est, Gio ? Aide-moi.

– Je n'ai pas de théorie, Stacey. Il a descendu la fille, bon sang. Voilà ma théorie.

– Et... ?

– Et quoi ?

– Il l'a descendue, et... ?

– Et rien. Il l'a butée, et il a pris la poudre d'escampette. Qu'est-ce que tu t'imaginais, qu'il allait rester planté là ?

Elle hoche toujours la tête, sceptique.

– Qui bosse sur cette affaire pour toi ? Pas *Johnny Carson*, j'espère.

– Non. Il se contente de faire ce que Solano lui demande.

– Que pense Solano de cette affaire ? s'enquiert-elle. Que Lamb soit coupable, ça lui va aussi ?

– Il... Tu sais.

– Non, réplique-t-elle. Explique-moi.

– Il est... Il veut explorer l'affaire selon un autre angle. Ou plutôt, devrais-je dire, il veut qu'on couvre ses arrières concernant le témoignage du gamin.

– Quel témoignage ?

– À en croire le gosse, ce serait la mère qui aurait tiré, dis-je. Solano est... C'est sans importance. Il fait sa petite cuisine, c'est tout. Comme d'hab'. Tout le monde fait sa petite cuisine. Solano. Lamar.

– Et lui, qu'est-ce qu'il raconte ?

– Lamar ? Il raconte qu'il est innocent. Qu'est-ce que tu crois ? Qu'il a pissé dans son froc et qu'il demande pardon ? Il a dit que la mère avait buté sa fille – par accident.

– Et Solano le croit ?

– Je n'en sais foutre rien, mais d'après lui ça mérite qu'on se penche là-dessus, sans pour autant mériter qu'il y consacre de son temps. Il veut que nous étudiions la question. C'est ce que je viens de t'expliquer.

– Pourquoi est-ce que tu ne le fais pas ? demande-t-elle.

– Pourquoi est-ce que je ne fais pas quoi ?

– Pourquoi est-ce que tu n'étudies pas la question. La possibilité que ce soit la mère.

– D'abord parce que je n'en ai pas envie, et puis parce que ce sont des conneries, Stace. C'est... Il faut que tu comprennes à quel point c'est typique. Ce genre de foutaises se produit sans arrêt. Solano ne croit pas le gamin. Pas vraiment. Il veut seulement que le procureur protège ses arrières ; tu comprends, pour ne pas se faire taper sur les doigts plus tard par son boss.

– Écoute, reprend-elle. Quel mal y aurait-il à creuser son histoire ? Je veux dire, pourquoi ne pas le faire, bon sang ? Tu n'as rien de concret concernant Lamar, mais tu as déjà décidé que c'était lui le tireur. (Elle me dévisage.) Écoute-moi bien, Gio, poursuit-elle. Tu te comportes de façon plutôt zarbi dans cette affaire.

– Va te faire voir, zarbi.

– Comment ça s'est fini avec Solano ? Il va fouiner du côté de la mère, alors ?

– Écoute, Stace, assez ergoté. Laisse tomber. Oublie ça. Ce sont juste des putains de magouilles.

– Tes conneries, ce ne sont pas des magouilles, rétorque-t-elle.

Elle me scrute comme elle le fait parfois, comme si elle essayait de me voir plus clairement, comme si je lui cachais quelque chose. Elle m'a regardé ainsi quand je lui ai demandé de m'accompagner, il y a huit mois, avec la suffisance des hommes qui ne doutent de rien et n'en méritent pas plus, alors que le souvenir d'Amanda était encore frais dans ma mémoire. « Viens », lui ai-je dit, et je crois qu'elle l'a fait par curiosité, rien de plus.

Je me souviens d'elle, de ce qu'elle était, avant. Je me souviens de l'avoir vue dans l'ascenseur. Je me souviens de l'avoir vue fumer dehors avec les autres, frissonnant alors que naissait le premier automne, puis le premier hiver de leur vie professionnelle. Je me souviens de l'avoir vue un soir, représentant l'accusation lors de l'audience nocturne, débitant ses arguments maladroits, hésitants, pour fixer le montant des cautions. Lorsqu'elle se haussait sur la pointe des pieds pour tendre des documents, je voyais, de l'endroit où je patientais, les muscles de ses mollets se nouer.

Elle était d'un sérieux imperturbable alors, baissant sa voix d'une octave pour se faire entendre en dépit du vacarme qui régnait dans le tribunal – un capharnaüm d'avocats, de parents qui se pressaient dans la tribune, d'accusés qui entraient et sortaient, avec ou sans menottes aux poignets. Bien après minuit, longtemps après que mon prévenu eut été présenté au juge, inculpé et renvoyé en prison en adressant un geste de main mélancolique à quelqu'un qui, en dépit de tout, l'aimait manifestement encore assez pour patienter jusqu'à l'aube afin de le voir publiquement, routinièrement, accusé de meurtre.

Je patientais à cause d'un simple mouvement que personne à part moi n'avait remarqué dans ce tumulte nocturne, survenu à l'instant où elle franchissait la balustrade de bois séparant la tribune où j'étais assis de l'endroit où elle officiait. Sa robe s'était accrochée aux échardes d'un balustre et elle l'avait libérée d'un petit geste plein de charme ; un souple balancement des hanches et un mouvement de tête plongeant qui avait fait cascader ses cheveux auburn de ses épaules, dévoilant sa nuque constellée de taches de rousseur. Intacte, encore parfaite, Stacey avait surpris mon regard. Elle avait souri. J'avais patienté et quand nous étions partis, nous étions partis ensemble.

*

– Je ne sais pas, Gio, dit-elle à présent.

– Tu ne sais pas quoi ?

– C'est juste que... je ne sais pas. Tu ne voudrais pas...

– Oh, merde ! J'avais oublié, dis-je, l'interrompant. Le labo de sérologie nous a envoyé quelque chose. Hier soir. Lamar a laissé de son *truc* à l'intérieur de la fille.

– Son truc ? répète-t-elle, l'air irrité.

– Tu m'as compris.

– Non, quoi ? Son portefeuille ? Tu ne peux pas dire « *sperme* », Giobberti ?

– Lamar l'a violée, puis il l'a descendue, dis-je. Voilà ma théorie. Ça n'est pas ce que tu attendais de moi, une théorie ? Une explication toute simple de la raison pour laquelle une ado de quatorze ans est morte ?

– Giobberti...

– « *Meurtre à caractère sexuel d'une adolescente.* » C'était écrit dans le *Post*, Stacey. C'est forcément vrai.

– Giobberti... répète-t-elle.

– La voilà. La preuve que tu voulais. C'est aussi simple que ça.

80

— Écoute, même s'ils ont eu un rapport sexuel...

— Je vais te dire quelque chose, Sharp, dis-je en l'interrompant. Ne perds pas ton temps à échafauder des théories, à essayer de trouver un sens à la mort de cette gamine. Les gens meurent, point final. Tu n'as pas besoin de savoir pourquoi. La seule chose que tu aies besoin de savoir, c'est comment il s'y est pris et de quelle façon tu peux le prouver.

— Même s'ils ont eu un rapport sexuel... poursuit-elle, imperturbable.

— Ils *ont* eu un rapport sexuel.

— Écoute-moi donc, espèce de trouduc. Même s'ils ont eu un rapport sexuel, qu'est-ce qui te faire croire que c'était un viol ?

— Trouduc toi-même. Ils ont prélevé du *sperme* dans...

— Et alors, trouduc, même si c'est celui de Lamb, qu'est-ce que ça prouve ?

— À ton avis ?

— Et même s'ils ont couché ensemble ? Les gens baisent, Gio. Pour le fun.

— Elle avait quatorze ans.

— Elle avait un bébé. (Elle me rit au nez.) Décide-toi une bonne fois pour toutes, est-ce que tu es cynique ou simplement crétin ?

— Ça reste un viol, puisqu'elle est mineure, dis-je sans grande conviction.

— C'est un détournement de mineure, imbécile, réplique-t-elle (et je sais qu'elle a raison). Rien de plus.

— Oui, concédé-je.

En y réfléchissant, je ne suis même pas sûr que ce soit un détournement de mineure ; Lamb a dix-neuf ans.

— Eh bien, si c'est illégal, ajoute-t-elle avec son sourire grivois, je peux te communiquer une liste de noms.

— Je n'en doute pas un instant.

Sur le piano de sa mère, une photographie d'elle à dix-sept ans — une cascade de boucles encadrant une moue boudeuse — trône dans un cadre auprès de celle de son père mort. (Une petite allumeuse ; j'aimerais en avoir une copie à glisser dans mon portefeuille.)

— N'empêche, je reste prêt à parier qu'aucun des voisins et des cousins germains boutonneux qui figurent sur ta liste n'est jamais monté chez toi avec un semi-automatique .25. C'est du fun, ça ?

— Non, concède-t-elle. Un pistolet, ça enlève tout fun à la baise.

— Exactement.

– Gio... reprend-elle.

Et il me suffit de poser les yeux sur elle pour savoir que je vais faire exactement ce qu'elle veut.

– Allons simplement... tu sais. Allons simplement lui parler. À la mère. Allons tâter le terrain, et voir ce qu'on peut en tirer. On ne peut pas juste aller lui parler?

– Entendu, Sharp. Après déjeuner. Simplement pour que tu arrêtes de me casser les pieds.

– Mhh... (Elle s'approche et pose sa paume sur ma joue.) Tu es vraiment, vraiment trop chou, mon trésor.

# 11

J'ai mon nouveau livre et je décide de déjeuner au restaurant, pour changer; un restaurant vietnamien, où je mangerai seul avec mon livre dans la salle climatisée. Je n'attends même pas l'ascenseur, j'emprunte l'escalier.

Me voici qui marche dans Court Street.

J'ai emboîté le pas à une fille et je m'aperçois soudain que je me trouve au milieu d'une foule de garçons qui la suivent. En costume cravate, je me trouve au milieu d'une foule de garçons qui suivent une adolescente, les yeux rivés à ses fesses et contemplant, crucifiés, les contours bien visibles de sa culotte sous son short en coton rose. Je m'engage bêtement sur la chaussée derrière la fille alors que le feu est vert. Les pneus des voitures hurlent, leurs klaxons retentissent. À l'intérieur, les conducteurs m'adressent des gestes obscènes. Ce n'est pas la première fois (un autre signe de la fêlure qui se déploie sur le pare-brise).

À présent, la circulation est arrêtée par ma faute. Je lève les yeux et dévisage le chauffeur de taxi arabe en clignant des yeux. Il gesticule, me traite d'âne, de chameau. Autour de moi, les piétons se ruent sur le passage clouté – ceux-là même qui déambulent sans but sur le trottoir, et qui sont soudain ravis d'aller nulle part un peu plus vite.

Ces gens. *Mettez-les au volant d'une voiture – ils vous coupent la route – ils se jettent dans la circulation en surgissant d'une petite rue...*

Ces gens. Les citoyens de l'État de New York.

À présent, l'Arabe hausse les épaules – à mon intention? À l'attention des voitures qui klaxonnent derrière lui? – comme pour

83

dire : *Qu'est-ce que je peux bien faire, mes amis ? Il y a un âne sur la route.*

Sur le trottoir, un livreur dénué d'expression, vêtu de blanc, la tête rentrée dans les épaules, perché sur un vélo qui roule à vive allure, fait retentir sa sonnette et s'éparpiller les piétons, puis s'éloigne à grands coups de pédales, laissant dans son sillage un nuage de pigeons pareil à la poussière qui s'élève derrière un pick-up sur un chemin de terre battue. Je songe au piéton mort dans Stern Street. C'est ainsi qu'arrive la mort ; brusquement, dans le lieu le plus ordinaire, s'élevant comme une tête monstrueuse au-dessus de ce qui nous est familier, métamorphosant le quotidien.

\*

Ce restaurant vietnamien est une nouveauté dans la succession des devantures, procession de HEALTH AND BEAUTY AIDS, COFFEE SHOPPE, BARNEY'S CUT-RATE, PIZZERIA. Ici, on est encore en 1965. Seuls ce restaurant vietnamien et le Starbucks trahissent le passage du temps, nous rappelant que le Vietnam est un pays ami désormais, que le nom du café est imprononçable et qu'il coûte trois dollars. Je ne me souviens pas de cette guerre ; hormis, bien sûr, ce que les bonnes sœurs nous racontaient à propos des Vietcongs et qui me donnait d'abominables cauchemars. Les Vietcongs étaient les ennemis de Dieu parce qu'ils plantaient des baguettes dans les oreilles des écoliers.

– Ceux qui tuent un enfant, nous disaient-elles, une place leur est destinée dans le plus sombre des Enfers.

Le courant d'air frais qui s'échappe de la porte du restaurant vietnamien est presque visible. C'est une folie. Je songe à mes chaussures, usées au point qu'on aperçoit mes chaussettes par les fissures du cuir ; je sens les imperfections du trottoir à travers la minceur de mes semelles. Seule une fine pellicule me sépare du ciment sous mes pieds. Je n'ai pas les moyens d'acheter des chaussures neuves. J'ai trente-huit ans, et je n'ai pas les moyens d'acheter des chaussures neuves. Je n'ai pas les moyens d'acheter des lames de rasoir neuves. Mon visage est tout balafré. Je vis en solitaire dans trois pièces d'un appartement de quatre pièces dont je n'ai pas les moyens de payer le loyer seul.

Une autre folie ; un tube de pâte dentifrice de cent cinquante grammes parfumé au fenouil, deux fois plus cher qu'un tube de Crest – l'équivalent, en pâte dentifrice parfumée au fenouil, de quatre jetons de métro –, mais j'adore le fenouil. Dans son tube en aluminium, il donne l'impression d'être coûteux rien qu'au toucher, et l'étiquette semble avoir été écrite à la main par le fabricant, une société au nom rassurant et familial. Elle commence ainsi : « Nous menons une vie simple. »

On m'a coupé le câble.

Je n'ai pas perdu grand-chose, hormis l'Open écossais sur ESPN2.

La facture est restée quelque temps sur la table de la cuisine. Je l'ai ouverte, mais dans l'enveloppe se trouvait un encart aux couleurs vives représentant un jeune couple. Ils avaient les dents blanches, et bien évidemment ils étaient parfaitement solvables – ils claquaient de l'argent ensemble ou des conneries dans ce goût-là, sans se contenter d'une vie simple. L'encart promettait un *service de luxe* et des *prestations d'une qualité sans égale pour les voyageurs*. C'était déprimant.

L'hôtesse me précède jusqu'à ma table – une table pour quatre – et recule ma chaise avec un sourire gris et une élégance teintée de grâce. *Service de luxe ?* J'ouvre mon livre, *Les Rudiments du golf*. Une autre folie – un grand format cartonné. Je l'ai acheté chez Waldenbooks, dans Montague Street. Je l'ai vu dans la vitrine. Il coûtait vingt dollars – l'équivalent d'une semaine de jetons de métro, de deux paquets de lames de rasoir, ou d'une semelle neuve. J'ai poursuivi mon chemin dans Montague Street pour retirer les vingt dollars à la Chase Manhattan Bank, mais sans succès. Je suis retourné chez Waldenbooks le lendemain. Dans la vitrine, à côté de mon ouvrage sur le golf, une femme en carton était assise sur une pile de livres de droit, chaussée de lunettes fumées ovales comme dans *L'Impossible Monsieur Bébé. Est-ce cela qui en a donné l'idée à Stacey ?* L'auteur avait le menton pensivement posé sur la main, mais sa robe rouge était retroussée haut sur ses cuisses de façon suggestive. *Prends-moi tout de suite*, semblait-elle dire, *et après ça lis mon nouveau thriller juridique*. Une fois dans la librairie, j'ai jeté un œil sur un exemplaire de son livre : *Suspendre l'Habeas corpus*. Sur la jaquette (dactylographié dans la police nerveuse que l'on associe aux avocats), il était écrit HABEAS CORPUS SIGNIFIE QUE VOUS AVEZ UN CORPS.

– Que vous avez *le* corps, en fait, ai-je pensé à voix haute.

Sur la jaquette :

*Le procureur Jane Starr, avec sa clope au bec et son langage de charretier, est revenue de son congé de maternité, alors soyez sur vos gardes, tueurs en série ! Jane est tellement futée qu'elle en est* SEXY *! Mais quand on découvre le cadavre d'un de ses anciens amants, les conséquences peuvent être* MORTELLES *– au sens littéral du terme. Découvrez comment Jane va coincer le sadique qui en veut à sa vie.*

Depuis quand la librairie s'appelle-t-elle *Waldenbooks* ? Est-ce que ce n'était pas *Walden Books* autrefois ?

Depuis quand les hommes d'affaires mènent-ils une vie simple ?

Depuis quand Fiona Apple est-elle célèbre ?

Depuis quand tous les livres et les films ont-ils adopté l'infinitif ou le gérondif ? (*Conduire, Chasser, Quitter quelqu'un/quelque chose* ?) Autrefois, il n'y avait que *Bringing up Baby*[1], non ?

Les choses semblent différentes aujourd'hui. (Je vieillis.)

*Comment en suis-je arrivé à avoir trente-huit ans ?* Récemment, une découverte sinistre, symptôme de vieillissement : un poil raide, blanc et solitaire, jaillissant du canal de mon oreille gauche et que j'ai découvert moi-même par hasard, n'ayant personne pour me signaler ce genre de choses. *Vais-je devenir l'un de ces vieux garçons qui ont d'étranges poils sur le visage et qui portent des vêtements bizarres ? Ces hommes qui attachent la boucle de ceinture de leur imperméable ? Des verrues vont-elles pousser sur mon visage ? Des poils vont-ils jaillir sans que je les remarque ni que je les arrache de mon nez et de mes oreilles, aussi profusément que des fanes de carotte ?*

Je me plonge dans le premier chapitre de mon livre.

*Le terrain où se pratique le golf se nomme le « fairway ». L'objectif d'une « partie » de golf est de faire entrer votre « balle de golf » dans les dix-huit « trous » grâce au minimum de « coups » possible de vos « clubs » de golf.*

L'hôtesse installe deux vieilles femmes à ma table pour quatre. L'une d'elles, vêtue d'un pantalon blanc informe, est assise près de moi. L'autre est en face. Son visage n'est plus que de la peau blafarde plaquée sur l'ossature. C'est elle, la malade. « Bœuf en lamelles au piment », lit-elle d'un ton mélancolique en parcourant le menu. « Je ne pense pas que je puisse me permettre ça. »

– Et le menu végétarien ? demande l'autre. Que dirais-tu du rouleau de printemps ?

---

1. Titre original du film *L'Impossible Monsieur Bébé*. (N.d.T.)

J'ai décidé d'apprendre à jouer au golf, un jeu destiné aux personnes mûres et qui nécessite concentration et maîtrise de soi. Je suis immature et n'ai aucune de ces deux qualités, aussi je pense que cela peut m'être bénéfique. Voici quelques tuyaux dont me gratifie quelqu'un dont je ne reconnais pas le nom. *Avant de « frapper » la balle*, conseille-t-il, *pensez au « coup » que vous allez jouer*. Dans la marge, un personnage de bande dessinée en culottes de golf se gratte la tête, dont s'échappent des points d'interrogation.

> *Évitez les difficultés.*
> *Soyez attentif au relief du terrain.*
> *La malchance n'existe pas.*

Tout cela me paraît raisonnable. Voilà des règles qui s'appliquent à la vie en général. (Décidément, le golf me plaît.)

La vieille femme malade déclare au serveur : « Nous allons tout partager. » À l'intention de son amie, elle ajoute : « C'est le dernier jour où je suis sous antibiotiques. » « Oh, vraiment ? » « Je me sens bien mieux. Mais chaque fois que je tousse, chaque fois que je me mouche, il y a des petites... je ne sais pas comment on appelle ça... des taches de sang. »

*L'une des façons les plus simples d'apprendre la pratique ancestrale du golf est de le regarder à la télévision.*

Voilà qui est très vrai. Avant qu'on me coupe le câble, assis en short devant le poste, je regardais des tournois de golf. Je me préparais des macaronis, j'enlevais mon pantalon et je suivais Nick Faldo sur ESPN2. Une excellente façon d'apprendre la pratique ancestrale du golf.

Nos repas arrivent ensemble. S'imaginent-ils que nous sommes une tablée de trois ? Un trio ?

— *Gracias*, dit la malade.

— Je n'ai pas encore pu aller aux toilettes, déclare l'autre, qui se lève et s'éloigne prudemment, se déplaçant comme si le sol était jonché de punaises.

— Excusez-moi, lancé-je à l'hôtesse alors qu'elle passe près de moi d'un pas vif.

— Oui ?

Elle sourit ; ses dents sont grises.

— Des baguettes ? dis-je, faisant mine de pincer quelque chose entre mon pouce et mon index. Baguettes ?

– Oh, nous sommes désolés, réplique-t-elle sans se départir de son sourire. Au Vietnam – pas de baguettes. *On utilise fourchettes.*

– Pas de... ?

Mais elle s'est déjà éloignée.

*On n'utilise pas de baguettes au Vietnam ?*

*Et les Vietcongs alors, et la place qui leur était réservée en enfer ? C'étaient juste des sornettes ?*

Je me replonge dans mon livre, que je tiens de la main gauche tandis que je mange de l'autre. Tout en lisant, je vois – sans avoir besoin de lever les yeux – que la vieille femme malade me regarde. Elle attend que son amie revienne sur la pointe des pieds avant d'entamer son déjeuner. (Elles sont censées partager.) Tandis qu'elle patiente, je vois à la périphérie de mon champ de vision qu'elle m'observe sans détour. Elle se tord le cou pour me regarder. Elle me dévisage par-dessus le livre. Puis elle le regarde. Puis elle me regarde. Après une minute de ce manège, elle tend la main vers moi, sans toutefois me toucher.

– Du gôlf, dit-elle en hochant la tête – son larynx d'habitante de Long Island étranglant le *o* solitaire.

– Oui, dis-je. Du golf.

– Vous y jouez, alors ?

– Non. J'essaie d'apprendre.

– Je vois, murmure-t-elle, semblant déçue par ma réponse.

– J'y jouais autrefois, dis-je. Puis j'ajoute – sans raison particulière : Avec mon beau-père.

*Pourquoi est-ce que je lui raconte cela ?* D'ordinaire, je ne suis pas si loquace avec les inconnus. D'ordinaire, je ne suis pas si loquace avec les gens que je connais bien.

– Mais ça a été plus ou moins un désastre. Je l'ai presque tué avec un... comment est-ce qu'on appelle ça ? (*Devrais-je me référer au manuel ?*) Avec l'un de mes « coups ».

– Mon défunt mari a essayé de m'apprendre à jouer, dit-elle, tendant de nouveau sans succès la main vers moi, comme si elle allait glisser au bas de sa chaise. (*Devrais-je agripper son poignet la prochaine fois ?*) Il est mort.

– J'en suis désolé, dis-je, refermant le livre, à présent, en marquant la page avec mon index. Est-ce que c'était un accident de golf ?

– *Un cancer.*

– Oh ! dis-je. Je suis navré.

– *Le côlon.* (Elle hoche la tête.) C'est beaucoup mieux ainsi.

– Ma petite fille est morte il y a un an.

– *Ôh mon Dieu*, dit-elle.

– C'était une Oldsmobile verte – un break ; il a surgi sur la droite, et j'ai... j'ai fait une embardée.

– *Ôh mon Dieu.*

– Je ne lui avais pas mis sa ceinture.

– *Ôh mon Dieu.*

– Elle avait cinq ans.

# 12

Le postérieur gainé de polyester de Johnny Carson dépasse du bureau de Nina. J'entends l'agrafeuse de celle-ci cliqueter à tout-va.

Je me glisse dans mon fauteuil en contournant les jambes de Solano, qu'il ne se donne pas la peine de replier, et je téléphone au grand jury. La sonnerie retentit inlassablement dans le vide. Je suis immobilisé par le lourd combiné noir plaqué contre mon oreille. La réceptionniste du grand jury – Pauline, la belle-sœur ou la nièce de quelqu'un – répondra quand l'envie lui viendra. Pour l'instant, ce n'est pas le cas. Solano est assis en face moi, l'air fatigué et abattu. Il a encore été obligé de m'attendre ; après le déjeuner, j'ai fait une longue promenade.

Bloch apparaît, dégustant une pêche du New Jersey que sa jolie infirmière lui a préparée ce matin (ainsi que, je dirais, un sandwich fourré d'une salade aux œufs ?) et attend que je raccroche. Je hausse les épaules, espérant qu'il va renoncer et s'éloigner. Le jus de la pêche dégouline sur sa drôle de cravate et sur le sol – d'épaisses gouttes ambrées sur le lino. Une grosse mouche décrit des cercles à ras de terre.

Bloch, ces temps-ci, passe la majeure partie de ses journées à s'ennuyer. Assis tout seul dans son bureau, de l'autre côté de sa porte, il écoute des opéras et feuillette un numéro de *Stereo Review*, subrepticement, comme si c'était un exemplaire de *Screw*. Pour se changer les idées, il vient dans mon bureau douillet. À présent il adresse un rapide signe de tête à Solano, qu'il n'avait peut-être pas remarqué avant d'entrer tant ce dernier est en retrait, coincé entre une armoire de rangement et une cloison métallique, invisible du

90

couloir à l'exception de ses jambes minces. Une autre goutte se forme au pôle sud de la pêche, grossit et chute.

Je raccroche brutalement.

— Quoi de neuf ? s'enquiert Bloch.

— Lamb raconte que c'est la mère qui a descendu la fille, dis-je.

— La mère de qui ? demande Bloch.

— Sa mère à elle. Celle de la victime.

— Aïe. Pourquoi ?

— Il est resté un peu vague sur la question, dis-je, conscient de la présence de Solano à la périphérie de mon regard. Un peu avare quant aux détails.

— D'après sa version, c'était un accident, intervient Solano. Il dit que le coup est parti par accident.

— Un *accident* ? articule Bloch en regardant Solano pour la première fois. Je ne crois pas que vous trouverez ce mot dans le Code pénal, inspecteur. Un accident provoqué par une arme à feu s'appelle un *homicide*. Ou du moins, un homicide involontaire, sans intention de donner la mort.

— C'est ce qu'il dit, voilà tout, répète Solano. Une engueulade avec la mère. À ce qu'il raconte, il se passait des trucs pas catholiques avec elle là-bas, à Cypress.

— Cypress Hills est un endroit béni des dieux, déclare Bloch. À combien est-ce qu'on en est – quinze depuis le début de l'année ?

— Plutôt vingt maintenant, répond Solano. Et puis la mère avait sans doute fumé du crack au moment des faits. Quoi qu'il en soit, c'est la version de Lamb.

— C'est vrai ? me demande Bloch.

— C'est un véritable squelette ; à en croire les apparences, elle consomme, dis-je. D'après la voisine – qui a témoigné devant le grand jury ce matin – elle se prostitue dans l'appartement contre de la came.

— Vraiment génial, avec deux gamines là-dedans, commente Solano. Sans compter le bébé.

— Et l'une des filles est morte à présent, conclut Bloch en opinant.

— *L'appétit est un loup universel*, Phil, dis-je, *qui fait nécessairement sa proie du monde entier...*

— Oh... commence-t-il.

— ... *pour se dévorer enfin*[1]. Quelque chose comme ça.

---

1. *Troïlus et Cressida*, de Shakespeare. (*N.d.T.*)

91

– Oh, répète Bloch, se levant presque de sa chaise métallique. Oh, je le connais, celui-là. Ne me dis rien... Bon Dieu... *Blake ?* Celui sur le tigre ? Qui brûle d'un vif éclat et tout ça ?

Je secoue la tête.

– Shakespeare, Bloch, en vérité.

– Bon Dieu, siffle-t-il. Je le savais, en plus, maintenant que tu l'as dit.

Solano nous regarde l'un et l'autre, écœuré. Bloch lance son noyau en direction de la poubelle ; il la rate d'une trentaine de centimètres et le noyau glisse sur le sol, laissant une trace humide dans son sillage. Quand Bloch le ramasse, il est tapissé d'un duvet gris.

À cet instant, Nina entre, pourchassée par Carson. (Il y a à présent cinq personnes dans mon bureau de la taille d'une cabine d'ascenseur.)

Elle se penche par-dessus Bloch pour me tendre une enveloppe en papier kraft ; à cet instant Johnny Carson incline la tête pour reluquer ses fesses, hochant du chef en signe d'appréciation et de désir (non réciproque). Nina me lance un regard éloquent – un véritable appel au secours – puis pivote sur elle-même et s'éloigne. Johnny Carson se détourne pour lui emboîter le pas, une chemise en carton judicieusement plaquée sur son entrejambe.

Pour venir en aide à Nina, je lance rapidement « Inspecteur ! » et Solano et Carson se tournent tous deux vers moi. M'adressant à Carson, je dis :

– Puisque cette affaire est bouclée, je suis sûr que vous aurez le temps de nous conduire à Cypress Hills.

Solano se renfrogne, et j'ajoute :

– Juste mon assistante et moi.

À ces mots Carson opine, plein d'espoir.

– Bien sûr.

J'ouvre l'enveloppe de papier kraft que m'a donnée Nina et j'en sors un formulaire bleu et plusieurs polaroids attachés à l'aide d'un élastique. Le formulaire bleu porte l'inscription « Accusé de réception des pièces à conviction », et l'adresse de l'expéditeur est « Bureau du médecin légiste en chef, 520 Première Avenue, New York ». On y lit le nom de l'adolescente morte, écrit à la main et, également écrit à la main, « 7 copies de Kodachrome. » Je sais ce dont il s'agit – d'autres photos de l'adolescente, vue de l'intérieur, cette fois – et je n'ai pas envie de les regarder. Je remets le tout dans l'enveloppe.

– Ça concerne l'affaire ? demande Carson.

– Oui.

– Montrez.

Je fais glisser l'enveloppe sur le bureau en direction de Johnny Carson. Il en tire les polaroids et les brandit dans la lumière provenant de la fenêtre qui se trouve derrière moi, encrassée par les climatiseurs.

– Nom de Dieu! s'exclame-t-il sans s'arrêter de regarder pour autant. Qu'est-ce que c'est que ce putain de truc?

Bloch jette un œil.

– La cage thoracique, vue de dos.

– Vous savez quoi, vous avez raison! s'exclame Carson avec étonnement. Ça ressemble à un truc que j'ai mangé la semaine dernière avec de la sauce! Ah, ah, ah! Et celle-là? On dirait un putain de... je ne sais pas... un putain de... de foie ou quelque chose comme ça?

– Un cœur, confirme Bloch.

# 13

Alors que je monte dans la voiture, une Chevy Caprice bleue, mon pied gauche s'enfonce d'un centimètre dans le bitume ramolli par le soleil.

Carson est assis sur le siège du conducteur et se regarde dans le rétroviseur, examinant ses dents. Nous patientons devant le 210, et il s'imagine que nous attendons Nina. Il a mis des lunettes fumées et je distingue dans le lobe de son oreille droite un minuscule trou où il doit enfiler une boucle d'oreille (en dehors des heures de service). Solano est immobile, morose, tassé sur le siège en vinyle.

La Caprice sent mauvais. Le vinyle, les chips, la transpiration ; et le soleil d'août, juste au-dessus de nos têtes à présent, cogne dur. Le souffle tiède de la climatisation atteint à peine la banquette arrière de la Caprice. La radio est calée sur la fréquence d'une station de jazz easy. C'est Carson qui l'a choisie. En l'honneur de Nina qu'il s'attend à voir apparaître, il a transformé la Caprice en chambre à coucher.

Mais c'est Stacey, non Nina, qui émerge d'une porte à tambour en cuivre.

Derrière nous, une voiture de patrouille – une Caprice bleu et blanc – se gare le long du trottoir. En descendent un flic en uniforme et son collègue. Dans un parfait ensemble, ils ajustent leurs ceinturons d'où pendent des Glock, des radios, des chargeurs de rechange, des calepins d'assignations à comparaître, des étuis à stylo, des lampes torches et des porte-clefs. L'un d'eux hèle Stacey. Elle esquisse un sourire, mais c'est une rebuffade et le flic reste planté là, l'air idiot. Je vois l'homme qui a installé ses quartiers ici observer la scène depuis la bouche d'incendie où il est perché – songeant peut-être, comme moi, que Stacey connaît tous les membres de sexe masculin du service par leur petit nom.

Elle se laisse tomber avec légèreté sur la banquette et lance « voilà », sans s'adresser à personne en particulier.

– Vous êtes prêt là-derrière, monsieur le procureur ? demande Solano.

– Allons-y, dis-je en jetant un rapide coup d'œil à Carson qui épie Stacey dans le rétroviseur, pas trop mécontent de la substitution.

– En voilà un qui a envie d'avoir la marque du pare-choc incrustée dans les miches, remarque Solano alors qu'un gamin traverse brusquement devant la voiture.

La Caprice roule à tombeau ouvert dans Court Street, l'allure habituelle des flics. Stacey s'active sans un mot, rangeant ses affaires. Son sac à main se trouve sur la banquette entre nous et un bloc-notes (*un bloc-notes !*) est posé sur ses genoux. Carson a repoussé au maximum le siège avant de la Caprice, me forçant à écarter largement les jambes. Je croise les doigts et je regarde droit devant moi. Stacey a les genoux serrés l'un contre l'autre avec ce qui semble être une pudeur virginale et ses jambes nues et fuselées dessinent un angle prononcé avec son corps. Son genou droit se trouve à quelques centimètres de mon genou gauche. *Cela signifie-t-il quoi que ce soit ?* J'en doute. Stacey n'est pas reine dans l'art de la subtilité ; si elle faisait un geste vers moi, elle poserait carrément sa tête sur mes genoux.

Le bloc-notes dissimule davantage son corps que ne le fait sa jupe, bleu pâle et retroussée haut sur ses cuisses. Je me surprends à regarder vers le bas, sa jupe, son bloc-notes, puis la courbe de sa cuisse toute proche – aussi fuselée qu'une bouteille de champagne. Voici trois mois, ne serait-ce qu'un mois, cette vision m'aurait remué les tripes.

Elle est déconcentrée. Elle range, trie, re-range ses affaires. Elle pose le bloc-notes à côté d'elle sur le siège en vinyle, soulève les fesses, baisse sa jupe d'un cran. Tout cela a encore l'attrait de la nouveauté à ses yeux. Elle est encore ravie d'être avocate. *Quoi de plus drôle que le métier d'avocat* – il suffit de regarder autour de soi ! Ally McBeal batifole et s'éclate en pratiquant le droit. Stacey regarde *Ally McBeal*. Je regarde la série, moi aussi, mais surtout pour regarder Stacey la regarder. Elle la regarde, puis elle folâtre avec moi dans sa chambre de Midwood, ravie d'être mince et dotée de seins menus. Avec Ally en tête, elle va au bureau sans soutien-gorge, m'attire dans des alcôves et sur des canapés en Naugahyde. Ses jupes sont de plus en plus courtes, mais elle peut se le permettre. Elle peut se le permettre, tout comme elle peut se permettre de porter ces lunettes – ovales et fumées, les mêmes que celles de Cary Grant dans *L'Impossible Monsieur Bébé* où il joue un rôle à contre-emploi, perché sur un échafaudage dans un musée en noir et blanc et assemblant les morceaux d'un brontosaure. Stacey les porte parce qu'elles détonnent ostensiblement avec son personnage. Quand elle a ces lunettes sur le nez, c'est une pin-up déguisée en avocate qui surgit d'un gâteau d'anniversaire.

Quand Stacey a reçu sa plaque professionnelle, elle l'a montrée à ses amies et elles ont bien ri. J'en ai rencontré quelques-unes, un jour, à Manhattan. Elles étaient minces, ironiques et brillantes. Elles m'ont terrifié, me fixant avec les yeux sombres, carnivores, des femmes indépendantes et malheureuses de l'être. Elles auraient pu arracher des lambeaux de mon corps avec leurs ongles manucurés. Les unes à côté des autres, elles étaient absolument semblables. J'aurais pu partir avec n'importe laquelle d'entre elles et ne pas m'en apercevoir avant des jours.

*

Carson tourne à l'angle d'Atlantic Avenue et nous fonçons en silence le long de plusieurs blocs, devant des bâtiments de grès brun proprets, ici des restaurants et des devantures de magasins, là des lofts transformés en boutiques d'antiquités. Voici l'ancienne usine Ex-Lax, où trônent des meubles en pin irlandais et des armoires Second Empire. Mais alors que nous roulons en direction de l'est, les rues deviennent plus glauques. Des hommes errent sans but avec des bouteilles d'alcool dans des sacs en papier. Nous nous engageons dans Bedford-Stuyvesant, et les bâtiments se font plus trapus, multicolores – blanc, vert, bleu clair – et couverts çà et là de revêtements en aluminium. À présent fleurissent des stations-service, des petits garages où l'on vous répare vos pneus crevés pour cinq billets, des comptoirs d'endossement de chèques, des *take out* chinois aux vitrines de Plexiglas. Le Long Island Rail Road se détache brusquement du sol ; la profusion complexe de ses treillis métalliques recouverts d'un apprêt rouge orangé projette des ombres denses dans l'éclatant soleil où, par endroits, la carcasse d'une voiture brûlée repose en paix et où une femme qui divague à voix haute traîne son chariot débordant de sacs poubelle pleins de bouteilles, de canettes et de couvertures.

96

Je vois un break tourner à l'angle d'Atlantic à quelques mètres devant nous, mais ce n'est pas le même. Il n'est pas vert, ce n'est pas non plus une Oldsmobile; c'est une Ford Country Squire à la peinture écaillée – en forme de boîte, artificielle – où sont entassés des juifs hassidim au visage inexpressif, coiffés de chapeaux noirs; tous sont jeunes, mais ont l'air assez ancien, toutefois, pour donner l'impression que la Ford est flambant neuve. Ce quartier sinistre leur est plus familier qu'à nous; eux et leurs semblables sont installés à Eastern Parkway, dans les profondeurs de Brooklyn où les Blancs ordinaires ne se sentent pas à leur aise.

Nous nous enfonçons plus encore dans les quartiers noirs de Brooklyn, une contrée étrangère qui n'a pas son équivalent sur l'autre rive de l'East River. Rien à Manhattan – ni dans les plus sombres recoins de Harlem ou de Washington Heights – ne se rapproche de Brownsville ou d'East New York. Ici il n'est d'autre loi ou d'autres règles que celles, soufflées du ciel avec les brises, du NYPD, cette force d'occupation lointaine [1]. Certains coins de Brooklyn sont aux antipodes de notre monde. Ici, tout est à qui s'en empare le premier. En fait, je m'y sens plus à l'aise que chez moi.

– Qu'est-ce que c'est que ces trucs-là? me demande Stacey à l'oreille.

– Quoi? dis-je, suivant la direction qu'indique son doigt.

– Là, ajoute-t-elle, avec la pancarte rouge, celle où il est écrit *cash*.

– Un endroit où l'on endosse les chèques, dis-je.

– Imbécile...

– C'est... tu sais, un endroit où l'on endosse les chèques, répété-je.

Par de petits détails tels que celui-là, Stacey se dévoile : elle ne connaît pas aussi bien le vaste monde qu'elle le laisse entendre.

– Une banque pour les gens qui ne peuvent pas aller à la banque. Tu sais bien.

À présent Carson a trouvé une fréquence diffusant du hip-hop, et j'entends « *And I grabbed my three-eighty cause where we staying, niggaz look shady* ». Carson écoute leur musique; cette même musique qu'il écoute dans les clubs de Long Island, portant sa boucle d'oreille. Solano laisse échapper un soupir audible, celui d'un père fatigué.

Stacey est mal à l'aise. Elle est silencieuse. Son assurance, qui tout à la fois m'attire vers elle et la maintient à une distance soi-

---

1. Il s'agit d'une référence au poème de John Keats, *Ode à un rossignol* : « Mais ici n'est d'autre lumière que la clarté soufflée du ciel avec les brises... » (*N.d.T.*)

gneusement calculée, a vacillé. (Elle appréhende ce qui l'attend.) Elle n'est jamais allée dans East New York. Elle n'est jamais allée dans une cité. Elle n'est jamais allée sur la scène d'un crime. Ses lunettes restent dans son sac. Elle ne pourrait pas s'en tirer avec, pas ici, pas maintenant. Elle aurait l'air – et se sentirait – ridicule.

J'effleure sa jambe et elle m'adresse un bref regard, un bref sourire, comme pour dire : *Ce n'est rien.*

*

Quittant Brownsville, nous croisons Hill et pénétrons dans East New York avant de tourner à l'angle de Pennsylvania Avenue. Nous poussons jusqu'à Cypress Hills, où Carson gare la Caprice sur le trottoir. C'est un endroit dangereux (il y a très peu de climatiseurs).

Solano tire de Dieu sait où une radio en forme de brique et prononce quelques mots dans le microphone, un jargon policier inintelligible mêlant chiffres et mots codés. Une voix féminine répond dans un grésillement.

Dans la rue, la température n'est pas plus élevée qu'à l'arrière de la Caprice. J'agite les pans de ma veste comme une chauve-souris et décolle de mon dos ma chemise que la sueur y a plaquée. Solano éponge son front et ses yeux avec un mouchoir gris qu'il a tiré d'une poche intérieure, où il le remet quand il a terminé. Il crache. Il flanque un coup de pied à un pigeon qui se trouve à proximité. L'oiseau bat un instant des ailes, renversé sur le dos, impuissant, honteux de se trouver les pattes en l'air, puis il se redresse et s'éloigne hâtivement de Solano en clopinant.

Un gamin s'approche de nous sur son vélo. Il est maigrichon, porte un jean coupé aux genoux et est torse nu. Il est coiffé avec des *cornrows*[1] tressées d'une main négligente, comme si c'était sa sœur qui les lui avait faites.

— Vous êtes du 50e district ? demande-t-il d'un ton rusé. (Il décrit des cercles étroits devant moi sur une bicyclette de fille avec un panier de plastique blanc sur le guidon.) Vous êtes là pour moi ?

— Je ne sais pas, dis-je. Qu'est-ce que tu as fait ?

— Ah, vous z'avez rien sur moi, réplique-t-il d'un ton enjoué avant de s'éloigner.

Cypress Hills. Un vaste complexe d'immeubles de six étages, sombres et anguleux, en brique rouge, surplombant le quartier d'East

_____

1. Multitude de petites tresses recouvrant tout le crâne, dites également « africaines ». (*N.d.T.*)

New York qui l'entoure. Cypress Hills, où dix-neuf meurtres ont été perpétrés cette année, chacun moins imaginatif que le précédent – des gosses descendus pour des histoires d'argent, pour des histoires de filles, pour des blousons Avirex, de la came, une engueulade. Des gosses descendus sans aucune raison. Des gosses descendus parce que leur copain a fait l'andouille sans savoir que l'arme est chargée, a ôté le chargeur, mais oublié la balle dans la chambre ; *c'est toujours la balle dans la chambre.* « Braque pas ça sur moi ; ce putain de truc est chargé ? » « Tu veux qu'on voie ça, mec ? » et bingo.

Résultat des courses, dix-huit gosses. (Et une fille.)

C'est un endroit dangereux, mais rien ne le trahit ostensiblement. Les arbres poussent, les pelouses sont entretenues. Des chênes et des érables vieux d'une trentaine d'années s'épanouissent, amples et verts, le long d'allées de ciment clair et lisse. Ces allées partent dans toutes les directions, dessinant un réseau qui sillonne l'herbe fraîchement tondue, reliant les bâtiments, le terrain de basket, le parking. L'air, ici, est immobile et tranquille. Tout est silencieux à l'exception d'une radio, au loin, si loin qu'on perçoit seulement le rythme étouffé de la basse : un *poum-poum* cadencé et régulier qu'on sent plus qu'on ne l'entend, mais quand il se tait, au bout d'un moment, je le remarque. Il n'y a personne. Les allées sont silencieuses. Le terrain de basket est vide.

Tout semble inoffensif jusqu'à ce qu'on distingue (sur le ciment de l'allée, la pelouse tondue et le terrain de jeu ombragé par les feuillages) des petits tubes en verre brisés ayant contenu du crack et des douilles de .380 usagées répandues sur le sol aussi profusément que des glands.

Solano allume une cigarette et s'éloigne sans souffler mot. Nous le suivons le long d'une allée en direction de l'immeuble le plus proche. Le flanc du bâtiment est peint en rouge brique sur une hauteur de deux mètres cinquante pour couvrir les graffitis, bien qu'un tag tout récent, semblable à une mauvaise herbe, y ait surgi ; un étrange hiéroglyphe. Un homme est endormi sur un banc bordant l'allée. Il a la bouche ouverte ; l'intérieur en est rose et strié de crêtes comme la gueule d'un chien. Soudain, une goutte de condensation se détache d'un climatiseur, chute vers le sol et atterrit sur mon crâne. (*Plop.*) Quelque chose d'humide venant d'en haut – c'est toujours inattendu et déplaisant à New York City, mais ici, dans l'ombre de ces immeubles, je suis soulagé qu'il ne s'agisse pas d'un grille-pain graisseux. Je lève la main et tâtonne d'un geste hésitant, redoutant l'œuvre d'un pigeon.

Solano pousse la porte du 1250 Sutter Avenue, une porte métallique non peinte dont la vitre a volé en éclats. Le verre était renforcé avec du grillage, mais cela ne l'a pas empêché de se briser. La serrure est cassée et la porte pivote librement sur ses gonds. Solano la tient grande ouverte, nous adressant un rapide signe de tête pour nous inviter à entrer. À l'intérieur, deux hommes – ou deux ados – s'éclipsent sans bruit et disparaissent avant que mes yeux aient pu s'acclimater à la pénombre soudaine, laissant derrière eux l'odeur douceâtre d'un joint et un silence absolu.

Devant nous se trouve un unique ascenseur ; la porte est ouverte et le bouton d'appel est allumé, un rond brillant d'un vif éclat. La cabine elle-même est plongée dans l'obscurité, ses murs festonnés de tags noirs, rouges et argentés. Une feuille scotchée sur la cloison du fond énonce l'évidence : Hors-service.

– En route, messieurs dames. Par ici, lance Solano en désignant l'escalier.

Il jette sa cigarette à terre et écrase le mégot de la pointe du pied en un mouvement circulaire et expérimenté. À voir l'expression de son visage, ce pourrait être mon père, tenant ouverte la portière de la voiture et attendant que nous nous y engouffrions, en retard pour la messe, comme d'habitude.

Nous commençons à monter. Carson traîne en arrière et laisse Stacey le précéder – pour avoir une meilleure vue, j'imagine. L'escalier, au contraire du hall, est bien éclairé. Des néons nus et circulaires fixés aux parpaings beiges sont allumés sur chaque palier, éclairant une ampoule de crack dans un coin, un poste de télé fracassé dans un autre. Nous grimpons sept volées de marches – Stacey gravissant chaque marche comme un impala – avant que Solano ne s'engage dans un couloir. Il se dirige vers une porte, lève la main pour frapper, puis se tourne un bref instant vers Johnny Carson et demande, le poing encore en l'air : « Celle-là ? » Carson hoche la tête, et la main de Solano s'abat – trois coups rapides, efficaces.

Je me tourne face à Stacey. Elle se tient près de moi, toute petite.

– Une seule chose, dis-je, respirant encore par la bouche à cause de la montée.

– Quoi ?

En cet instant précis, elle fera tout ce que je lui dirai. Ici, elle croira tout ce que je dirai.

– Ne t'assois pas, dis-je. Même si elle te le propose.

Elle me dévisage.

– Ne t'assois pas, point final.

## 14

Derrière la porte métallique fermée au verrou s'élèvent le bruit d'objets qu'on déplace, des pas, puis, après une bonne minute, la voix de Nicole Carbon.

– Qui est-ce ?

– Police, lance Johnny Carson avec une intonation virile.

– C'est Andrew Giobberti, du bureau du Procureur, miss Harris, m'empressé-je d'ajouter, mais j'éprouve un fugitif sentiment d'incertitude. *S'appelle-t-elle Harris, comme l'adolescente morte ? Je ne m'en souviens plus.*

– Qui ?

– Andrew Giobberti. Nous nous sommes parlé au service funéraire. Hier.

D'autres bruits derrière la porte.

– Attendez juste que je... Donnez-moi encore une minute.

Solano hausse les épaules. Nous patientons. Puis le verrou est tiré, la porte s'ouvre, et voici la mère de l'adolescente morte ; déjà elle s'éloigne, pieds nus sur le lino gris-vert, entre des piles de cartons, dans le couloir de l'appartement. Carson entre et nous lui emboîtons tous le pas.

Nous la retrouvons, Nicole Je-ne-sais-quoi, assise pieds nus sur un canapé dans une pièce sans moquette, le visage renfrogné. La chambre est chichement meublée, les murs nus à l'exception d'une affiche de Nefertiti dépourvue de cadre.

– J'dormais, déclare-t-elle, mais ce n'est pas un reproche.

Pour la première fois, je la vois sous cet angle-là, et je m'aperçois qu'il lui manque une dent. Elle est incroyablement frêle, tout en os et en tendons. Elle ne doit pas peser plus de quarante-huit kilos. La cocaïne l'a presque entièrement rongée.

– Merci de nous avoir permis de passer, dis-je.

– Je me souviens pas vous avoir invité, m'sieur le procureur. Vous vous êtes pointés, c'est tout.

Elle porte un short ample, et ses jambes grêles et marbrées sont étendues devant elle. Ses cheveux roussâtres forment un halo irrégulier autour de sa tête. Elle ne plane pas, elle est simplement usée jusqu'à la trame. Le bébé est couché sur ses genoux.

– Nous avons juste quelques questions à vous poser, lui dis-je
Elle hausse les épaules.

– Vous voulez vous asseoir ?

– Non merci, miss Harris, dis-je.

– Carbon.

– Pardon ?

– Mon nom, c'est Carbon. (Elle tire une cigarette d'une fente dans le canapé.) Comme du papier carbone.

Elle prononce ces mots comme si elle en avait l'habitude. *Du papier carbone*, me dis-je, en me souvenant qu'elle et moi avons le même âge ; la dernière génération à savoir ce qu'est le papier carbone.

– Désolé, dis-je. Je crois que vous connaissez déjà les inspecteurs ici présents. Voici Stacey Sharp, du bureau du Procureur. Elle travaille avec moi sur cette affaire. L'affaire concernant votre fille.

– Ouais, j'connais ces agents de police.

– Monsieur le procureur...

Solano m'adresse un hochement de tête, puis il sort de l'appartement pour fumer une cigarette et patienter.

– Bien, dis-je, cherchant par où commencer.

La mère tire sur sa cigarette. Le bébé est endormi. Les fenêtres sont ouvertes, mais il n'y a pas un souffle d'air dans l'appartement. Les voilages ne frémissent pas. Dans l'étouffante chaleur, des odeurs s'élèvent des fissures du lino et des coussins du canapé. Je sens des gouttes de sueur perler sur mon dos et glisser jusqu'à l'élastique de mon caleçon. Je répète :

– Bien.

– Depuis combien de temps habitez-vous ici, miss Carbon ? demande Stacey.

– Ici ? Dans cet appartement ?

– Oui.

– Ça fait dix ans qu'on habite c't' immeuble, dit-elle. J'essaie d'avoir un appartement plus grand – depuis qu'le bébé est né.

– Quel âge a-t-elle ? demande Stacey en souriant à l'enfant, qui fronce les sourcils et bave dans son sommeil.

— Attendez voir. Deux, trois mois. Elle est p'tite parce qu'elle est née trop tôt.

— C'est le bébé de Kayla ? avance Stacey.

— Oui.

— Comment s'appelle-t-elle ?

— Shameeka. Meeka.

— Le père... Est-ce que le père de Shameeka vit dans le coin ?

— C'est à elle qu'y faudrait demander ça.

— À qui ?

— À Kayla, réplique Nicole, le visage inexpressif.

— Vous ne savez pas qui... ?

— Non.

Stacey me lance un coup d'œil, se demandant si elle a fait une bourde. Puis elle poursuit :

— Vous avez... euh... vous avez une autre fille ?

— Utopia ? C'est la plus grande.

— Elle habite ici avec vous ?

— Y a plus qu'Utopia et le bébé, maintenant.

— Quel âge a Utopia ? demande Stacey.

— C'est la plus grande. Elle a seize ans.

— Est-ce qu'elle est là en ce moment ?

— Elle est en cours. Elle va à F. K. Lane.

— Elle est en troisième ? En seconde ?

— Chais pas comment ça s'appelle. Au lycée.

— Elle était à la maison cette nuit-là ?

— Quelle nuit ?

— Le... est-ce que c'était le 4 août ? La nuit du meurtre.

— Bien sûr qu'elle était là, rétorque Nicole. On était toutes là. Elle a rien vu non plus. On dormait toutes les deux.

— Où dort Utopia ? demande Stacey.

— Dans ma chambre. Là-bas, indique Nicole d'un geste rapide de la main.

— Vous étiez toutes endormies quand Lamar est entré ?

— Comme j'l'ai dit à cet agent de police, on dormait toutes, réplique-t-elle. J'devais bien être endormie puisque j'ai vu rentrer personne, hein ?

— Vous fermez toujours la porte d'entrée à clef ?

— Vous plaisantez ?

— Où est-ce que vous dormiez ? s'enquiert Stacey.

— Quand je m'suis réveillée, j'étais juste ici. Juste sur ce canapé ici. Là où j'suis assise maintenant.

– Madame, reprend Stacey. Je veux que vous me disiez ce que vous vous souvenez avoir vu et entendu cette nuit-là.

Nicole exhale bruyamment et débite son histoire comme si elle l'avait apprise par cœur.

– Comme j'l'ai déjà dit, j'étais ici sur le canapé. J'dormais. J'ai entendu du bruit. Un pistolet. Tout près. Je me suis réveillée. Mais je me suis pas levée tout de suite parce qu'y avait comme du brouillard dans mon cerveau. J'avais l'impression d'être endormie même après que le bruit m'a réveillée. Je me suis pas levée tout de suite. Je suis restée couchée sur le canapé, et juste après j'ai entendu Utopia qui criait, et elle est sortie en courant de la chambre de Kayla.

– Continuez.

– Alors j'me suis levée et Utopia et moi on est retournées là-bas, là où Kayla dormait. Le bébé et elle, elles dormaient dans la même chambre. J'suis retournée là-dedans pour voir ce qu'y se passait avec Kayla et c'est là que je l'ai vue. J'ai vu Kayla allongée toute tordue sur le lit, mais d'abord j'ai pas vu de sang. Et puis j'en ai vu. Juste ici. Une petite tache, c'est tout.

– Quand vous êtes allée là-bas, est-ce que quelqu'un d'autre s'y trouvait ?

– Non. Y avait juste le bébé, qui pleurait. Et Utopia qui braillait et qui pleurait elle aussi.

– Vous n'avez pas vu Lamar ? s'enquiert Stacey.

– Non, je vous ai déjà dit que j'l'avais pas vu, réplique Nicole. Mais miss Iris, elle l'a vu. Il est sorti en courant d'ici après qu'il a tué ma fille.

– Pouvez-vous nous montrer la chambre ? demande Stacey.

– Vous la montrer ?

– Oui, madame.

– D'accord, j'vais vous la montrer, fait-elle, sautant sur ses pieds avec le bébé dans les bras. (Nicole est maigre et ses mouvements sont ceux, brusques, furtifs, d'une enfant de neuf ans.) Les policiers qui sont venus l'ont déjà vue, et ils ont pris des photos avec un appareil.

Elle nous précède, tourne à l'angle de la pièce et traverse une petite cuisine ; une pièce rectangulaire souillée de graisse où des rideaux de plastique à fanfreluches sont accrochés devant une fenêtre étroite donnant sur un puits d'aération. Dans un coin, des bouteilles d'alcool vides sont empilées dans un seau de plastique blanc ; là, un carton à pizza vide avec un long fil de fromage durci. Sur le plan de travail, j'aperçois une bouteille de je-ne-sais-quoi débouchée. Des affaires de bébé sont éparpillées alentour – des tasses et des assiettes de couleur vive, les cylindres roses, familiers, de boîtes vides de lait maternisé. Des couches-culottes déchirées sont entassées dans la poubelle. Un liquide brun a débordé sur le feu et dégouliné sur le devant de la gazinière. Stacey me lance un regard empli d'une profonde répugnance.

– Ça, c'est ma chambre, déclare Nicole alors que nous passons devant une pièce dépourvue de porte.

De l'autre côté du couloir, un peu plus loin, se trouve la chambre de l'adolescente morte. La porte est fermée. Nicole s'immobilise dans le couloir et n'entre pas. Je la contourne maladroitement dans l'espace exigu et pousse la porte, qui s'ouvre vers l'intérieur. Dans cette chambre, les relents de renfermé, aigres et écœurants, du reste de l'appartement s'effacent devant une odeur de bébé ; l'odeur familière du talc de bébé, des lingettes de bébé, du pipi de bébé. Repoussé dans un coin se trouve un Pack N' Play – un berceau pliable – rouge vif, bleu et bleu-vert, tapissé d'un maillage blanc le long des flancs.

Stacey jette un regard hésitant dans la chambre.

Les murs sont bleu sombre. Une unique fenêtre. Le lit est un matelas posé à même le sol. C'est là qu'elle est morte. On ne voit pas le plancher, à cause des vêtements et des tennis éparpillés ici et là. Le matelas est rayé. Il a une petite tache au centre – *le sang de l'adolescente morte ?* Ce pourrait être n'importe quoi. Il n'y avait pas d'orifice de sortie ; la balle s'est aplatie et n'a pas quitté son corps, elle a ravagé son cœur, ses poumons et ses os.

– Madame, est-ce ainsi que la chambre était disposée – il y a deux semaines ? demande Stacey à Nicole.

– Oui. Sauf qu'il y avait un couvre-lit sur le matelas ; la police l'a emporté. Est-ce que j'vais récupérer mon couvre-lit ?

– Où était sa tête ?

– À l'autre bout. (Elle tend le doigt, d'un geste vif.) Elle avait encore les yeux ouverts.

– Elle était en position frontale ?

– Qu'est-ce que vous voulez dire ? demande Nicole.

– Était-elle couchée sur le dos quand vous l'avez trouvée ?

– Couchée sur le dos, oui. Avec les jambes toutes tordues comme ça.

– Est-ce que vous l'avez déplacée ?

– Non, j'ai juste... Non. Elle était morte.

– Quand vous l'avez vue, elle était morte ?

– Oui, répond-elle.

– Comment le savez-vous ? demande Stacey avec tact.

– Elle était morte.

Je referme la porte, et je recule de quelques pas.

– Très bien, dis-je. (J'ai eu ma dose.) Merci.

Nous rebroussons chemin dans le couloir, traversons la cuisine puis le salon. Nicole tire le verrou et tend la main vers la poignée de la porte, où elle la laisse. Nous restons tous les trois immobiles.

– Vous savez qu'il y a eu une arrestation ? demandé-je. Je vous l'ai dit, n'est-ce pas ?

– Vous me l'avez dit. Le gamin qui habitait en bas.

– Donc, nous vous appellerons si quoi que ce soit...

– Est-ce qu'il connaissait votre fille ? interrompt Stacey.

– Est-ce qu'il la connaissait ? répète Nicole. LL ? J'suppose qu'il la voyait aller et venir. Y z'ont habité le même immeuble pendant dix ans.

– Je vais vous laisser ma carte, dis-je.

– Vous est-il arrivé de les voir ensemble ? demande Stacey. Vous savez, comme des amoureux ?

Nicole laisse échapper un rire dénué de gaieté.

– J'ai jamais vu Kayla avec un garçon qu'aurait été son amoureux. Elle préférait rester dans son coin. Comme si tout ce qui l'intéressait, c'était de lire ses bouquins dans sa chambre.

– Mais elle avait un bébé, rétorque Stacey avec un peu trop d'insistance. Elle a bien dû avoir un petit ami.

Nicole la fixe du regard.

– Je sais pas ce qu'elle faisait quand j'étais pas là. J'la surveillais pas tout le temps. C'était une grande fille.

– Très bien, dis-je en me dirigeant vers la porte.

– Et vous ? demande Stacey.

– Moi quoi ?

– Vous n'avez jamais rien trafiqué avec lui ? Avec Lamar ?

– J'trafique pas, réplique Nicole, sur la défensive. C'est LL qu'est un dealer. Vous pouvez demander à n'importe qui. Moi, j'trafique pas. Ça non. Jamais.

– Ce n'est pas ce que... bafouille Stacey d'un ton piteux. Est-ce qu'il vous arrivait de le voir rôder dans le coin ?

– J'le voyais presque jamais. Pour vous dire la vérité, je savais même pas qu'il était sorti de prison.

– Est-il possible que vous l'ayez vu cette nuit-là ? s'enquiert Stacey.

– Que j'l'ai vu ? Vu où ?

– Dans l'appartement. Vous vous êtes peut-être disputés ?

– Nan, j'l'ai pas vu. J'le voyais seulement vendre de la came. Il dealait de la came. C'est pour ça qu'il est allé en prison.

J'essaie d'intervenir :

– Nous vous tiendrons informée de...

– À quelle heure rentre Utopia ? demande Stacey.

– Utopia ? répétons-nous en chœur, Nicole et moi.

– Je me disais que nous pourrions... discuter, vous voyez, poursuit Stacey.

– Elle a rien vu, rétorque Nicole. Qu'est-ce qu'elle pourrait bien vous dire ? Que dalle. Laissez cette gosse tranquille. Kayla et elle, elles étaient très proches. Vous z'allez pas me tournebouler cette gamine. J'ai bien assez de soucis comme ça.

Dans le silence qui s'ensuit, j'entraîne Stacey vers la porte.

– Merci de nous avoir accordé quelques minutes de votre temps, miss... Carbon, dis-je. Nous vous tiendrons au courant.

– Qu'est-ce que c'est que ce truc qu'ils m'ont envoyé ? demande-t-elle soudain, se dirigeant rapidement vers une table située près de la porte, où elle s'empare d'une feuille orange déjà maculée de taches. Elle me la montre.

– C'est une assignation à comparaître, dis-je. Une assignation à comparaître devant le grand jury.

– Ça veut dire quoi ?

– Vous allez devoir aller témoigner devant le grand jury. Vendredi matin. Est-ce que ça vous convient ?

– Nan.

– Est-ce que vous savez pourquoi Lamar aurait pu vouloir la tuer ? lance soudain Stacey, et Nicole semble prise au dépourvu. Elle hésite un instant.

– Nan, répond-elle enfin. Y a aucune raison, à mon idée. Y a aucune raison. Elle avait jamais fait de mal à personne. Elle faisait toujours ce que j'lui disais. Elle était...

Et à cet instant – et durant cet instant seulement – son impassibilité insondable s'efface devant une douleur manifeste. Elle pleure, à présent, sans larmes, émettant un son hoquetant, douloureux. Stacey pose la main sur son bras.

– Je suis désolée, miss Carbon, murmure-t-elle.

– Ça me fend le cœur, sanglote Nicole. Et j'ai aucune photo d'elle. J'ai cherché. Y a que celle-là.

Elle désigne une petite photo posée au sommet du bric-à-brac régnant sur la table. Elle s'en approche et la montre à Stacey. (C'est le portrait du cahier de classe que je me rappelle avoir vu hier.)

– Oh, murmure Stacey avec une intonation que je serais incapable d'adopter. Elle est ravissante.

– Vous savez, ajoute la mère de l'adolescente morte, en s'animant et en montrant à Stacey l'enfant à cheval sur sa hanche. C'est son bébé.

– Et vous avez aussi Utopia, ajoute Stacey.

– C'est tout ce qui me reste maintenant. Utopia et le bébé.

– Les enfants sont une bénédiction, dis-je bêtement, et les deux femmes se tournent vers moi comme si elles avaient oublié ma présence.

Nicole hoche la tête. Elle s'empare d'un inhalateur contre l'asthme et en inspire quelques bouffées

– Oui, approuve-t-elle quand elle a terminé. (Elle me jette un regard rapide.) C'est bien vrai.

*

Solano et l'autre abruti ont disparu. Il n'y a absolument personne. Stacey et moi sommes seuls dans le couloir au sixième étage du 1250 Sutter. Il n'y a aucune fenêtre, mais tous les deux mètres, des néons circulaires dégagent une lumière aveuglante qui nous donne le teint pâle et cireux. Stacey paraît anxieuse et lasse.

Me voici donc tout seul avec la jolie Stacey, dans une cité d'East New York. Nous voici tous les deux sur les lieux du crime, à Brooklyn – un type *gentil* avec la jolie Stacey. Stacey, qui a cessé de me divertir aussi agréablement qu'elle le faisait voici peu.

Quelqu'un tourne un verrou, le son se répercute sur les parpaings beiges du couloir désert – amplifié, décuplé par la lumière agressive des néons. La porte située en face de l'appartement de l'adolescente morte s'entrouvre avec méfiance.

– Miss Iris? murmure Stacey à mon intention.

Mais c'est une vieille femme, et non miss Iris, qui apparaît. Elle glisse la tête dans l'encadrement de la porte. Ses cheveux d'un gris poussiéreux sont desséchés, peignés en arrière et attachés en une queue de cheval courte et raide. Ses jambes brunes et nues, maigres comme des baguettes, émergent de chaussons roses. Sa robe ample et informe n'est pas boutonnée comme il faut – elle a boutonné le premier bouton trop haut, et un triangle d'étoffe distendu pend sur l'un de ses genoux. Elle franchit le seuil et s'éloigne d'un pas décidé, sans nous accorder un regard.

– Entrez, entrez, lance une voix connue.

Miss Iris nous entraîne à l'intérieur de son appartement. Tout est bien rangé et familier. Ce pourrait être chez mes parents ; ce pourrait être Windsor Terrace voici trente ans, à l'exception du portrait d'un Jésus-Christ noir, coiffé d'une couronne d'épines reposant sur son afro *Mod Squad*[1]. Voici la même paire de fauteuils recouverts d'une housse de laine grossière. Le même lierre en plastique dans les mêmes paniers suspendus au plafond grâce aux mêmes paniers en macramé. Voici les mêmes dessous-de-verre en liège sur la même table basse en noyer laqué aux lourdes ferrures de laiton. Dans l'angle de la pièce, le même meuble hi-fi Magnavox où sont encastrés des baffles tapissés de toile beige. Si j'en faisais glisser le couvercle et que je jetais un regard à l'intérieur, y trouverais-je les disques vinyle de ma mère – *Camelot, Cabaret, Man of La Mancha* ? Si mon père entrait d'un pas lourd, vêtu de son uniforme bleu – cravate dénouée, plaque dorée de brigadier, bouteille à la main –, et qu'il s'affalait sur le canapé rectangulaire et rugueux, jetant l'une de ses jambes bottées par-dessus l'accoudoir, ma mère irait-elle l'obliger d'une tape à reposer son pied sur le sol ?

À l'intérieur, il fait frais ; c'est un soulagement après la moiteur graisseuse de l'appartement de Nicole. À la fenêtre, un climatiseur fonctionne bruyamment ; il est vieux, recouvert d'un placage de noyer pareil aux baguettes courant le long des flancs d'une Ford Country Squire. Solano et Carson sont assis devant des tasses de thé, les genoux écartés et les mains nouées.

– C'était la mère de Lamar, annonce Carson.

– Sa grand-mère, le corrige miss Iris.

Ils me répètent l'histoire que leur a racontée la vieille femme.

L'appartement de la grand-mère de Lamar se trouve deux étages plus bas. Lamar est rentré un dimanche soir, deux semaines après que Solano eut frappé à la porte de la vieille dame, à la recherche de son petit-fils. Solano avait jeté un œil un peu partout et laissé sa carte. Quand Lamar est revenu, sa grand-mère a pris la carte de Solano qu'elle avait fixée sur la porte du frigo, a décroché le téléphone de miss Iris et a livré son petit-fils. Qui peut dire pourquoi ? Tout ce qu'on sait, c'est que lorsque le moment s'est présenté, elle l'a livré. Elle a décroché le téléphone comme si elle appelait le concierge pour qu'il vienne déboucher les canalisations. Solano a découvert Lamar Lamb sous un enchevêtrement de vêtements, dans

---

1. *The Mod Squad* était une série populaire dans les années soixante-dix ; l'un des acteurs, afro-américain, arborait une imposante coiffure afro. (*N.d.T.*)

le placard de la chambre de sa grand-mère. Il s'était fait si petit qu'ils ne l'ont pas vu tout de suite. Il avait fallu que la vieille femme les ramène dans sa chambre et leur dise : « Regardez, il est là. Il est là. Je vous l'avais bien dit. » Dans sa robe légère, informe, mal boutonnée, elle avait désigné la cachette d'une jambe nue et sillonnée de varices.

Je me demande : a-t-il dormi ? LL a-t-il dormi sur ses deux oreilles, comme le coupable qui peut enfin baisser sa garde ? *Les coupables dorment sur leurs deux oreilles*, affirment les inspecteurs qui ont roulé leur bosse. Les coupables dorment et les innocents marchent de long en large, inlassablement, le regard fixe.

— Est-ce qu'il a dormi ? demandé-je à Solano, de retour dans la Caprice.

— Qui ça, monsieur le procureur ?

— Ce gamin, Lamar. A-t-il... Vous savez, a-t-il dormi après que vous l'avez embarqué ?

— Dormi ? (Solano jette un bref regard à Carson.) Tu t'en souviens, Johnny ?

Carson hausse les épaules et continue à conduire. Personne ne dit mot pendant dix minutes.

— Maintenant que j'y pense, déclare enfin Solano (à propos de rien en particulier, semble-t-il), au moment où nous nous garons devant le 210. Non. Il est simplement resté assis là. Toute la nuit. Avec l'air de nous dire d'aller nous faire foutre.

## 15

Le médecin légiste qui attend dans mon bureau que je revienne de Cypress est une femme, plongée dans la lecture d'un livre grand format. Elle a mon âge, un peu moins peut-être, porte du vernis à ongles noir, un jean noir, un T-shirt noir ; ses cheveux sont courts, teints en blond, leur coupe les fait ressembler à des aiguilles de pin. Elle est sur les nerfs.

— Est-ce qu'il faut vraiment... demande-t-elle. Je veux dire, est-ce qu'il faut *vraiment* que je témoigne aujourd'hui ?

Voilà une femme médecin dont la spécialité est la médecine légale. Dont le travail consiste à disséquer des cadavres, à déterminer la cause de leur mort. Et la voilà qui, après avoir répertorié toutes les atrocités que les hommes s'infligent mutuellement, se liquéfie dans mon bureau parce que je viens de lui annoncer qu'elle doit témoigner aujourd'hui devant le grand jury.

— Dans exactement une demi-heure, dis-je, consultant ma montre. Vous paraissez un peu nerveuse.

— Non, ça va, réplique-t-elle. J'ai un peu faim.

— Est-ce que vous voulez un... voyons voir... Une pastille à la menthe ? (Je fouille dans le contenu de mon tiroir, qui se trouve à présent dans un sac plastique posé sur le lino.) De la sauce au soja ?

— Non, merci.

— Vous avez décidé d'arrêter la sauce au soja ?

— J'en ai déjà pris au petit déjeuner, rétorque-t-elle.

Une parade facile. (Elle est encore nerveuse.)

— Écoutez, le grand jury, ce n'est vraiment pas la mer à boire.

— Non. Je sais, réplique-t-elle. Ça va. Je vais bien. Je me sens juste un peu prise au dépourvu. Si j'avais su, je me serais habillée autrement. J'ai l'air de...

– Mais non.

– Je n'ai pas fini ma phrase. Qu'est-ce que vous pensiez que j'allais dire?

– Je ne sais pas. Quelque chose de péjoratif. Je trouve que vous avez l'air...

– Ce sont juste des vêtements de travail, m'interrompt-elle.

– Je n'ai pas fini ma phrase; qu'est-ce que j'allais dire, à votre avis?

– Quelque chose de gratuit. Je sais de quoi j'ai l'air. Je ne fais pas d'efforts vestimentaires quand je travaille. Mon boulot est comme qui dirait... salissant. Je devrais porter une robe, vous ne croyez pas?

– Ce n'est pas nécessaire.

– Non?

– Non. Le grand jury est comme qui dirait... salissant.

– Mais nous n'allons pas au tribunal?

– Vous êtes à Brooklyn, dis-je. Je crois que vous vous faites une fausse idée de la situation. Je vais vous expliquer de quoi il retourne. Le grand jury est... ce n'est rien de bien grandiose. Pas ici, en tout cas. Ce sont juste vingt-trois personnes tout à fait ordinaires. Il n'y a pas de juge.

– Pas de juge?

– Non. En outre, le suspect n'est pas présent, pas plus que son avocat. Donc, il n'y a pas de contre-interrogatoire.

– Parfait.

– Il n'y aura que vous et moi. Vous entrez, vous jurez de dire toute la vérité (je lève la main comme si je prêtais serment), puis je vous pose quelques questions. C'est tout. Vous resterez dix minutes.

– Oh!

Son visage s'éclaire.

– Ça vous va, docteur?

– Oui, monsieur le procureur.

Elle sourit enfin.

– Vous pouvez m'appeler Gio.

– Alors appelez-moi Ann.

Sur ce, nous nous serrons la pince, et elle dit (me tenant toujours la main, la palpant presque – de façon clinique):

– Vous n'avez pas l'air d'un *Joe*, pourtant.

– C'est *Gio*. C'est comme ça qu'on m'appelle, ne me demandez pas pourquoi. Mon nom, c'est Giobberti.

112

– Très bien, Joe, qu'est-ce que je peux vous demander, alors ?

– Est-ce que ça va ? Vous semblez encore un peu nerveuse.

– Je *suis* nerveuse, j'imagine. Mais je crois que c'est normal. Non ?

– Je suppose que c'est parfaitement naturel. Si je devais aller dans votre bureau et faire ce que vous faites, je serais nerveux, moi aussi. En fait, je tournerais probablement de l'œil.

Elle rit de nouveau, et je m'aperçois qu'elle est jolie sans chercher à l'être.

– Ce sont des choses qui sont déjà arrivées, rétorque-t-elle.

– J'aimerais vous poser une question, dis-je. Est-ce que vous aimez ce que vous faites ?

– C'est une question plutôt vexante, réplique-t-elle sans se vexer.

– Pas vraiment. Je ne l'entendais pas de cette façon.

– Eh bien, elle l'est, en un sens. Cela implique qu'une personne normale ne pourrait pas prendre plaisir à être médecin légiste.

– Vous croyez qu'une personne normale pourrait y prendre plaisir ?

– Je suis fatiguée de répondre à cette question.

– Dans les soirées ?

– J'ai arrêté d'y aller, répond-elle avec franchise. Le problème, c'est la façon dont les gens vous interrogent. S'ils vous demandaient, vous voyez : « Est-ce que vous aimez ce que vous *faites ?* », ce serait différent. Mais non. Tout le monde vous demande : « Est-ce que vous *aimez* ce que vous faites ? » Comme si je gagnais ma vie en décapitant des nourrissons.

– C'est le cas, pourtant, en un sens, dis-je. Parfois ?

– Oui, admet-elle. Parfois.

– Mais je vois ce que vous voulez dire. Les gens sont toujours courtois quand je leur dis que je suis procureur de la Criminelle. Puis ils vont s'asseoir ailleurs.

Nous opinons et restons silencieux quelques instants.

– Dites-moi... Quelle est la chose la plus répugnante que vous ayez jamais vue ?

– Quel âge avez-vous ? réplique-t-elle en soupirant.

– Trente-huit ans. Pourquoi ?

– Parce que mon neveu de dix-sept ans m'a posé la même question la semaine dernière.

– Alors *ça* c'est plutôt insultant, docteur – me comparer à un adolescent de dix-sept ans !

– Il voulait que je lui rapporte un pénis dans du formaldéhyde, ajoute-t-elle en se levant.

Elle est aussi longue et mince qu'un cow-boy texan dans son jean serré. Elle pose son livre sur mon bureau, un exemplaire de *Suspendre l'Habeas corpus*. (Reliure cartonnée.)

– Où est-ce que je peux acheter une robe ? demande-t-elle.

– Il y a un Macy's dans le centre commercial de Fulton. Parlons d'abord de la fille.

– Entendu, dit-elle en se rasseyant.

– Que s'est-il passé ?

– Elle a été tuée avec une arme à feu.

– Et... ?

– Et elle a été tuée avec une arme à feu. (Elle hausse les épaules.) Il n'y a rien de bien mystérieux là-dedans. C'est pour ça que je me demande un peu ce que je fais là.

– C'est pour le grand jury, dis-je. Plaider une affaire, c'est dix pour cent de loi et quatre-vingt-dix pour cent de cinéma.

– Le cinéma, c'est moi ?

– Ne vous sous-estimez pas, docteur. Le témoignage du médecin légiste donne le coup de grâce... Façon de parler, bien sûr.

– Vous ne pouvez pas simplement présenter le certificat de décès ?

– Bien sûr. Mais je pense qu'un témoin en chair et en os fait meilleure impression. C'est la preuve formelle que quelqu'un est bel et bien mort, vous comprenez ?

– Le certificat de décès est la preuve formelle que quelqu'un est mort, Joe, rétorque-t-elle. C'est pour cela que ça s'appelle un certificat de décès.

– Peut-être, mais... On ne sait jamais avec les jurys. Les jurys de Brooklyn.

– Pourquoi est-ce que vous dites toujours ça – *les jurys de Brooklyn* ? s'enquiert-elle. Ils ne condamnent pas toujours ?

– Les grands jurys ne condamnent pas, mon bon docteur. Ils inculpent – et parfois, à Brooklyn, ils ne vont même pas jusque-là.

– Et l'inculpation est... ?

– Simplement la mise en accusation officielle. D'abord, vous êtes mis en examen. En fait, d'abord, vous tuez quelqu'un. Puis vous êtes mis en examen. Puis, environ un an plus tard, vous passez en jugement.

– Et alors ?

– Alors vous êtes acquitté, parce que...

Mais soudain je m'interromps, sachant que de l'amertume transparaît dans mes paroles, et ce n'est pas ce que je veux. Malgré moi, à ma propre surprise, j'ai soudain envie de faire bonne impression, pour changer.

— Pourquoi acquitté ?

*Comment expliquer le fonctionnement des jurys de Brooklyn ?*

— Voici comment je vois les choses, dis-je. C'est comme qui dirait... Il y a ici deux millions et demi de personnes de trente et un parfums différents, comme chez Baskin-Robbins, et ils sont tous en pétard ; en pétard parce que leur voiture ne veut pas démarrer, parce qu'ils sont pauvres, parce qu'un passager est malade et que le métro s'est arrêté. Ne me demandez pas pourquoi. Tout le monde est en pétard.

— Ce n'est pas ce qu'on appelle le *melting pot*, alors ?

— C'est plutôt un bol de bouillie d'avoine. Avec de sacrés grumeaux à l'intérieur.

— Oh ! s'exclame-t-elle, refermant la main autour de sa gorge blanche. Oh... excellente métaphore.

— Et plus vous remuez, pire c'est. Ils sont en pétard, et sur qui rejettent-ils la faute ? Sur le système. *Aux chiottes le système*, vous connaissez ?

— Est-ce que vous... est-ce que vous aimez cet endroit ? demande-t-elle. Brooklyn ? C'est un endroit tellement... tellement sale.

J'y réfléchis un instant.

— Bien sûr. Mais c'est un fumier fertile.

— Revenons-en aux faits, Joe. Quel est le problème de votre vieux *jury de Brooklyn* tout grumeleux ?

— Vous savez... dis-je. Le grand jury, ce n'est pas vraiment un problème. Pour être honnête, il n'y a qu'une seule façon de foirer devant le grand jury...

— Mon père m'a toujours conseillé de me méfier des avocats qui disent *Pour être honnête*.

— Et des toubibs qui disent *Ça va seulement faire un petit peu mal*.

— Hé ! proteste-t-elle. Jamais personne ne s'est plaint de mes services.

— Si c'était moi qui avais dit ça...

— Vous étiez sur le point d'être honnête, m'interrompt-elle.

— Est-ce que vous m'écoutez ?

— Je suis littéralement suspendue à vos lèvres.

— Parce que je ne raconte pas ça à tous les témoins, ajouté-je en souriant.

— Et pourquoi me le racontez-vous à moi ? demande-t-elle, me retournant mon sourire.

– J'imagine que c'est parce que... vous m'avez posé la question, dis-je avec franchise. La plupart de mes témoins n'ont qu'une seule envie, rentrer chez eux.

– Ils sont en pétard, eux aussi ?

– Pour la plupart. Mais en général, j'arrive à les persuader de rester jusqu'à l'heure du déjeuner si je promets de les nourrir.

– De bouillie d'avoine ?

– De burgers ou de plats chinois bien gras, dis-je. Mais c'est mieux que rien – ce que la plupart de mes témoins ont en guise de déjeuner d'ordinaire. Les bons jours. Non. Une seule chose peut foirer dans le grand jury, et vous n'avez pas à vous en inquiéter.

– Allons. Qu'est-ce que c'est ?

– Un détail technique. Un détail juridique.

– Allez, dites-moi, insiste-t-elle. Je croyais que vous aimiez que je vous pose des questions.

– Bien. Voilà. Automatiquement, quiconque témoigne dans le grand jury ne peut faire l'objet de poursuites.

– Ce qui signifie que vous ne pouvez pas...

– Qu'on ne peut pas le traduire en justice. Donc, quand un suspect témoigne devant la cour – ou ne serait-ce qu'un témoin dont on pense qu'il peut être impliqué dans l'affaire –, on a foutrement intérêt à ce qu'il renonce à son immunité avant de comparaître.

– Foutrement intérêt ? demande-t-elle. Cela signifie avoir encore plus intérêt que simplement intérêt, j'imagine ?

– Désolé... Je passe mon temps entouré de flics.

– Vous ne vous lavez jamais la bouche avec du savon, Joe ?

– Allons, les procureurs sont censés avoir un langage de charretier, dis-je en tapotant son livre.

– Oh ! ce que vous êtes drôle.

Elle sourit, puis questionne :

– Et que se passe-t-il si le prévenu ne renonce pas à sa je-ne-sais-quoi ?

– Il rentre chez lui.

– Zut alors.

– Et en prime, vous vous faites virer.

– Mais je suis sûre que vous ne l'oublieriez jamais, ce truc que vous êtes censé faire.

– J'ai oublié, pourtant, vous savez, dis-je. Une fois.

– Oh... *Que s'est-il passé ?*

– J'ai oublié. Le suspect a témoigné devant le grand jury. J'ai oublié de lui faire renoncer à son immunité, et quelques jours plus tard on a dû le renvoyer dans ses foyers. Et voilà le putain de travail.

– Je suis désolée, murmure-t-elle, l'air sincèrement navré. Vous n'avez pas été viré, pourtant.

– Non. C'était l'an dernier. C'était...

– Est-ce que c'était un meurtrier ?

– Oui. C'était un dealer en fauteuil roulant, et il avait descendu les hommes qui l'avaient mis là-dedans.

– En fauteuil roulant ? répète-t-elle. Comment est-ce qu'on peut dealer en fauteuil roulant ?

– On dirait une devinette, hein ?

– Vous n'avez pas l'air de trouver cela drôle, pourtant, remarque-t-elle. Vous êtes très sérieux tout d'un coup. Est-ce qu'il a tué quelqu'un en sortant d'ici ou quelque chose comme ça ?

– Non, dis-je, me plongeant avec un intérêt soudain dans l'examen de la semelle de ma chaussure. Il n'a tué personne – du moins, pas que je sache.

– Mais vous ne pouvez pas vous sentir responsable. Si vous faites une erreur...

– Bien sûr que si, répliqué-je un ton trop haut. Appeler ça une erreur n'y change rien.

– Je suis désolée, murmure-t-elle, en me dévisageant (et en se demandant ce qui vient de se passer).

– Non, dis-je.

À travers la vitre, je regarde la coupole vert-de-gris de Borough Hall, de l'autre côté de la rue, et je ne pense plus à Milton Echeverria.

– Bien, dit-elle.

Puis, voulant de toute évidence détendre l'atmosphère, elle reprend :

– C'est comme le serment d'Hippocrate, j'imagine.

– Exact. *Tu ne feras point de mal à ton prochain.*

– Vous êtes censé dire que ça ne s'applique pas vraiment à moi, rétorque-t-elle en risquant un sourire. Puisque mes patients sont déjà morts, je veux dire.

– Mes victimes aussi.

– Tout juste.

– Nous faisons la paire, dis-je.

Et j'ai peut-être raison : nous sommes deux détrousseurs de cadavres qui gagnent leur vie grâce aux dépouilles des morts.

– Ce meurtre, dis-je soudain.

– Je vous écoute.

– Il y a quelque chose qui cloche là-dedans.

– Quoi donc?

– Je ne vois pas beaucoup de gamines de quatorze ans abattues dans leur lit. Ça n'est pas chose courante. Même à East New York.

– Quatorze ans? répète-t-elle.

Elle demeure un instant silencieuse.

– Oui. Tout juste.

– C'est... vous savez, je comprends mieux, reprend-elle en hochant la tête.

– Vous ne le saviez pas?

Non. Quand elle est arrivée, je m'en souviens... on m'a dit qu'elle avait dix-huit ou dix-neuf ans.

– C'est important?

– Non. Ce n'est rien. Cela ne modifie pas mes conclusions. C'est simplement un détail que j'avais remarqué en procédant à l'autopsie ; elle paraissait avoir dix-huit ans, mais je m'étais dit que l'intérieur de son corps était celui d'une très jeune fille.

– Qu'est-ce que vous entendez par là?

– Ses os étaient encore cartilagineux.

– Pourquoi?

– Ils n'avaient pas fini de se développer. C'était une toute jeune fille.

– Autre chose, dis-je. Avez-vous pu déterminer si elle avait des relations sexuelles?

– C'était le cas. Elle avait accouché récemment. Et nous avons prélevé du sperme dans son vagin.

– Oui. Je sais. Ce que je veux dire, c'est... y a-t-il un moyen de déterminer si elle menait une vie sexuelle intense, ou juste... modérée?

– C'est difficile à dire. La dilatation était considérable, mais cela peut être dû à l'accouchement.

– Ah.

– Qu'est-ce que vous cherchez? s'enquiert-elle.

– Je ne sais pas vraiment. Quelque chose. N'importe quoi. Je tâtonne. Avez-vous constaté des... des traces de violence?

– Bien sûr, réplique-t-elle sèchement. Elle avait une plaie par balle en pleine poitrine.

– Très drôle. Mais je suis à la recherche de sévices sexuels.

– Consultez les petites annonces du *Village Voice* à la rubrique *Rencontres*.

– Hilarant.

– Écoutez, reprend-elle. Dites-moi simplement ce que vous cherchez. Quelle est votre théorie. Je peux peut-être vous aider.

— Y a-t-il eu agression ? Est-ce que c'était un viol ?

— Je ne peux pas vous dire s'il y avait consentement mutuel, mais je peux vous dire qu'elle n'a pas été brutalisée. Il n'y a pas de trauma vaginal. Pas de déchirures, pas d'abrasions, pas d'ecchymoses ; aucun des signes habituels.

— Laissez-moi vous poser une question, dans ce cas, dis-je. Y a-t-il un quelconque moyen de déterminer, scientifiquement, si elle menait une vie sexuelle très active ; par exemple, si elle s'est jamais prostituée ?

— Non. Pas vraiment, non. Il arrive que l'on trouve des cicatrices, ou d'anciennes déchirures, ce genre de choses. Elles peuvent indiquer qu'il y a eu une série d'avortements. Sans oublier les maladies sexuellement transmissibles classiques. Hépatites, sida, ce genre de choses. Mais il s'agirait simplement d'indications. Il est impossible de prouver médicalement qu'une femme s'est prostituée.

— L'adolescente présentait-elle l'une ou l'autre de ces indications ?

— Non. Non, elle n'en présentait aucune.

Je reste un instant silencieux, plongé dans mes réflexions ; alors elle répète :

— Dites-moi ce que vous cherchez.

— Je ne sais pas. Je ne sais pas ce que je cherche. J'essaie juste... j'essaie juste de me faire une idée claire de la situation.

— Très bien. Mais appelez-moi si... Vous voyez ce que je veux dire.

— Je vois.

Puis elle ajoute :

— J'imagine qu'il faut y aller maintenant ; aller affronter le grand jury.

— Pas la peine. Vous venez juste de me dire ce que je voulais savoir.

# 16

Sept heures du soir ; je suis assis dans mon bureau aux parois métalliques en compagnie de Conrad Gufner, un homme malheureux mais jovial d'environ soixante-dix ans. Il est face à moi, inconfortablement assis sur une chaise petite et dure. Dans un instant, il va se plaindre de ses hémorroïdes. Mais pour le moment il discute cordialement le bout de gras, me racontant la blague du rabbin qui dispute une partie de golf avec un « Africain-américain ». Nous attendons dans mon bureau parce que son client, Lamar Lamb, veut me parler.

Gufner m'inflige des heures sup. Il fait durer son histoire dans les règles de l'art. De temps à autre il tend la main vers mon genou, le pressant de ses doigts longs et translucides. Émanant de la canalisation qui surplombe mon bureau et qui s'est inexplicablement remis à fonctionner, un souffle d'air balaie Gufner et décoiffe une mèche de cheveux jaunissants qu'il avait rabattue avec un bel optimisme en travers de son crâne rose et brillant ; la mèche mesure douze centimètres de long et flotte comme le fanion d'un vaisseau amiral sur le flanc tribord du navire.

Un coup de fil nous parvient des étages supérieurs, et Gufner s'éclipse de nouveau aux toilettes. Je l'attends, retenant la porte de l'ascenseur tandis qu'il s'éloigne avec le trottinement propre aux vieillards dans le long couloir à l'extérieur des bureaux de la Criminelle – balançant l'un de ses bras et faisant gauchement rouler ses hanches arthritiques. Puis nous restons silencieux dans l'ascenseur exigu, mal à l'aise, cette intimité forcée me rendant la bonhomie de Gufner pénible à supporter. Il observe d'un regard impassible son reflet terne dans la paroi de l'ascenseur. Avec sa peau lisse aux pores invisibles et ses lèvres rouges enduites de vaseline, il pourrait être une vieille femme.

— Qu'est-ce qu'il me veut, alors ? dis-je à l'instant où la porte de l'ascenseur s'ouvre au sixième étage.

— Mon client ? Il dit que ce n'est pas lui.

— Est-ce que c'est lui ?

— Sans doute. Et alors ? J'aurai mon chèque, dans tous les cas.

*

Une brigade de police est affectée à nos bureaux. Leur boulot n'est pas bien ingrat ; il consiste essentiellement à se rendre dans des quartiers malfamés pour remettre des assignations à comparaître à des témoins récalcitrants. Dans un angle privé de soleil du numéro 210, la brigade du bureau du Procureur a fait de son mieux pour reproduire l'atmosphère glauque d'un commissariat de quartier. Tout est en arêtes aiguës, vaguement menaçant ; l'endroit est dépourvu de la moindre influence féminine. Punaisés aux murs, des portraits de criminels recherchés trônent aux côtés d'une épaisse liasse d'affiches de personnes disparues. Une notice recommande l'utilisation de gilets pare-balles en été : MIEUX VAUT SUER QU'ÊTRE TUÉ ! Des hommes (et une ou deux femmes) sont assis devant des bureaux, ou debout en petits groupes. Ils nous jettent tous un bref regard, puis détournent les yeux. Les hommes sont défraîchis et bruns, leurs cravates dénouées et glissées dans la ceinture. Les femmes ont les cheveux coupés court et de larges fessiers.

Le sergent en charge de l'accueil me salue d'un signe de tête. Il décroche le téléphone.

La salle d'interrogatoire du sixième étage est une boîte sans fenêtre pourvue d'une table et de quatre chaises boulonnées au lino gris-vert, dénuée d'autres caractéristiques à l'exception d'un tuyau métallique ordinaire courant le long du mur du fond, à hauteur de la taille. Lamar Lamb est assis sur une chaise, le poignet droit menotté au tuyau, la main pendant mollement. Il dégage une odeur de prison et sa puanteur emplit la pièce.

— Bonjour, Lamar, dis-je.

— Mh-mh.

— Je m'appelle Andrew Giobberti. Je suis procureur. Compris ?

— Compris.

Il lève les mains avec désinvolture, paumes tournées vers le ciel, comme pour dire *ça ou autre chose*. Toute son attitude exprime ce je-m'en-foutisme. Il me jette un bref coup d'œil, mais c'est tout. Il regarde ailleurs ; la table, le mur, le lino. Il me présente son profil. Je vois son menton fuyant, incongru. Je vois son oreille, ciselée comme du bois vernis et surmontée de *cornrows* qui sillonnent – de façon absurde mais menaçante – son crâne et s'achèvent en tortillons sur sa nuque. Sa peau noire, et non brune, est étrangement lumineuse dans la lumière des néons.

Il laisse échapper un bâillement audible. (Il s'ennuie, l'enfoiré.) Il est avachi sur sa chaise, son bras menotté tendu comme s'il enlaçait les épaules d'une petite nana invisible. Il est aussi morne et imperturbable, menotté au mur d'une cellule, face à l'homme qui le poursuit pour meurtre, que je le serais devant un tournoi de golf à la télé. Je secoue la tête, mais je vais être gentil. Je vais être son ami. Je suis toujours leur putain de meilleur ami.

– Lamar, dis-je. Vous avez déclaré que vous vouliez me parler. Donc, nous parlons. Passons aux choses sérieuses, d'accord ? Votre avocat, Mr Gufner, vous a montré ce formulaire ? Cette feuille de papier, là ? Je vais vous poser une question. Est-ce que vous savez ce que c'est ?

– Il me l'a dit, le vieux, là-bas – l'avocat. Qu'est-ce que c'est, déjà ?

Je me tourne vers Gufner.

– Conrad, vous voulez peut-être... vous voulez peut-être lui expliquer ce qu'il va signer là.

– Oui. Lamar... (Gufner s'agite nerveusement.) Lamar, écoutez-moi. S'il vous plaît. Comme je vous l'ai déjà dit, il s'agit d'un accord entre le procureur et vous. Cela l'autorise à faire usage de tout ce que vous pourrez lui dire si cette affaire est portée devant les tribunaux. D'accord ? Vous comprenez, Lamar ?

– C'est c'que ça dit ?

– C'est ce que je suis en train de vous expliquer, Lamar.

– Faut que je le signe ?

– Non, il ne *faut* pas que vous le signiez, rétorque Gufner en roulant des yeux à mon intention. Vous pouvez refuser de le signer, auquel cas ce gentil inspecteur ici présent va vous remettre dans le fourgon et vous ramener sur-le-champ à Rikers. Mais vous avez dit que vous vouliez parler au procureur. Voici le procureur. Si vous voulez lui parler et lui répéter ce que vous m'avez dit, vous devez d'abord signer ce formulaire, compris ? C'est comme ça.

– D'accord, marmonne-t-il. (*D'accord.*) Seulement, j'l'ai pas lu.

– Est-il possible de lui enlever ça, inspecteur – ces, euh, ces menottes ? dis-je en désignant mes propres poignets.

L'inspecteur s'exécute. Lamar signe le document d'un gribouillis appliqué, puis frotte à la dérobée son poignet sous la table.

– Vous avez faim, Lamar? Vous voulez peut-être manger quelque chose?

– Ouais.

– Très bien. Qu'est-ce que vous voulez qu'on vous apporte?

– J'ai pas dîné. J'étais dans le fourgon.

– Vous voulez une barre chocolatée ou quelque chose comme ça, Lamar?

– Pourquoi vous m'appelez toujours comme ça? demande-t-il soudain.

– Comment est-ce que je vous appelle?

– Ce nom-là. Y a personne qui m'appelle Lamar.

– Personne?

– Juste ma mère, réplique-t-il en regardant ailleurs.

– Votre grand-mère?

– Nan, j'ai dit ma mère.

– Comment voulez-vous que je vous appelle?

– Vous pouvez m'appeler comme vous voulez. Vous voulez m'appeler comme ça? Vous m'appelez comme ça.

– Vous voulez que je vous appelle LL?

Il me jette un rapide coup d'œil.

– Nan. Vous vexez pas ni rien, mais c'est comme ça que mes potes m'appellent.

– Vous avez beaucoup d'amis, Lamar?

– J'ai roulé ma bosse, vous voyez c'que je veux dire?

– Vous avez roulé votre bosse, Lamar? Où est-ce que vous avez roulé votre bosse?

– Si j'vous le dis.

– Dites-le-moi. Parlons un peu.

– Ici et là. J'ai vu plein de trucs. J'ai vu du pays. J'suis allé à Londres.

Puis, pour clarifier, il précise :

– En Angleterre.

– Je sais, dis-je. J'ai tout ça là-dedans.

Je tapote une chemise en papier kraft posée devant moi.

– Qu'est-ce' vous avez?

– Votre dossier, mon vieux. Tout ce que j'ai besoin de savoir à votre sujet. Je vais signer... Vous avez signé ça, Conrad? Quel jour sommes-nous?

– Le 20? J'ai perdu le compte, réplique Conrad en riant, Dieu sait pourquoi, et en se frictionnant les bras.

— C'est pas très gros, interrompt Lamar.

— Quoi donc, Lamar ?

— Ce dossier. C'est mon casier ?

— Oui.

— Merde, fait-il. C'est que dalle.

— Vous n'avez peut-être pas roulé votre bosse tant que ça, finalement. Vous devriez peut-être sortir plus souvent, dis-je. Ficher le camp de Brooklyn, par exemple.

— Ouais, j'aimerais bien me tirer de Brooklyn. Foutre le camp de là. Peut-être que j'vais aller m'installer ailleurs quand j'aurai réglé ce truc-là avec vous.

— Bon, Lamar. Vous voulez manger quelque chose ? Une barre chocolatée ou quelque chose comme ça ?

— Nan. J'voudrais un petit pain beurré. Et un Coca.

— Un petit pain beurré et un Coca. Inspecteur, dis-je, vous avez quelqu'un qui pourrait aller chercher un petit pain et un Coca pour ce garçon ? Maintenant, mettons-nous au travail, d'accord ? Votre avocat, Mr Gufner, m'a dit que vous vouliez me raconter quelque chose. Est-ce exact ? Que vous voulez me parler de quelque chose ?

— Qu'est-ce qu'y vous a dit ?

— Oh, nom d'un chien. Une minute. Passez-moi ce truc. Non. Celui-là. Lamar, je vais mettre ça en marche, maintenant. Je vais enregistrer ce que vous dites, d'accord ?

— 'accord.


Procureur Giobberti :

Ceci est la cassette numéro H-09254. Nous nous trouvons dans le bureau du Procureur de Kings County District, dans la salle d'interrogatoire du sixième étage. Nous sommes le 21 août. Il est présentement 19 h 45. Très bien, Mr Lamb. Jurez-vous que la déclaration que vous vous apprêtez à faire sera la pure vérité et... euh, jurez-vous de dire la vérité, Lamar ? Vous devez répondre par un mot, Lamar, et pas seulement hocher la tête, d'accord ?


R. Ouais.

Q. Très bien. Je dois signaler que vous avez demandé à vous entretenir avec moi. Exact ?

R. Pa'ce que je suis innocent.

Q. Très bien. Nous y viendrons. Bien. Je procède à une enquête concernant un incident qui s'est produit le 4 août de cette année au 1250 Sutter Avenue, appartement 7E, à environ... euh... minuit. Vous étiez... étiez-vous présent sur les lieux?

R. Oui.

Q. Bien. S'agissait-il de votre appartement?

R. Non.

Q. Qui habitait là? Le savez-vous?

R. La mère de mon bébé.

Q. Qui est la mère de votre bébé?

R. Kayla.

Q. Kayla Harris?

R. J'crois... Ouais.

Q. Voulez-vous dire que vous avez eu un bébé avec cette adolescente? Avec Kayla Harris?

R. Mh-mh.

Q. Que s'est-il produit quand vous êtes arrivé sur les lieux?

R. Rien. J'étais juste passé comme ça. Ça faisait p't-être un peu moins d'une heure que j'étais là. J'étais juste relax [inaudible] et putain, j'étais [inaudible] c'est le seul truc qui m'aide à tenir, vous voyez ce que je veux dire? Qui m'oblige à filer droit, pa'ce que j'ai un gosse. Un bébé, vous savez.

Q. Lamar, je voudrais que vous parliez un peu plus fort, d'accord?

R. Alors y se passait rien de spécial.

Q. Quelles étaient vos relations avec cette jeune fille?

R. Kayla? Vous savez. Bah, on sortait ensemble, quoi. Demandez à n'importe qui. Tous, ils savaient qu'on sortait ensemble. Pourquoi je s'rais allé la descendre? Pour rien? Comme si c'était un chien ou j'sais pas quoi?

Q. C'est à vous de me l'expliquer.

R. J'vais rien vous expliquer parce que je l'ai pas descendue. C'est que des foutaises. Tout c'que vous dites. J'suis pas dans ce trip-là.

Ouais, j'suis réglo. J'ai fait des conneries, vous savez. J'ai fait des conneries. Quand j'ai fait un truc, j'le dis. Vous z'avez qu'à regarder ce dossier. Vous l'avez sous le nez. Jetez-y un œil. J'ai déjà plaidé coupable. Si j'ai fait un truc, je casque, vous voyez? Je casque, maintenant j'ai dix-neuf ans [inaudible] que quand j'aurai cinquante balais. Mais tout ça, c'est que des foutaises. Comme quoi j'aurais fait un meurtre et tout ça.

Q. Oui, j'ai vu ça. Je sais que vous avez eu un... que vous avez plaidé coupable, vous avez reconnu que vous dealiez. Deux fois. Vous avez purgé une peine dans le pénitencier du nord de l'État, la deuxième fois?

R. Ouais, j'avais écopé d'une peine de un à trois ans, mais ils m'ont foutu dehors plus tôt. Pa'ce que j'avais un travail, vous comprenez.

Q. Vous vous plaisiez à Coxsackie?

R. Vous rigolez?

Q. Ça n'a rien à voir avec Rikers. Je me trompe? Vous n'avez pas envie de retourner là-bas?

R. Putain, merde. Je r'tourne pas en taule. Chuis pas un mauvais type. J'ai un boulot. J'bosse chez Wendy, à Rockaway. Vous z'avez qu'à aller leur demander. J'peux vous donner le nom du type. J'essaie de changer de vie.

Q. D'accord. Kayla était présente. Qui d'autre?

R. La sœur de Kayla. Topia. Elle s'est pointée. On était relax. On a pris un verre. On a joué à la Playstation que je lui avais filée.

Q. Combien de verres?

R. J'en ai bu... euh... un, p't-être deux. Un *brass monkey*[1]. Kayla en a bu un aussi. Utopia, elle a rien pris. Elle est, comment qu'on dit, végétarienne ou je sais pas quoi. Elle boit pas.

Q. Et où était Nicole?

---

1. Cocktail à base de rhum, de vodka et jus d'orange. (*N.d.T.*)

R   Elle était dans l'appart', je sais pas où. Je me rappelle plus ce qu'elle fabriquait. Je fais pas attention à elle. Elle était défoncée. Elle fume du shit. Elle a le cerveau niqué, elle sait plus ce qu'elle fout, vous voyez?

Q.   Qu'est-ce que vous voulez dire?

R.   Elle fait la pute pour de la came et de l'herbe.

Q.   La raison pour laquelle je vous ai demandé si elle était là, Lamar, c'est que nous avons des témoins dont la version diffère de la vôtre.

R.   Je peux vous dire que ce que je me rappelle.

Q.   C'est la seule chose que je vous demande. D'accord? Vous n'avez qu'une chose à faire et c'est de penser à vous, parce que nous, nous savons ce qui s'est passé. Vous comprenez? Nous savons déjà ce qui s'est passé, alors vous ne nous aidez absolument pas. Il n'y a que vous que vous puissiez aider. Je veux que ce soit clair. Je vous le dis tout net, si vous vous pointez au tribunal avec je ne sais quelle histoire foireuse qui diffère de ce que nous savons déjà, qui diffère de ce que racontent les témoins, ça va être très ennuyeux pour vous...

R.   Ouais.

Q   Vous allez passer pour un con et ils... Le juge vous collera une lourde peine. Que vous purgerez au pénitencier. Vous comprenez?

R   Putain [inaudible] rien sur moi. Je sais... pourquoi vous me fichez les jetons, mec [inaudible].

Q   Qu'est-ce que vous avez dit?

R   Pourquoi vous essayez de me faire plonger comme ça?

Q   Je vous explique juste comment les choses fonctionnent. Personne n'a dit que vous étiez un mauvais type, Lamar.

R   Merde. J'ai payé pour mes conneries.

Q   Personne n'a dit que vous aviez l'intention de tirer sur elle. C'était peut-être... vous savez... un accident ou quelque chose comme ça, et vous n'aviez pas l'intention de...

R. J'aurais jamais fait de mal à Kayla, m'sieur.

Q. C'est ce que je suis en train de dire. Il arrive qu'on tue quelqu'un sans en avoir l'intention. Ça ne veut pas dire qu'on soit une ordure. Je ne suis pas là pour prétendre que vous êtes une ordure, mon vieux. Mais quand on examine les faits, ils ne jouent pas en votre faveur.

R. Je sais pas.

Q. Qu'est-ce que vous voulez dire, vous ne savez pas ?

R. Juste que je sais pas. Merde. J'suis fatigué, c'est tout. C'est toujours les mêmes foutaises. Vous avez nulle part où aller. Rien à faire. Vous mettez le nez dehors et ces Blacks de Brooklyn, ils font que raconter des conneries. Et maintenant vous voulez que je dise que j'ai fait quelque chose que j'ai pas fait. Me recoller au trou. J'ai que dix-neuf ans et je connais déjà. Ça suffit, hein.

Q. Lamar, pourquoi ne me racontez-vous pas ce qui s'est passé après ? Après que vous êtes arrivé là-bas ?

R. Vous avez déjà décidé que c'était moi.

Q. Je n'ai jamais dit cela.

R. Vous voulez que je plaide coupable. J'le ferai pas. Parce que c'est pas moi. De quel genre de peine j'écoperais ?

Q. Vous savez bien ce qui vous attend.

R. J'peux pas retourner en taule. J'peux pas. Je suis réglo, maintenant. Y a pas moyen que j'aie une mise à l'épreuve ou je sais pas quoi ?

Q. Écoutez, contentons-nous de parler de ce qui s'est passé, et puis on verra.

R. C'était comme d'hab'. Elle a jamais eu de respect pour moi. Elle croit que j'suis qu'une vermine. Et maintenant voilà, hein.

Q. Kayla ?

R. Nan, Nicole. Comme j'vous disais. Elle est rentrée dans la chambre et c'était genre, elle m'a dit, t'es qu'un bon à rien, fiche le camp d'ici. Que Kayla, c'était pas une pute. C'est là que le coup, il est parti.

128

Q. C'était votre arme?

R. Nan, j'avais pas de flingue sur moi. Je me balade pas avec un flingue dans East New York. [Inaudible] un flingue de gonzesse, de toute façon.

Q. Qu'est-ce que vous voulez dire?

R. Un putain de petit [inaudible], vous voyez ce que je veux dire?

Q. Vous vous y connaissez en armes?

R. Vous voulez rire. Des armes, j'en ai eu. Plus maintenant. J'ai grandi à Cypress Hills. Vous croyez que j'y connais rien, aux armes? Merde.

Q. Quel genre d'arme est-ce que c'était? Vous vous en souvenez?

R. Un chrome .25.

Q. Elle l'avait à la main?

R. Elle est rentrée dans la chambre et elle s'est mise à gesticuler avec, comme si elle voulait me fiche la trouille et tout. Comme si j'avais jamais vu un flingue avant. Elle voulait me fiche la trouille, parce que ça lui plaisait pas que je sorte avec Kayla. Elle est rentrée et Kayla était allongée à poil sur le lit. C'est là que Nicole, elle a pété les plombs.

Q. Continuez.

R. Elle est rentrée avec le flingue. En braillant. En me disant de plus revenir. Kayla, elle a essayé de dire quelque chose et sa mère s'est mise, genre, à lui crier dessus aussi. À lui dire de la fermer. Et tout le monde braillait et c'est là qu'il y a eu un grand bang, vous savez, et Kayla est retombée sur le lit avec un trou juste ici. Elle est tombée sur le dos et elle a regardé en l'air comme si qu'elle allait au paradis.

Q. Qu'est-ce que vous avez fait?

R. J'me suis tiré.

Q. Et l'arme?

R. J'l'ai ramassée. Après que le coup est parti, Nicole l'a laissée tomber par terre. J'avais pas envie qu'elle me tire dans le dos ou je sais

129

pas quelle connerie. Elle était comme une folle. Elle arrêtait pas de dire oh mon Dieu, regarde c'que t'as fait, regarde c'que t'as fait.

Q  Qu'est-ce qu'elle disait?

R  Elle piquait une crise, je me souviens pas vraiment. Mais c'était quelque chose du genre oh mon Dieu, regarde c'que t'as fait. Ce qui était complètement tordu. J'lui ai juste dit hé, c'est toi qui l'as descendue, espèce de connasse. Et j'suis parti.

Q.  Pourquoi êtes-vous parti?

R  Qu'est-ce que vous croyez? Personne m'aurait cru. Vous, vous croyez pas que c'est pas moi.

Q.  Où est l'arme maintenant, Lamar?

R  Je l'ai donné à mon pote.

Q  Quel pote?

R  Il s'appelle Dirty. On l'appelle juste Dirty. Son vrai nom, c'est Eve ou je sais pas quoi.

Q.  Eve?

R  Ouais.

Q.  Comme Adam et Eve?

R  Qui ça?

Q  Vous connaissez bien Eve? Dirty?

R  Pas bien. Ça arrive qu'on traîne ensemble. On se fume un joint. On l'appelle Dirty Dread parce qu'il a les cheveux crades et tout ça. Parfois je le vois vers Amboy Street, du côté du parc  Il est pas vraiment là-bas tout le temps. Il est pas obligé d'être nulle part.

Q  Très bien. C'est à peu près tout.

R.  On a fini?

Q.  Ouais.

R.  Je peux m'en aller?

Q.  Vous pouvez retourner à Rikers.

R  Mais j'vous ai dit ce qui s'était passé. J'ai rien fait. Pourquoi je peux pas m'en aller? Ça craint, mec.

Q  Sur ce, l'interrogatoire s'achève. Il est maintenant 20 h 9.

— Pourquoi je peux pas m'en aller ? me demande Lamar.

Il se tourne vers Gufner, qui hausse les épaules. L'inspecteur menotte les poignets de Lamar dans son dos et l'entraîne hors de la pièce tandis que l'adolescent nous regarde, Gufner et moi, et nous demande pourquoi il ne peut pas s'en aller. Après une longue minute, j'entends encore sa voix dans le couloir :

— Ça craint, mec. Ça craint, ces conneries.

— Il n'a pas pigé, dis-je à Gufner.

— Non, ces gosses... commence-t-il, sans avoir besoin d'aller jusqu'au bout de sa pensée.

— Enfin, il va peut-être réfléchir un peu plus sérieusement à partir de maintenant.

— Vous croyez que notre ami réfléchit beaucoup à quoi que ce soit ?

— Il n'est pas bête. Il a compris quel jeu il devait jouer avec nous. Avec moi, veux-je dire.

— Vous voulez dire, en affirmant que la fille était la mère de son enfant ?

— Cette fille était elle-même une enfant, Conrad, dis-je.

— Une enfant, répète-t-il en palpant son genou. (Ce mot l'emplit d'un sentiment de vieillesse, d'une douleur physique.) Je suis trop vieux pour tout ça.

— Ouais, dis-je. À mon sens, il s'est rendu compte qu'il avait besoin d'une raison pour justifier sa présence aux côtés de la victime. Alors, l'ado morte devient la petite amie morte.

— Je ne sais pas, réplique-t-il songeusement. Vous croyez vraiment qu'il ne raconte que des salades ?

— À votre avis ?

— À mon avis ?

Gufner frappe de ses phalanges le formica en lambeaux de la table et réplique :

— À mon avis, ça va être un procès express et une longue peine.

## 17

Mercredi matin ; la lumière emplit ma chambre vide et des volutes de poussière y tourbillonnent. Un mercredi matin (semblable à tous les autres).

Sur ce lit, le lit même où elle avait été conçue, Opal avait coutume de s'asseoir tandis que je m'habillais. Ces matins où sa mère était à Manhattan, Opal regardait Channel 13 et rangeait ses collections de trésors – coquillages, crayons, perles et animaux grossièrement découpés dans des journaux, entassés dans de vieilles boîtes ou des sacs à main de fortune.

– Papa ?

– Quoi donc, Opal ?

– Euh, papa, est-ce qu'Arthur – le Arthur de la télé... Est-ce qu'Arthur est un animal ? me demande-t-elle, sans détourner les yeux du poste posé sur la commode de la chambre.

– Oui, dis-je en regardant l'écran. Bien sûr que c'est un animal.

– *Oui mais*, insiste-t-elle. Quelle *sorte* d'animal c'est ? Lilly, euh, Lilly, elle a dit que c'était comme un petit ours, mais Arthur, il ne *ressemble* pas vraiment à un ours.

Je m'efforce de l'imaginer exactement ainsi.

Dehors, dans le jardin, le teckel de Mrs Kretschmer aboie sans grande conviction à la vue d'une limace ou de Dieu sait quoi.

Une voiture klaxonne tout près.

Un autre jappement, pareil à une toux sèche.

À trois cents mètres d'altitude, le moteur d'un jet adopte une octave plus stridente, inhalant de larges goulées d'air printanier, le comprimant en énergie.

132

Opal disparaît avant de s'être matérialisée dans mon esprit. Je suis étendu dans ce lit qui était le nôtre, j'essaie de me la représenter et j'en suis incapable. Je dois m'appuyer sur un coude pour voir Opal, sur la table de nuit; dans un cadre et âgée de cinq ans, pour toujours.

*

Il s'est passé quelque chose la semaine dernière...

J'étais dans Montague Street, à la Chase Manhattan Bank. Un fragment d'un autre temps; des références encourageant la thésaurisation et l'industrie trônent sur ses murs de travertin. J'attendais patiemment dans la queue. J'avais besoin de vingt dollars. Je voulais m'acheter un livre chez Walden Books. *Waldenbooks?* (Je ne sais plus comment ça s'appelle aujourd'hui.) Je parcourais la file d'attente d'un regard discret, plein d'espoir, car je suis toujours à l'affût de la beauté. Mais il n'y en avait pas trace. À Brooklyn, nous sommes laids et peu soignés. Nous sommes noirauds, pauvres et glauques. Nos cheveux sont emmêlés et nos habits ne sont pas neufs. Nous dégageons des relents de cigarette et de friture. Nous sommes petits. Nous sommes gros. Nous avons besoin d'aller chez le dentiste. Nous avons besoin de prendre plus souvent le soleil.

Mon tour devant le distributeur. J'ai inséré ma carte bancaire dans la fente et j'ai vu ma main, figée, suspendue au-dessus des touches, attendant une stimulation électro-chimique qui n'arriverait jamais. J'ai vu l'œil de la machine : la lentille d'un objectif me retournant mon regard sans ciller.

*Bon sang, quel est mon code?* me suis-je demandé. *Ça devrait être facile.* Derrière moi, je sentais naître l'impatience. *Comment ont-ils deviné?*

J'ai tourné les talons. Et à peine un instant plus tard, le code m'est revenu (2-8-3) – le 23 août – la date de naissance d'Opal s'est imposée à mon esprit au moment précis où, sortant de la banque, je posais le pied sur la surface de bitume brûlante de Montague Street. L'air était empreint des odeurs qui peuplent la rue en été; gaz d'échappement de bus, ordures, excréments de chien – des myriades de molécules de gaz d'échappement de bus, d'ordures, d'excréments de chien exacerbés par la chaleur et portés par l'humidité jusqu'à notre nez, jusque dans nos poumons. Je suis resté planté là, seul, conscient du fait qu'elle était en train de disparaître.

Le 23 août – son anniversaire; demain, l'anniversaire de ses sept ans qu'elle n'aura jamais fêté.

Je la vois dans le cadre de Winnie l'Ourson, Opal vêtue de jaune glissant un œil par-dessus le bord de son Pack N' Play ; c'est tout ce qui me reste. Que je ferme seulement les yeux, et la vision disparaît. Même ici, dans cet appartement, sur ce lit, dans cette chambre où elle s'est trouvée, même ici, je suis incapable de la voir derrière mes paupières closes ; je suis incapable d'entendre le son de sa voix ; je suis incapable de me souvenir de son corps lorsque je la tenais perchée sur ma hanche. Elle est en train de disparaître, comme si j'avais rêvé d'elle pendant cinq ans et qu'après avoir été réveillé par un avion, le songe s'était évanoui et dispersé telle de la cendre sur l'océan.

Je suis allongé là, sur mon lit solitaire.

*Pense à la nouvelle fille !* (La blonde qui fait la roue.) Aujourd'hui, je trouverai un prétexte quelconque pour me rendre dans son bureau.

J'ai besoin d'une nouvelle distraction qui me sauvera de cette interminable succession de matins.

# 18

Émergeant du métro, je franchis sans inquiétude le tourniquet hérissé de dents métalliques qui, un jour, inverseront brusquement le sens de leur rotation et m'enverront valser sur le ciment moucheté, découpé en seize tranches, comme un œuf dur.

Soudain, sans que rien l'ait laissé prévoir, ni que cela me ressemble le moins du monde, je me sens optimiste. *Je pense à cette nouvelle fille*, et je gagne la rue en gravissant les marches deux par deux. Après le métro d'une lenteur mortelle, après la sensation d'oppression du souterrain (les hommes d'affaires en sueur endormis sur leurs sièges, la tête renversée en arrière, la bouche ouverte ; des hommes d'affaires guère reluisants qui portent des cravates et pas de veste), il est bon de revenir à l'air libre et de savoir qu'elle est là-haut.

Au téléphone – dont la sonnerie retentit alors que je m'assois – je reconnais la voix d'Utopia ; sa voix chuchotée, frêle, lointaine.

– Mr Giobberti ?

– Oui.

– Mr Giobberti... C'est Utopia Carbon au téléphone.

En fond sonore, un bébé pleure.

– Oui ?

– Je vous ai parlé à la veillée, je sais plus comment ça s'appelle.

– Oui, dis-je. Je m'en souviens.

– C'était celle de ma sœur. Kayla. Kayla Harris. La fille qui a été tuée d'une balle de pistolet.

– Oui, dis-je. Je m'en souviens, Utopia.

À cet instant, un tohu-bohu retentit dans le couloir à l'extérieur de mon bureau.

– ... m'avez dit que LL – c'est comme ça que, nous, on l'appelle – qu'il... euh... qu'il allait aller en prison ?

– C'est exact, dis-je.

– Ah.

– Nous allons faire tout notre possible pour régler au mieux cette affaire.

– M'sieur, hum...

– Utopia... Comprenez-moi bien, dis-je. Il est derrière les barreaux, et il va y rester. L'affaire se présente bien. Il y a quelques petits problèmes, mais l'affaire se présente bien.

– D'accord.

– D'accord, Utopia ?

– D'accord.

Puis elle ajoute :

– Quels problèmes ?

– Ne vous en faites pas, Utopia. L'affaire se présente bien. J'ai remporté des procès plus difficiles.

– Ah.

– D'accord ?

– Oui.

– Vous pouvez m'appeler n'importe quand, entendu ?

– Entendu, dit-elle.

Puis elle répète :

– Quels problèmes ?

– Eh bien... Nous n'avons pas de témoin oculaire, dis-je. Votre mère et vous étiez endormies au moment... au moment où cela s'est produit.

– C'est un gros problème, ça ?

– Non. Je n'ai pas besoin de témoin oculaire. Ça serait mieux, mais l'affaire se présente bien quand même.

– Mais s'il n'y a pas de témoin oculaire, vous n'êtes pas obligé de le relâcher ?

– Non. Qui vous a dit ça ?

– Personne. C'est juste que j'y ai réfléchi et tout.

– Entendu ?

– Oui.

– Donc, n'hésitez pas à m'appeler...

– Mr Giobberti ?

– Oui, Utopia.

– S'il n'y a pas de... euh... de témoin oculaire, comment est-ce que vous savez que c'est LL ?

– Il y a d'autres preuves, dis-je.

– Ah. Quelles preuves ?

– Cela s'appelle des... des présomptions. Il existe des présomptions.

– Quelles présomptions ?

– Ne vous faites plus de souci à propos de Lamar, Utopia.

– M'sieur, je crois qu'il faut que je vous dise quelque chose, reprend-elle.

– Allez-y.

Elle garde le silence. J'entends la voix de Nicole s'élever, loin, semble-t-il, et Utopia repose doucement le combiné sur son socle.

*

De son bureau, Stacey me voit me diriger vers le minifrigo avec un Pepsi de remplacement. Elle est assise face au couloir, et non face à la cloison. Elle m'attend – elle est *à l'affût*, comme disent les procureurs à la télé. Lorsqu'elle me voit passer, elle m'appelle. Elle est de bonne humeur, et cela la rend plus jolie.

– Encore un Pepsi ? demande-t-elle, et je n'ai pas le temps de répondre parce qu'elle ajoute, avec une satisfaction manifeste : Elle nous cache quelque chose.

– Qui ?

– Nicole.

– Tu crois ?

– Je le *sais*, Gio, rétorque-t-elle. Elle en sait plus qu'elle ne veut bien le dire.

– Sans déconner.

J'attrape sa cheville nue qui pend dans le vide – elle la retire d'un geste vif, sans sourire. Une fine chaîne en or l'encercle ; ce n'est pas moi qui la lui ai offerte.

– Écoute-moi un peu, lance-t-elle.

– Très bien, Stacey. Dis-moi.

– Quelqu'un a ouvert la porte à Lamar Lamb, déclare-t-elle. Il n'y a pas trace d'effraction. As-tu lu le rapport des techniciens de la scène du crime ?

– Non.

– Quelqu'un lui a ouvert la porte.

– Pourquoi est-ce que tu penses que ce serait Nicole ?

– Nicole avait une bonne raison de le faire, avance-t-elle en croisant les jambes sous elle (un chat aux mouvements posés). C'est une junkie, et il deale.

137

– En quoi tout ça nous mène-t-il à la mort d'une adolescente ? Lamb avait de meilleures raisons de voir la gamine. Il venait de sortir de Coxsackie.

– Miss Iris nous a dit que Nicole se prostituait pour de la came...

– Elle a dit qu'il se passait *toutes sortes de choses* là-bas. Toutes sortes de choses qu'une bonne catholique ne pouvait même pas évoquer. Si tu étais Lamb, avec qui est-ce que tu préférerais fricoter ?

– Lamb n'est pas un Apollon non plus, réplique-t-elle en regardant sa photo de l'identité judiciaire.

– Il n'en a pas besoin, Stace, dis-je. « *Tu vois quelqu'un qui troque du crack contre de la chatte, c'est un dealer.* »

Elle esquisse un sourire.

– Où est-ce que tu as entendu ça ?

– C'est un vieux rap des écoles, dis-je. La bande sonore de la Crim' de Brooklyn. Dans le temps. Le bon vieux temps, au début des années quatre-vingt-dix ; quand on avait deux, trois macchabées par jour. Pas comme aujourd'hui.

– Ne me fais pas le coup de la nostalgie, Gio, tu n'arrives même plus à en gérer un seul.

– Quoi qu'il en soit, qu'est-ce que les bonnes catholiques ne peuvent pas évoquer, à ton avis ? demandé-je. Certaines sont encore plus mal embouchées que toi, Sharp.

– Je suis à moitié juive. Ceci explique peut-être cela.

– Peut-être. Peut-être aussi que tu n'es pas aussi coriace que tu l'imagines.

– Tu veux que je te dise quelque chose de drôle ? Ma mère s'imagine que tu es juif.

– Je crois qu'elle est surtout ravie que je ne sois pas irlandais. C'est quoi, son problème, de toute façon ?

– Elle est cinglée, réplique-t-elle. Ça me dépasse.

– Quand est-ce que tu déménages ?

– Tu m'invites à m'installer chez toi ? demande-t-elle d'une voix dénuée d'inflexion.

– Ouais, c'est exactement ce qu'il me faudrait. Tous ces magazines et ces saloperies qui traînent partout dans ta chambre. Mon appartement est... parfaitement en ordre. Je suis un putain de moine.

– Je te crois sur parole, réplique-t-elle.

Penny passe dans le couloir d'une démarche pesante, distribuant une note de service. Elle me décoche un regard de haine intense. Stacey a tiré une cigarette d'un paquet et la pince (éteinte) entre le pouce et l'index, comme un joint.

138

– Alors tu crois l'histoire de Lamb, maintenant? s'enquiert-elle. Tu en es là aujourd'hui?

– Non.

– Mais tu penses qu'il est bien allé voir la gamine? Comme il le dit?

– Oui. Pourquoi pas?

– C'est ce qu'il avait raconté à Solano; c'est pour ça que je te pose la question.

– Ouais, pour jouer au Pac-Man et boire une bière ou Dieu sait quoi. C'est tout ce qu'il lui a raconté. Il ne lui a jamais dit qu'ils sortaient ensemble.

– Au *Pac-Man?* Tu retardes vraiment d'un siècle.

– Je ne sais pas à quoi ils jouent aujourd'hui. Tu sais ce qu'est un papier carbone, Sharp?

– Hein?

– Il n'a jamais dit à Solano que la gamine et lui sortaient ensemble, répété-je. Ça, c'est nouveau. Il cherche un mensonge qui lui permette de s'en tirer. Ce gosse n'est pas stupide. Il a même l'air plutôt malin.

– Qu'est-ce que tu veux dire?

– Je lui ai parlé. Hier soir.

Après un léger silence, elle dit :

– Bravo.

– Et écoute un peu ça. Écoute ce qu'il raconte – quoi, qu'est-ce qu'il y a?

– Rien, réplique-t-elle, s'absorbant dans la contemplation de la cigarette toujours pincée entre ses doigts.

– Quoi? répété-je.

– Lâche-moi, riposte-t-elle. Finis ce que tu disais. Qu'est-ce que Lamb raconte?

– Tu sais, la petite gosse? La petite gosse de l'adolescente, le bébé? Maintenant il raconte qu'elle est de lui, que l'adolescente était la mère de sa fille.

– C'est peut-être vrai.

– Bien sûr. Peut-être même qu'elle s'appelait Susan B. Anthony[1], tant qu'on y est.

– Mais tu n'en sais rien. Miss Iris nous a dit qu'ils sortaient ensemble.

---

1. Susan B. Anthony (1820-1906) a milité avec ferveur en faveur des droits des femmes aux États-Unis. (*N.d.T.*)

— Ils sortaient ensemble comme Ben & Jerry, Stacey. C'était du business. La fille se prostituait. Elle se prostituait, comme sa mère. Elles couchaient toutes les deux pour de la came. Juste pour ça. Il se passait *toutes sortes de choses là-bas*, Stacey.

— Elle ne se camait pas.

— Qui ?

— La gamine, réplique-t-elle. Tu n'as pas lu le rapport de toxicologie non plus ? Elle était clean, Gio.

— Alors elle faisait des passes pour avoir de l'argent de poche. Comme d'autres gosses distribuent des journaux. Tu sais combien coûte une veste Tommy Hill ? À peu près vingt pipes.

— Nicole ne nous a pas tout dit, répète Stacey après avoir laissé échapper un soupir.

— Sans déconner, Stacey, dis-je. Bienvenue dans le monde. Jamais elle ne nous racontera les dessous de cette histoire. Et tu sais quoi ? Je m'en fiche. Je n'ai pas besoin de prouver pourquoi Lamar a descendu la gamine. J'ai juste besoin de prouver qu'il l'a fait.

— Tu te fiches de savoir pourquoi !

— Au diable les pourquoi. Je n'ai pas besoin de savoir pourquoi il l'a tuée. Je n'ai même pas besoin d'être sûr qu'il est vraiment coupable ; si le jury décrète qu'il est coupable, alors il l'est.

Elle secoue la tête.

— Tu es vraiment complètement tordu.

— Sharp, dis-je. Il est coupable.

— Tu ne sais pas...

— Sinon, pourquoi mentirait-il au sujet de la petite gosse ? Elle lui fournit quelque chose dont il a besoin.

— Et de quoi a-t-il besoin ?

— D'un prétexte. Il sait que nous pouvons prouver qu'il était là-bas, alors il faut qu'il se trouve une bonne raison. Et il raconte qu'il était occupé à jouer au papa. Tu sais, c'est presque drôle. Est-ce que Lamar te donne l'impression d'être un père modèle ?

— Comme si tu en connaissais un rayon là-dessus.

Je garde un instant le silence. Puis je reprends :

— La petite gosse lui donne quelque chose dont il a besoin.

— De quoi a-t-il besoin ? répète-t-elle.

— Elle est un lien entre la victime et lui. Maintenant, il peut pleurer comme un veau et affirmer qu'il est innocent. Ou alors, si je prouve qu'il est coupable, il peut clamer qu'il n'a jamais, jamais eu l'intention de faire ça, que c'était juste un accident. Il a failli jouer la grande scène du II hier soir, mais il a décidé de la garder pour le jury.

— Il ne dira pas que c'était un accident.

— Ah non ? Tu verras. Dès que Gufner va consacrer plus de dix secondes à son cas, c'est exactement ce qu'il va raconter. Gufner va essayer de négocier un homicide involontaire – peut-être même une faute grave ayant entraîné la mort sans intention de la donner –, en prétendant que c'était un accident et tout le tintouin. Tu verras.

— Il ne dira pas que c'est un accident.

— Qu'est-ce que tu veux parier ?

— Tu n'as rien dont j'ai envie d'hériter.

— Un pari sur l'honneur, alors, dis-je en lui tendant la main.

— Ne te flatte pas.

— Tu verras, Stace. Cette petite crapule est en train de peaufiner son histoire. Dans ce genre d'affaire – pas de témoin oculaire, pas de mobile évident ? Ils finissent toujours par raconter à quel point ils sont désolés, la queue entre les pattes – *Oh, je savais pas qu'il était chargé ! – Oh, j'avais pas l'intention d'appuyer sur la détente ! – Oh, je l'ai laissé tomber et il a explosé !* (Je regarde à travers la vitre encrassée.) Ça me fout en rogne. Un putain d'accident, tu parles. Ils racontent toujours qu'ils sont désolés, comme si ça changeait quoi que ce soit. Ils font des conneries, et quelqu'un y laisse sa peau.

— Il a dit qu'il ne l'avait pas fait, Gio, réplique-t-elle presque dans un murmure. Il s'en est plus ou moins tenu à cette version, non ?

— Il racontera qu'il avait la trouille quand il a parlé à Solano, qu'il n'avait pas les idées claires. Ça n'aura aucune importance, dis-je. De toute façon, seuls les petits esprits s'en tiennent à une sotte constance.

— Qu'est-ce que... ?

— Ralph Waldo Emerson.

— Si tu le dis. (Elle soupire.) Voilà à quoi ça sert d'étudier dans les meilleures universités ; une citation grandiloquente dont l'auteur est un homme blanc mort, alors que le sujet de la conversation est une adolescente noire morte. Alors écoute, Ralph, tu crois qu'il va changer son fusil d'épaule – si on peut dire – juste comme ça ? Sans raison ? Ça te semble logique ?

— Et comment que ça me semble logique. Tu sais combien de personnes sont tuées par des inconnus chaque année à Brooklyn ? Environ deux et demie. Quand tu meurs dans ce coin-là, la dernière chose que tu vois, c'est ton gosse planté au-dessus de toi avec un calibre .9 encore fumant à la main. Le dernier mot que tu prononces, c'est son nom.

Il y a vraiment quelque chose qui cloche dans cette affaire, Gio.

– Tu te fies à ta vaste expérience d'inculpations pour homicide, Sharp ? Tu crois savoir comment on mène une enquête ?

– Mais il n'y a pas d'enquête, Giobberti ! C'est précisément ce que je veux dire. Trois personnes se trouvaient dans cet appartement – et l'élément le plus compromettant que tu possèdes contre Lamar, c'est qu'il ait sauté la fille et qu'il se soit tiré. Tu fais ça avec moi un soir sur deux ! Est-ce que ça prouve quoi que ce soit ?

– Oui, si ta mère te retrouve morte le lendemain matin !

Elle hausse les épaules.

– Il n'y a personne qui s'occupe de cette affaire pour toi ? demande-t-elle.

– Si, toi.

– Personne ? répète-t-elle. Pas même Solano ? Pas même cette couille molle de Carson ?

– Toi.

– Tu me sidères, Giobberti, dit-elle. Je ne comprends pas. Je n'arrive pas à décider si tu es paresseux ou crétin, ou quoi.

– Prends les choses en main, alors, Sharp. Trouve-moi autre chose qu'un petit sentiment qui te titille et te fait imaginer que quelque chose ne tourne pas rond, et alors on fera ce qu'on a à faire. À l'heure actuelle, les éléments dont je dispose me convainquent que LL est le coupable, et c'est lui que je vais balancer au grand jury.

– Très bien, Giobberti, réplique-t-elle. Merci. Merci beaucoup. Je te suis reconnaissante de me laisser m'occuper de cette affaire avec toi. J'ai appris tellement de choses ; surtout à traiter les gens comme de la merde.

– Parfait, mais si tu veux te rendre utile, fais prélever un échantillon de sang à Lamar. Vérifie si c'est sa gamine. Et pendant que tu y es, puisque tu as tellement d'énergie à dépenser, va chercher du côté de la sœur. Utopia.

– Solano nous a dit qu'elle dormait.

– Va lui parler, c'est tout ce que je te demande, dis-je d'un ton absent, regardant à travers la fenêtre par-dessus la tête de Stacey. Quelque chose la tracasse.

– Entendu, Giobberti.

Brusquement, je demande :

– Qui est cette fille ?

– Quoi ?

– Cette fille, dis-je. Là-bas.

– Où ça ?

Stacey suit du regard la direction qu'indique mon doigt, à travers la vitre, derrière le coffrage dégoulinant d'eau du climatiseur, jusqu'à la passerelle de bois surplombant un tuyau de refroidissement galvanisé de trente centimètres de diamètre où – avec une poignée d'autres jeunes substituts – se trouve la nouvelle fille.

– Là-bas, répété-je.

– Laquelle ? demande-t-elle. Oh non. La blonde ?

Elle n'a pas besoin d'être plus précise, car il n'y a – ce qui n'est guère surprenant – qu'une seule blonde. À Brooklyn, les blondes (les vraies blondes, avec des sourcils blonds et une carnation pâle) se remarquent comme le nez au milieu de la figure.

– Touché.

– *Touché*, répète-t-elle en secouant la tête. Elle s'appelle *Holly Nilson*, crois-le si tu veux. Originaire du *Minnesota*. Quoi, elle te fait penser à ta femme ?

– Minnesota, dis-je sans relever sa remarque.

– Elle est de ma promo. On est arrivées ici à l'automne, tu sais.

– Si c'est pas un monde, ça, dis-je

– Qu'est-ce que tu racontes ?

– Si c'est pas un monde, ça. Ce n'est pas ce qu'on dit dans le Minnesota ?

– Tu confonds avec « trou du cul du monde », réplique-t-elle.

– Bon sang, elle est vraiment canon. Tu ne trouves pas ?

– Elle est très sympa, en tout cas, dit-elle en observant Holly. Pourquoi est-ce que ça t'étonne qu'elle soit de ma promo ?

– Je ne sais pas. Tu donnes l'impression d'être beaucoup plus âgée. En un sens.

– Elle n'a pas l'air d'être ton genre, remarque Stacey avec une désinvolture calculée.

– Je me demande ce qu'*est* mon genre. À ton avis ?

– Pas moi, si c'est là que tu veux en venir.

– Pas la peine de prendre tout ça tellement au sérieux, Sharp, dis-je. Ça n'a pas grande importance.

– Eh bien, si ça t'intéresse, et je suis sûre que oui, poursuit-elle sèchement, je sais qu'elle a quelque chose de spécial pour toi.

– Quoi donc ? dis-je, m'imaginant, Dieu sait pourquoi, que la nouvelle fille a un cadeau pour moi.

– Juste un de ces petits trucs qui nous prennent de temps en temps, nous, les filles ; comme une intoxication alimentaire.

– Ou le blues avant vos règles.

– Exactement. Et puis ça nous passe.

– Si c'est pas un monde, ça.

Je regarde de nouveau la fille à travers la vitre, plissant les yeux avec un intérêt redoublé. Le fait de savoir que je lui plais la rend accessible, et étant accessible, elle est deux fois plus intéressante qu'avant ; ce qui nous est accessible est presque toujours aussi intéressant que ce qui nous est inaccessible.

– Oh, ne sois pas surpris, Giobberti. Tu es très populaire chez toutes ces filles. (Elle indique la passerelle.) Toutes ces Blanches.

Nous regardons tous les deux par la fenêtre, à présent ; nous les regardons – elles laissent échapper des rires furtifs, esquissent de ravissants sourires, racontent Dieu sait quoi sur qui et quoi, et balancent leurs mégots sur la passerelle en bois. Elles paraissent toutes plus jeunes que Stacey ; mais par ailleurs, même moi, je donne l'impression d'être plus jeune que Stacey.

– Je ne crois pas leur avoir jamais dit plus de deux mots.

– Qui ne serait pas dingue de toi ? Allons, Giobberti, réplique-t-elle. Tu es l'homme dont rêvent toutes les filles.

– Vraiment ?

– Oh, bien sûr ! Tu es célibataire, tu es hétéro, et tu ressembles vaguement à George Clooney dans un mauvais jour – si on ferme à moitié les yeux.

– Qui ça ?

Brusquement son humeur change comme cela arrive parfois, une bourrasque naissant soudain dans un calme absolu.

– Mais ton principal atout, c'est que tu sais t'y prendre pour qu'une femme ait une bonne opinion d'elle-même. Pour lui donner l'impression qu'elle est importante à tes yeux, tu saisis ? C'est un talent rare. (Elle se tait et me toise d'un regard méprisant. Elle esquisse un léger sourire, un sourire sarcastique, et me fait signe de décamper.) À plus tard, Ralph.

– Qu'est-ce qu'il y a ? dis-je, scrutant son visage fermé et hostile.

– T'occupe, riposte-t-elle, avant de se retourner vers son bureau.

– Non, qu'est-ce qu'il y a ?

– Comment ça, *qu'est-ce qu'il y a ?* Tu sais très bien ce qu'il y a, tête de nœud. Et maintenant, fous-moi la paix.

Elle se lève et se dirige vers la porte, me bousculant d'un coup d'épaule avec une force surprenante – c'est un véritable concentré de fureur ; mais alors elle revient sur ses pas. Son visage est à vingt centimètres du mien.

144

– Autre chose, reprend-elle. Si tu ne veux pas que je m'occupe de cette affaire, tu n'as qu'à le dire. N'aie pas peur de me vexer. Je crois que je pourrai gérer ça.

– Je sais.

– Parfait. Est-ce qu'il y a encore quelque chose qui t'échappe ?

– Non.

– Qu'est-ce qu'il y a, alors ?

Elle finit par allumer sa cigarette.

– Tu ferais mieux d'aller faire ça dehors.

D'un geste, je désigne le climatiseur dégoulinant d'eau et les passerelles qui courent derrière la vitre.

Pour toute réponse, elle jette l'allumette, encore enflammée, dans ma direction.

– Quoi, tu as peur d'un petit feu, monsieur l'épouvantail ? ironise-t-elle quand je l'esquive.

Elle se laisse tomber dans son fauteuil, qu'elle remplit à peine à moitié. Elle me rit sèchement au nez. De l'allumette calcinée sur le lino s'échappe un filet de fumée grise.

– C'est quoi, alors ? Je suis dans le coup ou pas ?

– Arrête ton cinéma.

– Écoute...

– Baisse le ton, dis-je.

(Elle m'ignore.)

– Mets-toi à ma place. Tu te pointes ici ce matin et tu m'annonces que tu as interrogé Lamar Lamb hier soir – *l'accusé, bordel de merde !* – sans moi. Qu'est-ce que ça veut dire, bon Dieu, Giobberti ? Qu'est-ce que je suis censée en penser ?

– Baisse le ton.

– Va te faire foutre, Gio. Tu sais... écoute-toi ! *Éteins ta cigarette. Baisse le ton.* Depuis quand est-ce que tu t'es transformé en sainte-nitouche ? Ça doit être quelqu'un d'autre qui m'a baisée sur le lavabo des toilettes de...

– Et si je disais que je voulais que tu abandonnes l'affaire ?

– Je t'ai dit que ça ne me poserait pas de problème, réplique-t-elle vivement.

– Je n'en ai jamais douté.

– C'est ça, alors, hein ? dit-elle après un long moment, ses mots enveloppés du nuage de fumée gris bleuté qui s'échappe de ses poumons. Tu penses qu'on est des coriaces, tous les deux. (Elle laisse échapper un rire bref, et exhale théâtralement.) Fais ce que tu as à faire, mais laisse-moi te dire quelque chose. Tu m'écoutes ? Parce que je ne le répéterai pas. Je pense que tu es un salopard, Giobberti. Tu es un salopard et un égoïste. N'essaie même pas de dire quoi que ce soit ; ce n'est pas une conversation. Essaie de me doubler encore une fois, et je te coupe les couilles. Je parle sérieusement.

Et je la crois.

# 19

Dirty Dread s'est fait embarquer la semaine dernière pour un chef d'inculpation à deux balles : mendicité agressive sur la voie publique (un délit mineur) dans un fauteuil roulant volé (autre délit mineur). Le fauteuil roulant était bien vu, mais il en faudrait sans doute davantage pour toucher les cœurs dans les quartiers Est de Brooklyn, où la paraplégie figure au même rang que les parterres de fleurs piétinés dans l'est de Manhattan. À cause du fauteuil roulant, le policier qui a procédé à l'arrestation a ajouté une inculpation de recel d'objets volés, et maintenant Dirty est de nouveau libre comme l'air.

Au moins, Solano connaît son nom désormais : *Yves St Ides*. Je me dirige vers l'ordinateur relié au fichier central et je tape son nom. Dans son boîtier de plastique beige crasseux, l'écran diffuse une lueur verdâtre, glauque. La housse de plastique du clavier est usée jusqu'à en être déchirée par endroits, et des miettes de bretzel prisonnières entre les touches maintiennent celles-ci enfoncées. Je tape un Y, et il se multiplie comme un chromosome sur l'écran. Une centaine de Y verts.

Le casier judiciaire de Dirty se déroule sous mes yeux ; une nouvelle page chaque fois que j'enfonce la touche retour, une nouvelle arrestation à chaque page. Il a beau être long, son casier est pour ainsi dire insignifiant. Drogue, bagarres sur la voie publique, resquillage, drogue, drogue. Il me suffit d'appuyer douze fois sur la touche retour pour faire défiler sa carrière criminelle, brève et dénuée d'intérêt. C'est une crapule sans envergure. Un dealer, un junkie qui vit ici et là. Cette semaine, c'est l'asile d'accueil pour hommes de Bedford Armory, un acre entier de lits de camps de l'armée et de poux, où Solano se trouve en cet instant précis.

147

Juste histoire de m'amuser, je tape le nom de Nicole. (C-A-R-B-O-N, N-I-C-C-C-C-C-C-C-C-C-C-C-C-C-C-C-C-C-C-C-C-C.) Une tapineuse. Onze arrestations pour racolage, toutes au cours de l'année dernière. Avant ça, pas même une amende pour resquille dans le métro.

*

L'ordinateur relié au fichier central est installé dans un recoin inutilisé du service, sur une table métallique, près de la petite pièce où se trouve le lavabo. Il y a une glace dans cette pièce emplie de relents de café éventé et d'eau sale. Un raccordement de tuyau l'emplit d'une buée grasse. L'un des posters dont Penny ne voulait plus pend mollement à un angle de quarante-cinq degrés, suspendu par une seule punaise ; un chaton dans une tasse, bâillant, sa langue rose recourbée tel un toboggan. En lettres pastel et en italique, il est inscrit : SOYEZ GENTIL AVEC MOI, C'EST MA PREMIÈRE VIE.

Retenant mon souffle, j'essuie la glace avec une serviette grise, jette un œil à mes dents et mes cheveux, et quitte la pièce d'un pas rapide (en exhalant).

– Je peux vous emprunter votre *Black's Law Dictionary*?

Voilà ce que je demande à la nouvelle fille.

– Oh, que... ? lance-t-elle, pivotant sur sa chaise et inclinant sa tête blonde sur son épaule pour me voir. Un « que » surpris, amusé. Elle est surprise parce qu'elle m'attendait – mais pas maintenant ; elle est amusée parce qu'elle sait que je me fiche complètement du dictionnaire.

– Ça, dis-je en montrant l'ouvrage du doigt.

– Vous voulez l'emprunter ?

– Oui. Cela ne vous dérange pas ?

– Non. Je veux dire... Ma foi, non.

Je m'assois sur son bureau, la mettant mal à l'aise – comme elles le sont quand vous surgissez à l'improviste et qu'elles ne se sont pas regardées dans une glace depuis un moment. Elle se demande si tout va bien. Je me retiens de lui dire : Ne vous en faites pas. *Tout est bien comme il faut.*

Je me contente de reprendre :

– Je voulais vérifier quelque chose.

*Où est-ce que je vais comme ça ?*

– Oh, mais bien sûr. Est-ce que vous... hum...

À présent je feuillette l'épais ouvrage. Elle regarde le livre, me regarde, regarde le livre à nouveau.

148

— C'est un ouvrage très utile, dis-je sans croiser ses yeux, que je sens néanmoins errer sur moi comme les projecteurs d'un pénitencier.

— Oui, effectivement.

— Je plaisantais, dis-je, le refermant avec bruit. Je parie que vous ne l'avez pas ouvert depuis la faculté de droit.

— Eh bien, pas souvent, c'est un fait.

*C'est un faîît*, prononce-t-elle. (Elle est originaire du Middle West ; dans sa voix, je retrouve les voyelles monocordes de la mère d'Amanda.) *Le Minnesota – est-ce près de l'Indiana ?*

— Ceci dit, je m'en suis servie l'autre jour, précise-t-elle – *se détendant ?* Mais ses chevilles et ses genoux, ses poignets et ses coudes sont toujours verrouillés. Elle est encore tout en lignes parallèles et en angles droits, ses larges épaules sont inclinées en avant, légèrement resserrées.

— Dites, je voudrais vous poser une question, lui dis-je.

— Allez-y.

Elle est absolument ravissante. Je perds le fil l'espace d'un instant...

— Quoi ? demande-t-elle, inclinant la tête sur le côté – comme un chien lorsqu'il vous entend aboyer.

— Oh, dis-je. Où avez-vous appris à faire ça ?

— À faire quoi ? demande-t-elle, mordant à l'hameçon.

— Vous savez. Le numéro de l'autre soir. Cette petite... Comment est-ce qu'on appelle ça ? Cette roue.

— Oh, ça !

— J'ai failli avoir une crise cardiaque, vous savez.

— Je fais ça depuis toujours, dit-elle, se relâchant, rejetant les épaules en arrière. Depuis que je suis gamine.

*Pas depuis très longtemps, alors.*

— Est-ce que ce n'est pas... je ne sais pas... dangereux ? Je crois que si j'essayais, je me démettrais sûrement quelque chose.

— Non !

— Si. J'en suis certain. Je ne suis pas très sportif. Ceci dit, j'envisage d'apprendre à jouer au golf.

— Oh mon Dieu ! Ma sœur... C'est une très, très bonne joueuse. Elle est presque professionnelle ou je ne sais quoi.

— Vraiment, dis-je. Elle n'est pas lesbienne, si ?

Elle se met à rire. Elle ne sait pas pourquoi elle rit. Je reprends :

— J'ai entendu dire que beaucoup de golfeuses étaient lesbiennes. Je ne sais pas.

Elle rit toujours. (Nous avons l'une de ces conversations dont la teneur n'a aucune importance.)

– Qu'est-ce que vous cherchiez, alors, l'autre jour ? demandé-je.

– Oh mon Dieu ! s'exclame-t-elle. Je ne m'en souviens même plus. Quelque chose en latin.

– *In flagrante delicto*, peut-être ?

– Arrêtez de vous moquer ! (Elle tend la main vers moi.) Je sais ce que ça veut dire !

– *Necessitas vincit legem ?*

– Non. Qu'est-ce que ça signifie ?

– Vous n'avez jamais entendu cette règle ? C'est probablement la chose la plus importante à savoir lorsqu'on est procureur à Brooklyn.

– Oh mon Dieu ! répète-t-elle.

Je suis plus proche d'elle, maintenant, je contemple son oreille gauche et la façon dont elle a glissé ses mèches derrière son oreille, sa beauté naturelle. Je ne peux pas la regarder trop longtemps, ni regarder trop longtemps ce genre de choses ; je risque de perdre l'équilibre et de basculer de son bureau. Avec un énorme soupir intérieur, je reporte mes yeux sur les siens, qui sont à présent légèrement écarquillés par la crainte que *necessitas vincit legem* lui ait échappé pour quelque raison à la faculté de droit de Fordham, en dépit de sa fréquentation assidue et des notes qu'elle a prises de son écriture ronde et précise – du moins je l'imagine, car son bureau est impeccable, des mémos suivis de points d'exclamation inscrits sur des Post-it de couleur pastel collés sur ses manuels ou ses calepins, sa lampe de bureau, son lourd téléphone. Sur un immense calendrier ouvert au mois d'août, elle a noté méticuleusement des noms, des heures, des tâches à accomplir.

Son regard exprime également l'inquiétude que quelque chose d'indésirable soit venu se nicher dans le voisinage de son oreille gauche, que sa main tapote à présent d'un geste maladroit, involontaire.

– Cela signifie que la nécessité est plus forte que la loi, dis-je.

– Ah, dit-elle, d'un ton qui exprime le soulagement ou la déception ; je n'arrive pas à déterminer si c'est l'un ou l'autre.

– Vous auriez pu bosser ici pendant dix ans avant de piger ça, dis-je. Je vous le dis comme ça, cadeau.

Elle prend cela pour une plaisanterie et se détend, bien que je ne plaisante pas. Elle repousse une mèche de cheveux rebelle derrière le lobe de son oreille. Je remarque soudain, avec une légère déception, que ses yeux ne sont pas d'un bleu pur, mais d'une sorte de vert bleuté – presque gris-vert, comme le lino. Des yeux bleu porcelaine auraient ajouté une agréable touche finale au tableau.

– Ceci dit, je parle français, avance-t-elle soudain, sur la défensive peut-être – ce que je prends pour un bon signe.

– *Vraiment*[1]?

– *Oui*[1], répond-elle, gênée à présent.

Elle évoque son année universitaire à Paris. Je n'entends pas un mot de ce qu'elle raconte. Je m'efforce seulement de ne plus regarder son oreille, ni la courbe de ses sourcils, ni sa poitrine qui s'abaisse et se soulève, emplissant toute la périphérie de mon champ de vision. Cela ne m'empêche pas de commencer à basculer de son bureau sur le lino, et une apathie grandissante irradie de mon cerveau reptilien, comme si (par le son de sa voix, la fragrance de son savon qui émane d'elle, la façon dont elle déplace l'air) elle avait planté en moi un gland dont les rejets s'enroulent à présent autour de ma colonne vertébrale, me réduisant à l'idiotie.

– Je sais qu'il n'y a pas de quoi en faire un plat, dit-elle. Mais j'avais envie de rentrer chez moi, je crois? Ma mère me manquait.

– Chez vous? demandé-je automatiquement, bien que je sache – bien qu'il soit évident – qu'elle vient d'une région éloignée.

– St. Paul. C'est dans le Minnesota. Vous savez, le *Pays aux Dix Mille Lacs* et tout... C'est l'une des deux villes jumelles. L'autre est... euh... Minneapolis.

– Alors comme ça il y en a deux? demandé-je, toujours aussi idiot.

Je poursuis sur cette lancée, n'écoutant rien de ce que nous disons, ni l'un ni l'autre.

– Et tout le monde s'imagine qu'il fait atrocement froid là-bas, mais il suffit de porter des pulls, et la nuit nous avons de grandes couvertures en laine...

Voilà miss Machin-Chose, aussi bonne que le bon pain, offerte comme un champ fertile attendant d'être recouvert de bitume, attendant qu'un Wall-Mart soit construit sur son sol. La voilà, remplissant son chemisier à craquer, la peau aussi crémeuse et saine que de la farine – ce n'est pas quelque chose qu'ils mangent là-bas, ou est-ce que je confonds encore avec le trou du cul du monde?

*Mais d'un autre côté, en dépit de cette simplicité saine et opulente, sera-t-elle inhibée? Fermera-t-elle les yeux en pensant à ses champs perdus depuis longtemps? Pensera-t-elle à sa mère?*

---

1. En français dans le texte original. (*N.d.T.*)

J'y réfléchis à deux fois ; je vais laisser tomber. Je me redresse, son dictionnaire à la main, j'ai suffisamment goûté à ses charmes pour l'instant. (Sans compter Stacey et cette histoire de salopard.) Je repose le *Black's Law Dictionary* à sa place.

Mais alors elle lance, avec un clin d'œil implicite :

– C'était agréable de bavarder avec vous, Gio.

*Lui ai-je dit mon nom ? Et comment s'appelle-t-elle ?*

Aussitôt, je décide de ne pas laisser tomber. Je décide que ce que je veux, en cet instant précis, c'est culbuter avec elle sur l'une de ses couvertures, l'étendre sur le blé d'hiver, ôter pulls et jeans et les jeter dans les dix mille lacs.

– Dites donc, dis-je, m'asseyant tout près d'elle sur son bureau, puis, me rappelant soudain son prénom, je reprends : Dites donc, Holly.

– Oui ! lance-t-elle avec une intonation semblable à la mienne.

– Vous savez quoi ?

– Quoi ! réplique-t-elle, et je l'entends à peine.

*Demandez-moi*, dit-elle vraiment. *Demandez-moi, et je dirai oui !*

## 20

Milton Echeverria est mort. Enfin. Ils avaient déjà essayé de le tuer l'an dernier, sans arriver à faire mieux que le coller dans un fauteuil roulant.

Pour un gosse de vingt et un ans sans grande ambition, Milton Echeverria avait le chic pour se mettre les gens à dos. Il avait monté une petite affaire de deal d'héroïne qui roulait gentiment dans les environs de Rogers et Martense ; il fourguait du mec dans un quartier où le crack est de la meuf[1]. C'était dans le 67e district, East Flatbuch, où il n'habitait pas. Milton n'avait pas peur de la violence, mais il n'appréciait pas les ennuis. Ce qu'il aimait par-dessus tout, c'était rouler sans but dans sa Mustang bichonnée, fonçant dans New Lots Avenue à trois heures du matin, déclenchant les alarmes des voitures sur son passage. Même après que les Jamaïquains lui eurent collé une balle dans la colonne, le mettant hors-jeu pour le trafic d'héroïne, voilà ce qu'il faisait : il s'asseyait sur le siège avant de la Mustang avec Gerry au volant, histoire de leur montrer à tous – histoire de dire : *Hé, regardez un peu ça, bande de nazes – vous voyez qui vous essayez de descendre ?*

C'était l'an dernier, au printemps. L'inspecteur Anthony Lubriano, du 67e district, soupçonnait Milton d'en savoir davantage sur l'identité du tireur qu'il ne voulait bien le dire ; il pensait que, comme les autres, celui-là gardait ce qu'il savait pour lui afin de régler ses comptes en personne. Lubriano l'avait quand même tenu à l'œil, se fiant à la théorie selon laquelle il arrive de sales trucs aux sales types. Sans que cela surprenne personne, les Jamaïquains

---

1. En argot américain, l'héroïne se dit « boy » et le crack « girl ». *(N.d.T.)*

s'étaient mis à périr de mort violente avec une régularité monotone à East Flatbush dès que Milton eut quitté Brooklyn Hospital pour rentrer chez lui avec ses deux jambes inutiles.

C'est alors que j'étais intervenu dans l'affaire. Lubriano avait voulu que je lui délivre un mandat pour mettre Milton sur écoute téléphonique. Une perte de temps ; vingt-sept cassettes de blablas entre Milton et sa petite amie. Fatigué d'utiliser sa matière grise, Lubriano avait fini en désespoir de cause par coincer le collègue de Milton, Gerry, le tirant du lit un samedi matin à sept heures dans Euclid Avenue et le traînant jusqu'au poste où – ayant plus peur de Lubriano que de Milton – l'homme avait craché le morceau. Il avait dénoncé Milton comme étant l'assassin des trois Jamaïquains.

Car Gerry avait suivi Milton dans sa spirale descendante. Après que sa petite affaire de deal de blanche eut fermé boutique, Milton s'était rapatrié dans East New York afin de fourguer son crack aux tapineuses de Belmont Avenue, ainsi qu'aux locataires des immeubles pourvus d'ascenseurs en état de marche de Cypress Hills et de Pink House, dans Linden. Pendant ce temps-là, Gerry poussait le fauteuil roulant de Milton et l'attendait dans le hall, donnant des coups de pieds dans les murs pendant que Milton s'envoyait en l'air. Lubriano s'était dit que cela devait le chauffer sérieusement. C'était le cas.

– Alors il fait toujours, genre, hé, Gerry, décompresse, et j'réponds toujours genre, ouais, ouais, c'est ça. Je décompresse ou je sais pas quoi, et pendant ce temps-là l'enfoiré se fait astiquer la queue. Ce putain d'enfoiré dans un putain de fauteuil roulant se fait astiquer sa putain de bite de nègre. Tous les jours. Tous les jours.

– Dis donc, Gerry, avait dit Lubriano. Milton est encore capable de s'envoyer ces dames ? Je veux dire, cette jambe-là marche toujours, tu me suis ?

– Un peu, mec, tu parles, avait répliqué Gerry. Il peut bander. Enfoiré de Pirelli. Elles le baisent toutes.

– Qui ça, elles ?

– Toutes. Y a que moi qu'ai rien, pas une miette.

Lubriano avait installé Gerry dans une chambre d'hôtel de Suffolk County aux draps tachés et mis un policier en uniforme devant sa porte. Dix jours plus tard, Gerry était de retour à Brooklyn, assis dans la salle d'interrogatoire du sixième étage, au 210, tandis que j'attendais que Pauline fixe un jour et une heure pour qu'il témoigne contre Milton devant le grand jury. Gerry était de mauvais poil. Il avait pris goût aux substances illicites, et cette vie saine ne le bottait pas. Il n'avait pas passé assez de temps à Suffolk pour décrocher et il restait assis devant le poste de télé de la salle d'interrogatoire, arpentait la pièce, essayait de dormir, arpentait de nouveau la pièce, ne trouvait pas le sommeil. On lui faisait passer discrètement des Coors Lights et des NyQuil pour lui remonter le moral. Il arpentait la pièce, essayait de dormir, ne dormait pas. On lui avait apporté un téléphone pour qu'il puisse appeler sa mère. Il avait pleuré. Il regardait *Judge Judy*[1] et buvait des NyQuil.

— Hé ! criait-il depuis la salle d'interrogatoire. J'espère que ça sera pas elle, ma juge, hein ? C'est une salope qu'a pas de cœur. Sans déconner.

\*

Milton Echeverria était la première affaire dont je me sois occupé après le départ d'Amanda, après être retourné au bureau, à la fin de l'été, et avoir trouvé Bloch dans mon fauteuil. Je me souviens du temps que j'ai passé assis aux côtés de Lubriano, pensant à tout sauf à Milton, écoutant les cassettes, l'une après l'autre, lui demandant finalement d'en rembobiner une et de la repasser. Rien d'important en apparence, juste Milton au téléphone avec une fille quelconque.

— Oh, allez, allez, baby, l'entendais-je dire. Pourquoi tu me fais ça ?

— J'ai rien fait, répliquait-elle d'une voix puérile, nasillarde. Qui c'est qui t'a dit...

— Oh, ça va ! Tu crois que je vois que dalle ? Je sais ce que tu trafiques. T'es en train de me larguer. T'es en train de me jeter de ta vie, baby. Oh, baby...

— Tu t'conduis comme un imbécile, disait-elle.

— Oh... Pourquoi tu racontes des craques ? Dis-le-moi simplement. Tu vas me larguer. *Tu vas me larguer ?*

J'avais écouté cette cassette tandis que Lubriano était assis dans mon bureau. Il gardait le silence, se contentant de hocher la tête à certains passages, buvant des canettes de Pepsi. Il avait appuyé sur la touche « avance rapide », mais je l'avais arrêté. Je voulais entendre. Après l'avoir entendue une première fois, nous l'avions écoutée une seconde. Je songeais à Amanda portant sa valise et se dirigeant vers le taxi.

\*

---

1. Reality-show très populaire aux États-Unis. *(N.d.T.)*

155

Lubriano me tient pour responsable de ce qui est arrivé à Echeverria, et il a raison. J'ai foiré devant le grand jury et, grâce à son immunité, Milton n'a pas pu être inculpé. Il a pris la tangente parce que je n'avais pas prononcé les mots magiques. Tout d'abord, il n'a pas compris. Puis son avocat lui a expliqué et Milton a hoché la tête. Alors il a posé la main sur la roue gauche de son fauteuil, a fait demi-tour et s'est propulsé vers l'entrée du tribunal. À l'instant où il pivotait sur lui-même, il m'a regardé, et c'est alors qu'il m'a souri – non pas un sourire jubilatoire, un simple sourire. Rien ne l'attendait au-dehors qui puisse justifier ce sourire. Il n'allait rien retrouver d'autre que ce qu'il connaissait déjà et qui consistait à vendre des sachets de coke à des junkies et à des putes. Dedans, dehors – ce n'était guère différent à ses yeux, mais il souriait parce que la liberté, malgré tout, était préférable.

Tout le monde – ses clients, ainsi que Gerry – l'appelait *Pirelli*.

– Pirelli – comme les pneus ? avais-je demandé à Lubriano.

– Qu'est-ce que j'en sais. Il est portoricain ; ce n'est pas un Rital comme vous et moi, avait répliqué Lubriano dans un élan d'orgueil ethnique. Je veux dire, il a la peau claire, mais il est pas italien.

Lorsque j'avais dit à Lubriano que nous devions remettre Milton en liberté, que j'avais oublié de lui faire renoncer à son immunité quand il avait témoigné devant le grand jury, tout ce qu'il avait répondu, c'était : « Alors c'est comme ça que ça se termine. » Peut-être savait-il que je n'avais pas les idées claires, et pourquoi. Mais il n'en avait rien laissé paraître.

Bloch en avait dit davantage, mais au contraire de Lubriano, il était secrètement ravi. Sa diatribe de couille molle avait une fonction purement formelle. Ce n'était pas seulement l'opportunité, nouvelle pour lui, de pouvoir élever la voix contre moi qui l'enchantait ; mon erreur le confortait dans sa position. À présent il était bien installé dans son fauteuil, derrière sa porte. À ce moment-là, il avait aussi décidé que ma période de deuil avait assez duré, que quatre mois étaient largement suffisants, et qu'il ne se déplacerait plus sur la pointe des pieds dans le bureau – *son* bureau, à présent – comme s'il se trouvait dans un service de cancérologie. Et tandis qu'il pérorait sur la nécessité *d'accepter la responsabilité de nos erreurs*, ses doigts étaient pieusement croisés sur sa bedaine (plus imposante que dans mon souvenir), et j'avais refréné un désir presque irrépressible de punaiser l'une des affiches de Penny sur son front. SOIS GENTIL AVEC MOI, PHIL, C'EST MA PREMIÈRE VIE !

Je l'avais laissé avoir son quart d'heure de gloire ; qu'est-ce que ça pouvait bien me faire ?

# 21

Je me rends à pied au tribunal, traversant Joralemon Street et inhalant le carbone douceâtre de l'asphalte qui s'enfonce sous la semelle quand soudain la voici, la nouvelle fille, me rattrapant, adoptant mon rythme sur ses longues jambes, un peu trop proche de moi peut-être, mais avec une vitalité presque touchante. J'ai de nouveau oublié son nom et je n'ai absolument aucune idée de la façon dont elle s'est retrouvée à mes côtés. J'aurais préféré ne pas la voir avant ce soir. Je suis superstitieux sur ce point, comme une future mariée.

— Oh, c'est vous, dis-je quand elle m'aborde.

Comment s'appelle-t-elle déjà? Elle m'a pris au dépourvu, et un bus fonce sur nous. Le bitume ramolli menace de m'aspirer jusqu'en enfer avec la bénédiction de Stacey, où je reposerai à la place que je mérite, aux côtés des Vietcongs.

— Je suis tétanisée de peur! s'exclame-t-elle d'une voix où transparaît une crainte mi-réelle, mi-simulée, cherchant mon bras comme si elle chancelait au bord d'un abîme.

— Pourquoi donc? demandé-je, désireux d'être son preux chevalier.

— Je dois voir le juge Harbison... Il va me *tuer!*

— Pourquoi donc? répété-je, comme un parfait abruti.

Elle m'attire par sa proximité aguichante, et le fait qu'elle me soit accessible.

— Oh... Je m'occupe d'une affaire qui m'empoisonne la vie. C'est absolument idiot. C'est... Je vais vous expliquer. C'est une affaire d'utilisation illégale, l'accusé est William Johnson, et...

La voilà lancée.

Je donne tous les signes d'une attention teintée de compassion, mais ce déferlement de mots, son bras qui s'agrippe au mien, ses yeux imparfaits, vert-gris, me plongent de nouveau dans un état de transe. Elle – *mais comment s'appelle-t-elle donc ?* – imprime une inflexion ascendante à la fin de ses phrases comme le faisait Heather, la baby-sitter. Elle n'est guère plus âgée qu'elle. Cinq, six ans tout au plus. Un simple clin d'œil, comparé au gouffre béant qui nous sépare.

*Bonté divine !* (Comment en suis-je arrivé à avoir trente-huit ans ?)

Je cesse d'opiner du chef comme un idiot pour scruter son visage afin d'y trouver la réponse.

Elle a vingt-cinq ans et le temps n'a pas encore laissé son empreinte sur elle. Depuis notre conversation, elle a retrouvé sa glace. Elle s'est mis du rouge à lèvres. Ses cheveux sont tirés en arrière, attachés par une épaisse barrette noire. Sous la boule de feu du soleil, sous sa peau crémeuse, son cœur bat comme celui d'une colombe pourchassée ; sur ses pommettes, une roseur infime. Ses pensées tournent autour du juge Harbison et de William Johnson et de son cousin qui est son homonyme ou Dieu sait qui, elle parle, parle, parle sans fin ! Tout cela est important à ses yeux. Ce ne sont pas encore des micro-organismes dans la boîte de Pétri de ce boulot. Cela compte pour elle, j'en prends conscience avec un sentiment de tristesse grandissant. Le rouge à lèvres, la barrette noire et la petite inspection devant le miroir leur étaient destinés ; c'est pour le juge Harbison, pour William Johnson, pour son cousin, que son cœur bat comme celui d'une colombe – pas pour moi !

Le flot de ses paroles s'écoule, chaque mot soulignant la distance qui nous sépare.

Autrefois, tout cela m'importait. Aujourd'hui, douze ans plus tard, douze années qui se sont écoulées comme – comme un trajet en ascenseur dans un gratte-ciel ; on n'a pas la sensation de se déplacer jusqu'à l'instant où la porte s'ouvre et où des avions volent à nos pieds, où le monde est sens dessus dessous. Douze années se sont écoulées, et il y a très peu de choses dans mon boulot dont je ne me fiche pas éperdument. Pas même des juges, des avocats, des témoins, du ministère public.

*Et l'adolescente morte ?* Pas même elle. Je suis resté planté au fond de la salle tandis que sa dépouille se trouvait de l'autre côté de la pièce. Je patientais, brûlant d'envie de foutre le camp de là, détestant Phil Bloch de m'avoir collé cette affaire – détestant même l'adolescente morte – la détestant d'être morte, détestant sa mère de l'avoir mise au monde afin qu'elle puisse mourir quatorze ans plus tard. J'avais commencé à aller mieux. J'avais trouvé le moyen de me lever le matin.

Ce matin, je me suis levé pour... pour celle-là, qui s'agrippe à mon bras.

*

Quittant l'abri ombragé du trottoir, je m'engage avec la fille (qui n'a cessé de parler) sur le parvis de ciment s'étendant devant Borough Hall, où il flotte une odeur de piscine et de Dieu sait quoi. Plissant les yeux, je regarde en direction d'une voix qui m'appelle, mettant ma main en visière sur mon front. *Où sont mes fausses Ray-Ban ?* Là, dans l'ombre d'une colonne dorique que le soleil de midi raccourcit, se profile la silhouette immobile, quelque peu menaçante, d'Anthony Lubriano. Mon regard croise le sien, mais il ne fait pas mine de descendre des hautes marches de marbre où il est assis sous la façade à colonnades de Borough Hall.

C'est un salopard vertueux, qui croit dur comme fer qu'il incarne le châtiment de Dieu sur cette terre. Mais à dire vrai, dans une certaine mesure, c'est le cas. À l'endroit adéquat, au moment adéquat, personne ne pourrait en douter. Dans une salle d'interrogatoire à quatre heures du matin, ou lorsqu'il passe quelqu'un à tabac à l'arrière d'une Caprice grise, Lubriano vous donnerait la foi. En cet instant il est assis en haut des marches, le dos appuyé à une colonne, ses jambes courtes largement écartées. Il me considère de ses yeux curieusement féminins – cernés de longs cils, de jolis yeux, vraiment. Son pistolet, reposant dans son étui sur sa cuisse, est parfaitement visible. Un calibre .38 au canon court, ce qui n'est pas une arme bien impressionnante ; il n'a pas besoin de ça.

– Monsieur le procureur Giobberti, lance-t-il. Voilà un triste sire qu'on n'a pas vu depuis belle lurette.

– Tony... dis-je.

J'escalade les marches deux à deux jusqu'à l'inspecteur et je lui serre la main. Il ne bouge pas d'un pouce, à l'exception de son bras. Il me balaie du regard de la tête aux pieds. Cela fait, il dirige son attention vers Holly, en contrebas, qui a anxieusement glissé un ongle entre ses dents.

– Je pensais justement à vous, Giobberti, enchaîne-t-il. L'autre jour.

159

De la commissure de ses lèvres dépasse un truc en plastique qu'il garde scotché là comme un homme qui ne fume pas, mais qui aime le genre que ça lui donne.

– Ah bon, et pourquoi ça, Tony ?

– Milton Echeverria, réplique-t-il, paumes tournées vers le ciel comme si c'était une évidence.

Je lui lance un regard empli d'incompréhension.

– Hein ?

– Milton ?

Il fait mine d'actionner les roues d'un fauteuil roulant.

– Oui, je vois qui c'est. Eh bien quoi, Milton ?

– Il est mort. Il y a une semaine environ.

– Pas possible.

– Je croyais que vous en entendriez parler, sinon je vous aurais appelé moi-même.

– Vous avez quelqu'un dans le collimateur ?

– À votre avis, monsieur le procureur ? réplique-t-il. Vous ne croyez pas que tout le monde avait inscrit ce putain de Milton Echeverria sur sa liste de mecs à abattre ? Y avait probablement une file d'attente de gus qui voulaient lui faire la peau. Mais je vais vous dire une chose ; celui qui a fait ça a aussi chouré le fauteuil.

– Est-ce que quelqu'un... est-ce que quelqu'un a vu quelque chose ? Comment ça s'est passé ?

– On l'a étouffé. Sans faire de sentiment. Puis on lui a tiré une balle dans la tête pour faire bonne mesure. *Bang.* (Il pointe un doigt sur sa tempe.) Alors qu'il était déjà mort, d'après le médecin légiste ; j'imagine qu'on voulait être sûr qu'il soit vraiment dézingué.

– Bon Dieu.

– Ça m'a tout l'air d'être un règlement de comptes. Quand on étouffe un type et qu'on lui colle en plus une balle dans la peau – c'est un règlement de comptes. Quelqu'un en avait vraiment après lui, c'est sûr.

– Ça ne serait pas vous, Tony, si ?

– Elle est bien bonne. Nan, mais si je saute le pas un jour ? C'est vous que je veux comme procureur.

– Marché conclu, dis-je.

S'ensuit un instant de silence tandis qu'il me décoche un regard bref, mais lourd de signification.

– Je voulais juste dire que vous seriez équitable, c'est tout.

– Je suis toujours équitable, dis-je sans broncher. Vous avez tiré quelque chose de la balle qui a tué Milton ?

160

— Que dalle. Et on saura jamais rien de plus. On a une balle et des broutilles d'analyses médico-légales, mais c'est tout. Si vous voulez voir la balle, elle est à la Balistique.

— Au D.A.A.F. Je crois que j'irai y jeter un œil.

— Vous cassez pas le cul pour ça, monsieur le procureur. Ce gus n'en vaut pas la peine. Et juste entre vous, moi et Barbie là-bas, je ne vais pas faire des heures sup pour trouver le coupable. Parce qu'à mon avis, Milton l'a pas volé. Il a eu que ce qu'il méritait.

J'avale ça aussi. Parfois, il faut avaler des trucs qui vous restent coincés dans la gorge.

— L'affaire Milton est réglée, conclut-il, se levant avec des mouvements raides. Une de plus.

Son corps est petit et trapu, comme celui d'un carlin, et il descend prudemment une marche après l'autre en ajoutant :

— Sur quoi vous travaillez ces jours-ci ? Rien d'intéressant ?

— Rien d'intéressant. Un peu de tout. J'ai hérité de l'affaire de la Sept-Cinq il y a deux ou trois semaines.

— Quelle affaire ?

— Vous en avez sûrement entendu parler ; il en a été question dans les journaux, dis-je. L'affaire de la gamine ?

— Non, non. Qui s'en est occupé ?

— Solano.

— Ah, ouais. L'arrestation que Stevie a faite... putain, où déjà ? À Cypress Hills ?

— Exact.

— Ouais, ouais, ouais, dit-il, s'immobilisant et frappant sa paume de son petit poing serré. C'est l'affaire de la mère qui a descendu sa fille à ce que j'ai entendu dire. C'est cette affaire-là ?

— Non, ce n'est pas ça. On a serré un voyou du quartier. Un type qui s'appelle LL. Lamar Lamb ; vous n'avez aucune raison de le connaître.

— Si c'est la même affaire, c'est pas ce que j'ai entendu dire. Stevie est d'avis que c'est la mère qui a descendu sa gamine. Une espèce d'accident. Je sais pas, une connerie dans ce genre.

— Non, dis-je. Non.

— Ça n'est pas exact, monsieur le procureur ?

— Ce n'est pas comme ça que je vois les choses.

— Ma foi, faut jouer ça comme vous le sentez. Le procureur a toujours raison. C'est vous qui avez tous ces diplômes encadrés sur les murs de votre bureau.

— Je n'ai pas de bureau.

– Ah, elle est bien bonne, réplique-t-il, mimant un pistolet avec ses doigts joints et faisant semblant de m'abattre. Je crois que je ferais mieux de retourner là-bas. Ils m'ont cité à comparaître dans un procès, y a une petite lavette qui m'a posé des questions toute la matinée et moi je lui répète que je me souviens de rien. On dirait un gosse en costard cravate et tout. Vous devriez venir voir. Ça vous tuerait, ce gosse et moi.

Nous échangeons une poignée de main, il descend l'escalier puis s'engage sur l'esplanade éblouissante de lumière, et c'est alors que je le hèle soudain, me souvenant d'une chose qu'il m'a dite.

– Tony, qu'est-ce que vous m'avez raconté à propos du fauteuil de Milton ?

Il se retourne, plissant des paupières dans le soleil de midi. Il porte la main en visière au-dessus de ses yeux. Il paraît étrangement frêle et pâle dans la lumière, vulnérable et exposé sur le parvis de ciment – comme une bestiole sous un tronc d'arbre qu'on vient de soulever. Il n'est pas à sa place dans la lumière crue du jour. Je l'ai toujours vu aux petites heures de l'aube, dans les bas-fonds d'East Flatbush, et dans les endroits exigus et humides que fréquentent les flics, comme les banquettes de voiture et les pièces aux murs de parpaing recouverts d'une épaisse couche de peinture.

– Ouais. On l'a étouffé et on a embarqué son fauteuil, lance-t-il en s'éloignant. Ça vous semble pas incroyable ?

*Non, ça ne me semble pas incroyable. Impossible d'inventer ce genre de trucs.*

– Quelqu'un devrait écrire un livre, dis-je à voix haute après son départ, sans m'adresser à quiconque en particulier.

– Pourquoi pas vous ! s'exclame Holly d'un ton enjoué.

– Pourquoi pas moi, quoi ?

– Pourquoi est-ce que vous n'écririez pas un livre ?

– Ouais, c'est ça, dis-je. De toute façon, personne n'y croirait.

## 22

Lorsqu'on attend Son Honneur dans la salle du tribunal de Son Honneur, il n'y a pas grand-chose à faire. Je suis ici pour protester contre une condamnation, mais quand je consulte la longue liste des affaires à juger, je m'aperçois qu'il me faudra patienter un sacré bout de temps avant qu'ils n'en arrivent à mon accusé. Alors je patiente en compagnie de Holly ; ça ou autre chose...

J'ai épuisé tous les sujets dont je peux lui parler à jeun, aussi je déchiffre l'arrière du banc en bois qui se trouve devant moi. Nous sommes assis dans la tribune destinée au public, où s'alignent des rangées de bancs pareils à ceux d'une église. En majuscules grossièrement tracées, les accusés, leur famille et leurs amis ont gravé dans le bois : PETIT DANNY E.N.Y. – SOGGY – HOWIE – VA TE FAIRE FOUTRE – BUSHWICK 94 – FAIS CHIER TOUTE CETTE MERDE ! – EDDIE – PRO- FONDEUR 6 – SHORTY – BO BO – CHINA – MERDE À CELUI QUI LIT – REINE DES SALOPES – MENACE 2 – D SQUARE – SPARKY – POURRIS – BAY PARK- WAY 88 – MEURTRE 6 – B.L. CREW – GANGSTA KILLA BLOODS – STERLING ST MOB – VA TE FAIRE ENCULER JUGE QUI T'AI D'ABORD ?

Ce graffiti-là me fait sourire, et je le désigne du doigt à Holly.

– Va te faire *mh-mh* juge, déchiffre-t-elle (elle ne peut même pas *dire* enculer à voix haute). C'est affreux. Qui pourrait bien écrire ça là ? *Qui t'ai*. Ce n'est même pas correctement ortho- graphié.

– Attendez deux ou trois ans, dis-je. À ce moment-là, vous aurez envie de vous faire tatouer ces mots sur le front en grandes lettres bleues.

– Oh, non ! réplique-t-elle. C'est répugnant. Et ça ne part plus.

– Ça peut être joli.

163

– Oh, mon Dieu ! s'exclame-t-elle, pivotant vivement sur elle-même et tendant la main vers moi d'un geste hésitant. Je n'ai pas dit quelque chose de vraiment bête, si ? Vous n'avez pas un tatouage, si ?

– Oh, dis-je. Non, non.

– Oh mon Dieu ! répète-t-elle. Parfois je parle sans réfléchir.

– L'une de mes petites amies avait un tatouage, dis-je – un mensonge –, songeant à Karen, l'amie de Karen, et au métro F. Exactement là.

Je désigne son nombril, refrénant la tentation subite d'y planter mon doigt et de l'y laisser.

– Ah, dit-elle.

– Et un anneau, aussi. Juste au-dessus.

– Ah, répète-t-elle, et sa lèvre inférieure esquisse une moue presque imperceptible. (En dépit de ce qu'elle sait de moi, et du fait qu'elle ne sache absolument rien de Karen, elle est déçue.) J'imagine que ça peut être sympa, reprend-elle en détournant les yeux. C'est juste que j'ai peur des aiguilles.

La salle du tribunal se remplit peu à peu. Les fonctionnaires de justice vêtus de chemises blanches sont assis, immobiles, ou debout, frappant leurs paumes de leurs poings. Les accusés libérés sur caution patientent au fond de la salle, morts d'ennui. Bientôt, ils se mettront à graver des graffitis dans le bois. Les avocats et les policiers, qui n'ont guère plus fière allure que les hommes au fond de la salle (leur peau est juste plus blanche), sont assis aux premiers rangs. À côté de nous se trouve un agent en uniforme, sa casquette posée sur son genou. À l'intérieur se trouvent des faire-part de décès – des morts placés là pour le maintenir en vie.

Et voici le juge Harbison, vêtu de sa robe, l'air grave, chaussé de verres en demi-lune, qui s'assoit à côté d'un drapeau crasseux.

– Que tout le monde se lève, énonce le greffier selon la coutume ; et c'est ainsi que commence l'audience de l'après-midi. Un procureur se lance dans l'énumération des affaires à l'ordre du jour.

– Le ministère public délivre et annonce les comparutions, récite-t-il, et il tend au juge une pochette fermée à l'aide d'agrafes.

C'est ainsi qu'une affaire commence, mais le juge souhaite qu'elle soit conclue sur-le-champ.

– Que plaide l'accusation ? s'enquiert Son Honneur. L'accusation ?

Le procureur (pour qui tout cela est nouveau) s'affaire gauchement, feuilletant ses dossiers. Enfin, il trouve ce dont il a besoin.

– Nous proposons un A.C.D.[1] et cinq jours de travail communautaire.

Et le juge demande :

– Y a-t-il une contre-proposition ?

S'adressant non au procureur ou à l'accusé, mais à l'avocat de l'accusé. S'ensuit un conciliabule entre l'accusé et son avocat, et bientôt également une contre-proposition. Son Honneur tranche : « Cinq jours de travail communautaire, et vous devrez éviter tout problème pendant six mois. Est-ce que vous comprenez, Mr Velasquez ? »

Mr Velasquez comprend très bien. Il va ramasser des ordures le long d'Interboro Parkway pendant cinq jours. Il va éviter tout problème pendant six mois, ou du moins ne pas se faire prendre la main dans le sac.

Puis c'est au tour d'un autre jeune homme.

Et d'une autre avocate. Seuls, le juge et le procureur restent les mêmes. Cette avocate-ci a été dépêchée par l'Association d'assistance judiciaire – jeune, vêtue d'une jupe noire, courte et serrée qui modèle son postérieur au carré. Ainsi que d'un chemisier d'allure bon marché, plus un tee-shirt qu'autre chose, vraiment. Ses cheveux sont un calot de boucles brunes, et un bandage à son genou explique sa démarche. Elle est novice, mais lorsqu'elle se tourne vers la salle du tribunal – cherchant la mère du jeune homme ? (une femme agite la main à présent) – je vois qu'elle s'est déjà endurcie. Il ne faut pas longtemps.

L'adolescent a enfreint sa mise à l'épreuve. Il était en liberté surveillée, mais il a fait une connerie et le voilà de retour devant la cour. Il n'a pas réussi à se tenir tranquille pendant six mois. Il s'est fait coincer, on l'a envoyé à Rikers et, à présent, il se retrouve devant le juge qui l'a condamné la première fois. Le jeune homme ne veut pas retourner derrière les verrous. Il ne veut pas retourner à Rikers, ce que Son Honneur comprend bien.

Devant le juge est planté ce garçon vêtu du pantalon à grosses côtes bleu marine et de la chemise blanche à faux-col que quelqu'un, peut-être sa mère, lui a tout spécialement apportés à Rikers pour cette comparution devant Son Honneur. Il ne portait certainement pas cette tenue de bon paroissien lorsqu'il a été arrêté. Ces vêtements sont destinés au juge. C'est ainsi que la mère veut que le juge voie son fils – et non dans le pantalon trop grand, flot-

—————
1. A.C.D : *Adjournment in Contemplation of Dismissal.* Dans les faits, un A.C.D. revient très souvent à un non-lieu. (*N.d.T.*)

tant à l'entrejambe, ou le T-shirt Iceberg sans manches qu'il portait lors de son arrestation. Il ne veut pas retourner derrière les barreaux, et il a mis le costume que sa mère lui a préparé comme s'il avait neuf ans. Il a la tête baissée et, derrière son dos, ses mains sont involontairement jointes par les menottes, ce qui renforce son attitude de contrition. Les bracelets de chrome contrastent joliment avec sa peau, comme des bijoux. Il tremble d'émotion sans pour autant dégager une impression de faiblesse. Sa tête baissée forme un angle droit parfait avec son corps.

Lorsque le juge le renvoie en prison, la tête du jeune homme se redresse et le tremblement qui le secouait s'atténue.

Ce n'est pas le jeune homme qui occupe mes pensées en cet instant, mais Mr Velasquez et ses six mois de conditionnelle. Lorsqu'on l'énonce de cette façon, cela semble si facile de rester sur le droit chemin. *Qui est incapable de rester sur le droit chemin pendant six mois ?* À l'exception, manifestement, de ce jeune homme dont la mère, à présent, fait un esclandre. Il est facile de mener une vie exemplaire si on la divise en petits morceaux qu'il est possible de gérer. Je me demande si je pourrais essayer. Ce que m'a dit Stacey me trotte toujours dans la tête. Je crois que je pourrais essayer de bien me tenir pendant quelque temps ; je vais bien me tenir, *mais pas encore*, comme l'a dit quelqu'un. Pas encore.

Je reste assis auprès de Holly et j'attends mon client.

## 23

De retour dans mon bureau, mon bureau aux cloisons métalliques. Penny a déposé un message sur ma table.

Amanda m'a appelé. (Je ne l'ai pas revue depuis... un an.)

Je m'assois, je contemple le téléphone et je réfléchis à la façon dont ma femme l'a fait sonner.

Sur la note, avec son épais marqueur bleu, Penny a coché la case *Veuillez rappeler*. Et bien que ce ne soit pas Amanda qui ait écrit ces mots, bien qu'elle ne les ait peut-être même pas nécessairement prononcés, le souhait qu'ils semblent exprimer, couchés sur le papier, est étrangement émouvant. (Comme si j'avais entendu sa propre bouche les prononcer.) À cet instant, rien ne me semble plus facile au monde que parler de nouveau à Amanda; peut-être même la revoir et renouer avec elle. Mais dès que cette vision absurde se forme dans mon esprit – la vision d'Amanda et moi, ensemble, sans Opal – il n'y a plus qu'un vide immense, et je froisse le message avant de l'envoyer dans un coin du bureau en décrivant un arc-de-cercle.

Le numéro qu'elle a laissé ne m'est pas familier; c'est un numéro commençant par 212 – Manhattan, pour l'amour du ciel. *Est-ce là-bas qu'elle habite à présent?* Elle en serait capable. Elle pourrait s'installer à Manhattan et s'y fondre aussitôt. Elle pourrait abandonner Brooklyn derrière elle, moi y compris, s'installer dans l'Upper West Side ou ailleurs, et faire ses courses chez Fairway ou Zabar comme si elle avait fait ça toute sa vie – comme si elle n'avait jamais entendu parler de Windsor Terrace.

Pourtant, c'est elle qui avait tenu à s'y installer. Elle aimait l'idée d'habiter Brooklyn. Je voulais en partir, mais je ne suis jamais allé

167

plus loin que Columbia. Je suis revenu à Brooklyn pour elle. Je l'aurais suivie où qu'elle aille, absolument n'importe où.

Elle n'est pas originaire de Brooklyn. Elle est née dans une région du Middle West où je suis allé un jour; une vaste étendue plane où les centres commerciaux et les magasins de pneus recouvrent la terre plane comme si on les avait déversés d'un seau à lait, un endroit si vaste que les adolescents apprennent à conduire à quatorze ans; une ville où il n'existe aucun centre à proprement parler, où les maisons sont éparpillées sur ce qui était jadis des terres cultivées; des maisons jaunes, cubiques, autour desquelles on ne voit pas un arbre, flanquées de minivans et de pick-up garés dans les allées de bitume fraîchement coulées sur les pelouses nouvellement plantées.

Je ne l'avais jamais avoué à Amanda, mais cet endroit me fascinait. J'étais fasciné par ce qu'il avait de neuf et d'affable, par le fait que les maisons et les centres commerciaux n'étaient pas contigus, mais entourés de parkings ou d'étendues de gazon soigneusement délimitées, chacun pareil à un jaune d'œuf entouré de son auréole de blanc. Tout était déployé parfaitement à plat sur les terres arables goudronnées, s'étendant en rectangles toujours plus vastes, toujours plus plats, obéissant à leur propre entropie. Tout était sain et net. Le bitume noir, et les gens clairs de peau avec les cheveux blonds et la raie au milieu. Mais ce qui me fascinait avant tout, c'était d'imaginer Amanda là-bas. Je n'ai jamais pu me la représenter chez elle, entourée de ses frères blonds. Elle ne parle même pas comme eux, elle n'a pas leur voix monocorde, absolument dénuée du moindre accent.

À vrai dire, je n'ai jamais pu me représenter Amanda enfant où que ce soit. Je peux me la représenter en ville; je l'imagine venue au monde vêtue de pied en cap, à vingt-quatre ans, à l'angle de Colombus et de la 114ᵉ Rue, dans le West Side. Elle est allée vivre à Brooklyn parce que le quartier possédait l'attrait de la découverte, parce que c'était New York et non l'Indiana. La crasse, les métros immobilisés dans les tunnels, les femmes qui crachent, les briques qui tombent des immeubles sur la tête de ceux qui y vivent et semblent presque attendre leur chute – tout cela faisait partie du folklore; des bornes dressées au bord de la route qui l'emmenait loin de chez elle, et elle savourait tout ce qui me donnait envie de fuir. Amanda m'avait fait voir Brooklyn sous un nouveau jour, et nous nous étions fait notre petit Indiana à Windsor Terrace. J'avais eu un bébé blond. J'avais installé un climatiseur à la fenêtre. Lorsque je

168

rentrais, la senteur qui régnait dans l'appartement était celle d'un vrai foyer. Mais Amanda n'était qu'une touriste, contemplant Brooklyn du haut d'un bus à impériale ; lorsque le voyage s'était achevé, elle avait dû partir, bien sûr. Je n'avais eu d'autre choix que de rester.

Mais j'ai vu Amanda à l'époque où elle était adolescente dans l'Indiana. Sa mère m'a montré un album photos, des carrés pastel aux liserés blancs dans un album en imitation cuir ouvragé. Lorsque sa fille m'a emmené leur rendre visite, elle s'est assise à côté de moi sur le canapé. À force de jouer au tennis au soleil, son bras était constellé de taches de rousseur. Elle a tourné une à une les pages de l'album. Sous chaque photo, des dates, des noms de lieux et des commentaires ironiques s'achevant par des points d'exclamation, comme *Lake Tomahawk, été 1971* et « *on en mangerait !* » ou « *N'ayez pas peur, je ne mords pas !* » étaient notés d'une écriture précise et féminine sur des feuilles de papier noir, au crayon blanc. J'avais également feuilleté le cahier de classe d'Amanda – tout en pastels et en sourires aux dents bien alignées. À chaque page, sa mère inclinait la tête vers moi, évaluant ma réaction, guettant des indices.

J'étais incongru, déplacé. Peut-être même menaçant. Assise près de moi, elle faisait de son mieux, mais c'était un échec et nous le savions tous les deux. J'étais installé sur le canapé rembourré couleur pêche de son salon et j'avais l'impression d'être noiraud avec mon costume de velours à grosses côtes gris et mes cheveux noirs et courts. J'avais le sentiment d'être une tache sur ce sofa ; comme si quelqu'un m'avait renversé et avait couru chercher un torchon propre à la cuisine. (Je me sentais italien.)

La réaction de la mère d'Amanda vis-à-vis de mon travail avait été identique à celle de la majorité des gens ; elle avait manifesté un intérêt sincère bien que soigneusement circonscrit, le désir d'être horrifiée, mais jusqu'à un certain point seulement. J'avais pris soin de ne pas déborder du cadre paramétré de la réalité insipide et des héros gonflés aux stéroïdes de la télé. Elle ne voulait pas entendre parler des violences quotidiennes. Elle voulait seulement m'entendre dire : « Brooklyn est assez chaud par endroits. » Elle avait hoché la tête en signe d'approbation quand j'avais dit cela, lui donnant au moins un motif de satisfaction : je faisais ce qu'on voyait à la télé.

– Je veux bien le croire, m'avait-elle dit en me lançant un regard lourd de sens. Je suis sûre que vous avez dû en voir de drôles.

– Oui, m'dame.

Quelque chose en elle, ou peut-être était-ce l'Indiana, me poussait à dire *m'dame*, même si ce mot était aussi peu familier dans ma bouche que *Brooklyn* l'était dans la sienne.

Mais elle ne voulait pas savoir ce qu'était la réalité. Elle ne voulait pas entendre parler de l'homme qui, avec le tube métallique de l'arbre de transmission de sa Subaru, avait battu une femme à mort devant sa fille de dix ans, cette fillette qui répétait à la standardiste des urgences, inlassablement : « Il va la tuer ! ». « Qui va tuer ta mère ? » avait demandé la standardiste, fatiguée de se répéter. « Papa ! » avait enfin crié l'enfant avant que la communication ne soit coupée.

La mère d'Amanda n'avait nulle envie d'entendre cela ; aussi avais-je répété :

– C'est plutôt chaud, m'dame.

\*

J'avais joué au golf avec son père. Il était âgé de soixante-dix ans et sourd comme un pot. Je lui avais avoué que je n'y avais jamais joué. « Hein ? avait-il lancé. Qu'est-ce que vous dites ? » Il ne me croyait pas. Il était de ces hommes qui ne peuvent se représenter un monde où le golf n'occuperait pas une place majeure, et il s'imaginait probablement que des fairways et des greens étaient disséminés entre les gratte-ciel du sud de Manhattan, ou du moins quelque part dans Central Park.

Au premier tee, le vieillard avait envoyé la balle voler dans les airs. Sa manière de jouer m'avait semblé étrange et peu orthodoxe, mais elle avait porté ses fruits. La balle avait fendu les airs avant d'atterrir tout au bord du fairway.

« Décolle de là », avait-il simplement dit.

– Bon, avait-il repris d'une voix trop forte en se dirigeant vers moi, le torse bombé, les yeux rivés sur moi – les mêmes yeux qu'Amanda. Bon, ce qu'il faut faire avec cette balle-là, c'est ne pas essayer de la frapper comme une brute. Contentez-vous de rester concentré pour garder le bras bien droit et l'œil sur la balle.

– D'accord, avais-je répondu en ayant l'impression d'avoir neuf ans.

– Parfait. Maintenant, frappez-la.

J'avais frappé la balle. J'en avais atteint la partie supérieure et elle avait atterri sur le gazon du fairway à dix mètres de l'endroit où je me trouvais, émettant un sifflement furieux en perdant de la vitesse. J'étais content d'avoir ne serait-ce qu'effleuré ce foutu truc, mais je m'étais contenté de dire : « Décolle de là. »

— Bon, ce que vous avez fait, avait dit le vieillard avant même que la balle se soit immobilisée, c'est que vous l'avez quittée des yeux.

— Je n'avais pas envie de la perdre.

— Y avait pas grand risque, avait-il répliqué en faisant démarrer la voiturette.

Il n'avait même pas suffisamment confiance en moi pour me laisser conduire.

Le soleil avait grimpé dans le ciel. Une ampoule commençait à enfler sur le gras de mon pouce. Derrière nous, quatre adolescents de seize ans nous talonnaient. Leurs bras et leurs jambes étaient bronzés, et leurs cheveux blonds partagés par une raie au milieu. Peu importait la rapidité à laquelle le vieillard et moi progressions, le quatuor arrivait toujours au tee à l'instant où je me préparais à frapper la balle. Immobiles, ils m'observaient en silence tandis que je projetais la balle sur le gazon ou – comme cela se produisit une fois – presque perpendiculairement à ma cible, en plein dans le banc de bois où était assis le père d'Amanda.

— Jésus Marie ! s'était-il exclamé.

C'étaient les premiers mots qu'il prononçait en l'espace d'environ une heure ; un laps de temps suffisamment long pour faire fabriquer une paire de lunettes.

Il avait laissé les adolescents nous précéder.

*

Le lendemain, nous nous étions installés au bord de la piscine. (Je ne savais pas nager non plus.) Flottant dans les airs, du duvet de charbon s'illuminait comme du phosphore au soleil ; dans les arbres qui nous entouraient, des cigales émettaient leur grésillement mécanique : un fond sonore varié, incessant, qui s'élevait d'octave en octave, redoublait de volume, puis s'éteignait subitement – comme la rumeur haletante d'une radio, la basse qu'on entend résonner dans les mauvais quartiers.

Le plus jeune frère d'Amanda était là, tuant des guêpes avec un gigantesque club de golf. Quand les guêpes se posaient sur la piscine, il abattait le club en plastique à deux mains sur la surface de l'eau, envoyant une giclée d'éclaboussures dans les airs. Quand cela avait cessé de l'amuser, il s'était dirigé vers moi, étendu sur une chaise longue, déjà rougi par les coups de soleil.

– Vous voulez voir quelque chose de drôle, Gio ?

– Un peu, oui, avais-je dit.

Il avait désigné du doigt l'endroit de la pelouse où son carlin souffrant d'hémorroïdes avait, faute de doigt pour se gratter, planté son anus bourgeonnant sur la pelouse tondue et s'était mis à tournoyer sur lui-même, en extase.

– Joey, avait dit la mère d'Amanda, regardant le chien béat, puis moi, puis de nouveau le chien. Ne faites pas attention, Andy.

Ils avaient tous le regard rivé sur le chien irrésistiblement drôle, légèrement gênés, mais je ne voyais rien de honteux là-dedans. Jusqu'à un certain point, c'est ce que nous faisons tous. En dépit de nos carences, nous nous efforçons d'être heureux. Nous échouons, mais ce n'est guère surprenant. Pas plus que cela ne nous empêche de chercher des moments d'apaisement.

## 24

De ma poubelle dans l'angle du bureau, à côté du noyau de pêche de Bloch, je ramasse le message téléphonique d'Amanda, je le plie soigneusement et je le glisse dans mon portefeuille. Puis j'éprouve le besoin irrésistible de sortir.

Il est midi, la chaleur est insoutenable, j'occupe un banc sur la place, un triangle scalène que bordent sur ses trois côtés la Cour suprême, Borough Hall et une rangée d'immeubles longeant Court Street. J'ai emporté mon nouveau livre. Je sens la chaleur du banc de bois sous mes fesses, mais bientôt je ne suis plus conscient de cette chaleur, ni du soleil.

Les bancs encerclent une fontaine où, la nuit, les gens qui n'ont pas de salle de bains se baignent et urinent. Ils batifolent et urinent sous la lune, sous les chérubins rococo qui les arrosent d'un jet en arc-de-cercle d'une eau à forte teneur en chlore. J'en sens les relents depuis le banc où je suis assis ; du chlore qui irrite les yeux et couvre la puanteur de l'urine humaine. Cette odeur me rappelle le père d'Amanda, qui ne nageait jamais dans sa piscine mais déambulait autour, en caleçon de bain gris, jetant des pastilles de chlore dans le grand bassin où elles coulaient.

La fontaine est l'élément central de la place. À cause de l'odeur du chlore ou d'un autre élément indéfinissable, elle a quelque chose de minable, de défraîchi, qui contamine la place entière. Mais par ailleurs, tout le centre-ville de Brooklyn a quelque chose de minable et de défraîchi. Ici, les gratte-ciel semblent avoir été rejetés depuis l'autre côté du fleuve, comme si Manhattan se débarrassait de ce qu'il n'aimait pas et que tout cela échouait à Brooklyn.

J'ouvre mon nouveau livre. Je suis en train d'apprendre comment l'on procède à des « coups d'approche roulés » à partir de la « fosse d'herbe » lorsqu'une femme s'avance vers moi. Elle s'assied à mes côtés, bien que de nombreux autres bancs soient libres. Elle parle à voix basse, sans faire d'esclandre, mais elle est manifestement siphonnée. Elle s'empare d'un petit carnet à spirale et d'une boîte de crayons et commence à dessiner. Sur la feuille, je distingue des mots et des chiffres, ainsi que des dessins de poissons. Elle marmonne : « Et la Caroline du Nord et la Caroline du Sud et la Caroline du Nord et la Caroline du Sud... »

*Tenez le « cocheur d'allée » comme un oiseau ; ne le laissez pas s'envoler, mais ne lui brisez pas le cou non plus !*

– Du golf ? s'enquiert Stacey, surgissant de nulle part, ses lunettes de soleil sur le nez, puis s'asseyant près de moi. Je sens sa cuisse contre la mienne. Elle m'a déjà pardonné, et nous n'évoquerons plus ce qui s'est passé ce matin. C'est ainsi que cela fonctionne entre nous, depuis peu ; nous nous disputons – par ma faute – elle passe l'éponge, et j'essaie d'être gentil quelque temps.

– À qui est-ce que tu essaies de faire croire ça, Giobberti ?

– Je joue vraiment au golf, dis-je, essayant d'être agréable.

– Et moi, je suis un cordon-bleu, rétorque-t-elle en buvant du café noir, glacé, à la paille. Écoute, j'ai quelque chose à te dire ; essaie de ne pas être désagréable.

– D'accord.

– Tu promets ?

– Je promets.

– Tu avais raison au sujet de la gamine de Kayla. Lamar n'est pas le père.

– Continue.

– Je n'ai pas eu besoin de faire une analyse de sang. J'ai juste réalisé que le bébé avait... quoi, trois, quatre mois ?

– À vue de nez.

– Lamar était au pénitencier jusqu'en mai.

– Aucune possibilité qu'il ait eu une visite conjugale ? demandé-je après avoir réfléchi un instant.

– Avec une gamine de quatorze ans ?

– Bien sûr. (Je me mets à rire, me moquant de moi-même.) Très bien, Stace.

Un jeune homme passe devant nous. Il est de petite taille et ressemble à un jeune Jésus. Sur son tee-shirt, il est écrit Juifs pour

Jésus – le o est une étoile de David. Il a des yeux sombres et tristes et ses cheveux pendent sur ses épaules, longs et pareils à ceux du Christ.

– Jésus est en chemin, nous dit-il.

– Jésus est ici, dis-je à Stacey dans un murmure, et elle éclate de rire – un son merveilleux.

– Je pensais à Nicole, reprend-elle, retrouvant soudain son sérieux. (Elle pose un instant sa main sur mon avant-bras.) Je me disais que même si ça s'est passé comme tu l'affirmes – je veux dire, même si Lamar a tué Kayla –, pourquoi Nicole refuse-t-elle d'admettre qu'il était là ? Pourquoi raconte-t-elle qu'elle ne l'a pas vu ?

– Parce qu'elle ne l'a effectivement pas vu.

– Mais l'appartement est minuscule, Gio. Sa chambre n'a pas de porte. Elle l'a forcément vu, ou du moins entendu.

– Elle se shoote au crack, Stacey. Elle prend des montagnes de poudre. La plupart du temps, elle ne doit même pas se reconnaître dans la glace.

– Tu ne trouves pas ça bizarre, quand même ?

– Vous êtes juif, lance une passante au jeune Jésus, d'une voix forte. Comment pouvez-*vous* être pour Jésus ?

Stacey et moi nous retournons tous les deux. La passante semble vouloir dire qu'il n'est pas authentiquement juif. Il n'est pas naturel, et on ne peut se fier à ce qui n'est pas naturel. Elle voudrait qu'il enlève le crucifix pendant à son cou afin de pouvoir le traiter en juif. S'ils étaient plus différents, ils s'entendraient peut-être mieux. Ici, à Brooklyn, nous savons comment digérer la différence, même si elle nous passe parfois dans le gosier comme de la bouillie d'avoine grumeleuse. C'est la ressemblance que nous abhorrons ; dans toute ressemblance, nous cherchons à déceler le schisme. Ici, les chrétiens ne tuent pas les juifs ; les pauvres ne volent pas les riches. À Brooklyn, les maris tuent leurs femmes avec l'arbre de transmission de leur Subaru. Les *Bloods* tuent les *Crisps*.

– Est-ce que ta mère sait que tu es là ? reprend la passante. Et habillé comme ça, avec ce tee-shirt ?

Pendant ce temps, la femme aux poissons marmonne : « Et la police leur a dit qu'ils pouvaient me battre et ils m'ont battue parce que ça leur donne l'impression d'être puissants, et quand ils me battent ils se sentent puissants... »

– Pourquoi est-ce que Nicole ne... insiste Stacey.

– Hé ! mon pote, qu'est-ce que tu dirais d'un petit coup de cirage ?

175

Quelqu'un d'autre a pris la parole à présent. C'est à moi qu'il parle. Levant les yeux vers le soleil qui s'élève au-dessus d'un gratte-ciel miteux, j'aperçois la silhouette dégingandée d'un clodo. Il est tout en genoux, en coudes et en haillons grisâtres.

— J'les ferai briller bien comme il faut, poursuit-il tandis que son odeur parvient jusqu'à moi.

— Non, merci, dis-je d'un ton neutre, l'ignorant comme nous le faisons tous.

— Je ne sais pas, Gio... enchaîne Stacey.

— Hé, mon pote !

— Non. Je n'ai besoin de rien, dis-je à l'homme, jetant un coup d'œil involontaire à mes chaussures pourries.

J'ai besoin de bien plus que d'un coup de cirage ; j'ai besoin de putains de nouvelles chaussures. Mais à ce que je vois, il n'a pas de cirage ; il n'a rien dans les mains. S'il en avait l'occasion, il enverrait un crachat sur mes chaussures et les astiquerait avec son avant-bras.

— Donne-moi des *quarters*. T'as bien des *quarters*.

Trois Black Muslims[1] passent devant nous, distribuant des exemplaires de *La parole de Mahomet*. Ils sont impeccables et pourtant effrayants, comme des assassins de la Gestapo. Je ne les avais jamais vus d'aussi près. On les voit surtout déambuler parmi les véhicules arrêtés au feu rouge dans Adams Street, au milieu des hommes qui vendent des roses enveloppées de cellophane.

— Écoute, Gio, poursuit Stacey. Je veux retourner là-bas.

— Où ?

— À Cypress.

— Mon pote...

— Entendu, dis-je. Pourquoi ?

— Tout ça ne me plaît pas.

— Quoi, ça ?

— Cette affaire. Je n'aime pas la façon dont les choses se présentent.

— Entendu.

— T'as bien des *quarters*, répète l'homme.

— Sans toi, enchaîne Stacey. Je veux y retourner seule.

À présent les Black Muslims s'approchent d'une jeune femme aux traits doux, à la peau claire caractéristique de Bensonhurst[2]. Je ne serais pas surpris qu'elle ne se soit jamais trouvée aussi près d'un

---

1. Musulmans noirs. *(N.d.T.)*
2. Quartier de Brooklyn essentiellement peuplé de familles italiennes. *(N.d.T.)*

Noir. Ses yeux se tournent instinctivement vers moi. Le lien tribal. Ensemble nous sommes différents, mais comparés à eux nous sommes semblables. Sans l'*autre*, nous représentons l'autre. Face aux Black Muslims, je suis son grand frère.

– Entendu, dis-je à Stacey.

– Elle se confiera peut-être à moi. Si tu n'es pas là.

– Bien vu, Sharp.

– C'est d'accord? demande-t-elle.

Je ne peux pas voir ses yeux, à cause des lunettes.

– ... Et nous sommes nés dans le péché; nous sommes tous coupables, déclare le jeune Jésus. Nous souffrons parce que nous sommes coupables, et nous sommes coupables parce que nous sommes nés.

– Mon pote! insiste la silhouette. J'essaie de survivre dans ce monde.

Je lui refile son foutu *quarter* et je lui dis de ficher le camp. Quand il se détourne, cessant d'être à contre-jour, je m'aperçois que c'est l'homme du portique.

– Au fait, Solano a appelé, reprend Stacey. Dirty est au poste.

– Tu me laisses t'accompagner sur ce coup-là, au moins? demandé-je, toujours aimable.

– Bien sûr, réplique-t-elle en souriant. Je te laisserai voir Dirty.

– On pourrait pousser jusqu'à Cypress. Après.

– Non, Gio. Je veux y aller seule. Occupons-nous de Dirty maintenant; j'irai à Cypress ce soir. Peut-être qu'Utopia sera là.

– Tu lui as déjà parlé?

– Pas encore.

– Vous ne voyez donc pas? s'exclame à présent le jeune Jésus. La culpabilité n'est pas une épreuve. La culpabilité est un bienfait. La culpabilité que nous éprouvons est ce qui nous rend humains, ce qui fait de nous des frères.

– Gio, reprend-elle. Je veux te dire quelque chose.

– Qu'est-ce que tu veux me dire?

Je ne sais pour quelle raison, je lui souris.

– Ce que je t'ai dit, à propos d'être un père modèle ou je ne sais quoi... C'était méchant, je suis désolée.

– Non, Stacey. La vérité est une défense absolue contre la calomnie. Tu n'as pas appris cela à la faculté de droit de Brooklyn?

– Ce n'est pas vrai, Gio.

Je garde le silence.

– Gio.

– Oui.
– Il faut que nous parlions, dit-elle.
– Entendu.
– Pas de l'affaire. De toi et moi, je veux dire.
– D'accord. Mais pas maintenant.
– Pas maintenant, répète-t-elle, comme si elle approuvait.

## 25

Dans la fournaise du plein après-midi, le bitume et le toit des immeubles semblent faire ployer l'air et l'envoyer de plus en plus haut, repoussant des nuages d'une blancheur incongrue qui champignonnent et enflent sous le soleil d'East New York. Stacey est au volant tandis que nous nous dirigeons vers le commissariat du 75e district, au 1000 Sutter Street – situé à quelques blocs de Cypress Hills, et mangeant au même râtelier merdeux. Stacey elle-même est obscure derrière les verres opaques de ses lunettes. À un feu rouge, je me tourne vers elle mais elle ne souffle mot. Elle conduit à la manière d'un flic, poussant la Caprice jusqu'à ce que la carrosserie vibre sous l'effet des nids-de-poule de Pennsylvania, les chocs se prolongeant de l'un à l'autre.

Elle conduit trop vite ; volontairement, je suppose, sachant ce que cela signifie pour moi, et sachant ce qui s'est passé avec Holly. Quelqu'un – sans doute l'une des filles qui fument sur le toit – le lui a raconté. Putain de bureau. (Nous en savons trop les uns sur les autres, et nous ne parlons jamais d'autre chose.) Elle est au courant pour Holly, mais elle n'en a pas dit un mot.

Elle tourne dans Sutter Avenue. Les pneus hurlent mais elle garde le silence.

Nous nous arrêtons dans un embouteillage formé par deux ou trois chauffeurs de taxi se disputant quelques mètres de bitume. Derrière nous un klaxon retentit – un autre égrène les notes de la « cucaracha » – des cris sont échangés – des mains, des bras gesticulent – *âne bâté !* (attendez les pistolets !). Ici, les hommes se battent et meurent pour quelques centimètres ; c'est Verdun.

179

Je n'ai aucune envie d'être ici, dans cette voiture, dans ces rues, parmi ces gens. De l'autre côté de la ligne blanche, la circulation est fluide. Autour de nous, les passants vont et viennent. Des gamins pour la plupart, des gamins qui ressemblent à des hommes. Des gamins moitié moins vieux que moi et qui ont déjà dépassé leur espérance de vie. Des vieillards de dix-huit ans pour qui il a été nécessaire de s'acclimater à la colère, à la peur, à la rancœur, comme des sherpas respirant l'air raréfié de l'Himalaya. Ils respirent l'air de leurs rues et s'endurcissent, câbles de haine étroitement enroulés sur eux-mêmes. Ils deviennent aussi longs et nerveux que des lièvres, leurs corps à l'affût des pas de prédateurs. Leurs cœurs battent plus rapidement, accentuent la pression du sang dans leurs veines. Ils attrapent des ulcères. Leurs plaies ne cicatrisent pas. Leurs dents noircissent et tombent. Ils se déplacent à l'aide de cannes, des balles encore logées dans leur corps. Sur un Dumpster, devant une bodega, rédigé hâtivement à l'aide d'une bombe de peinture argentée : AUX CHIOTTES LE SYSTÈME. Leur vie, ici, dans ces endroits... mon Dieu. Nous ne pourrions jamais comprendre ; nous ne voulons même pas le savoir. Du temps d'Amanda, dans les dîners de Park Slope et de l'Upper West Side, en compagnie de ses collègues bourreaux de travail, de nos anciens amis de l'université de Columbia, dans leurs maisons de ville et leurs appartements, se promenant dans leurs rues, roulant dans leurs voitures... Les heures passées à discuter des mesures prises en faveur des minorités, de la peine de mort, de l'apartheid, mais pas un mot là-dessus. Ils ne voulaient rien savoir. Ils me demandaient mon avis, et je changeais de sujet.

*Aux chiottes le système.* Je suis le système, je m'en rends soudain compte, ainsi que Stacey, la Caprice, ces rues, la chaleur, ces traînailleries sans but au coin des rues, et les détonations qui retentissent chaque nuit dans les aires de jeux, mettant un point final à tout ça.

Voici Brooklyn dans toutes les strates de sa nostalgie. Nos embarcadères, autrefois ports de cuirassés, aujourd'hui boîtes à strip-tease. Ebbets Fiel est une cité HLM. Dans Red Hook, des tableaux grand format trônent aux murs des cafés. Dans des bus à impériale, des Allemands viennent contempler le spectacle. Sous le Brooklyn Queens Expressway s'est installé un Home Depot[1] ; là, des hassidim de Borough Park et des Russes de Brighton Beach se côtoient.

---

1. Référence ironique à la chaîne de magasins du même nom. *(N.d.T.)*

Les hassidim portent des redingotes, les Russes des vestes Members Only qui serrent étroitement leurs ventres ronds. Ils attendent tous patiemment avec des chariots orange de pans de contre-plaqué, de plaques de plâtre et de pots de peinture, et on n'entend pas un seul mot d'anglais.

Le Brooklyn des règles tacites et des conspirations de coins de rues a disparu; il n'y a plus d'arrière-salles dans les salons des barbiers, de parties de *stickball*[1], de *card-tossing*[2], de caïds échangeant des vannes. Ceux-là ont émigré à Levittown ou Massapequa. On en voit encore quelques-uns dans le sud de Brooklyn, à Dyker Heights ou à Gravesend, par exemple, mais ce ne sont pas des vrais de vrais. Ce sont des parodies de leurs pères, qui conduisent des Camaro trafiquées avec des klaxons rouges pendant aux rétros et des autocollants *Sans foi ni loi* collés sur le pare-brise arrière. Certains d'entre eux ont même changé de bord; ils se disent « Ça boume, mon pote? » quand ils se croisent, et ils conduisent des Toyota Supra; ils règlent leurs radios sur des stations de hip-hop; ils portent des boucles d'oreilles; ils se rasent les côtés du crâne et relèvent les cheveux qui leur restent en petits toupets pareils à ceux de samouraïs portoricains; ils se laissent même pousser de petits boucs bien soignés, comme eux, et parfois les prennent en amitié et épousent leurs sœurs. Quatre générations de grand-mères mortes s'étrangleraient collectivement de consternation si elles savaient qui s'assoit aujourd'hui dans leurs boudoirs et ce qu'on y fait.

Ceux qui ont connu le vieux Brooklyn, comme mon père – qui réglait leur compte aux voyous du quartier en les balançant dans Gonawus Canal –, sont morts.

*

— Tu te fous vraiment de moi comme de ta première chemise, pas vrai? lance-t-elle enfin.

Elle regarde droit devant elle; moi aussi. Je ne peux rien dire.

Quand on en arrive là, quand elle en vient à affirmer que je me fiche d'elle comme de ma première chemise, elle est incapable d'entendre quoi que ce soit. Son père, *William* (comme elle l'appelle invariablement) s'est suicidé sans grande conviction quand Stacey avait treize ans, ce qui fait qu'elle n'a aucune patience pour les aimables blablas. Il est allé dans son garage et a mis le moteur de

---

1. Forme de base-ball de rue propre à Brooklyn. *(N.d.T.)*
2. Jeux d'argent pratiqués à même le trottoir. *(N.d.T.)*

sa voiture en marche ; c'est dire si le pauvre bougre manquait d'imagination. Pauvre *William*. Sa Mercedes était si bien entretenue qu'après de nombreuses heures, il n'avait réussi qu'à avoir une violente attaque. De retour de l'école, âgée de treize ans, Stacey l'a vu allongé sur le sol du garage, les yeux révulsés, et elle a refermé la porte.

J'ai de lui l'image du quadragénaire probe, gris, coincé, largué, manifestement Irlandais, qui trône sur le piano dont personne ne joue (à côté de Stacey, dix-sept ans, aguicheuse) à Midwood, chez sa veuve, un endroit où des relents de Lysol et de désespoir quotidien sont suspendus comme de longues chevelures de mousse d'Espagne à des tableaux hideux de couleur criarde, vert et turquoise, à des fauteuils rembourrés, et des tables basses en forme de haricot juchées sur des pieds filiformes et effilés, semblables à des piscines avec leur vernis pâle.

— Tu as vu ton père ? lui a demandé sa mère ce jour-là.

— Papa est malade, a répondu Stacey, ayant recours à l'euphémisme d'usage.

Et quand il ne s'était pas montré à l'heure du dîner, cela n'a rien eu d'inhabituel. Sa femme attribuait sans s'interroger ses absences inexpliquées et ses innombrables autres échecs de mari, de père et d'homme à la soif. Elle l'avait trouvé allongé sur le sol du garage le lendemain matin. Le moteur de la Mercedes tournait encore au ralenti. Il avait agonisé jusque tard dans la nuit, et avec un stylo il avait commencé à écrire quelque chose sur le ciment gris.

Plus tard, Stacey s'était allongée à l'endroit précis où William était mort. Elle s'était allongée là et avait contemplé le plafond. Dans cette position, elle avait considéré la vie et la mort, le bien et le mal, la culpabilité et l'innocence. Elle avait décidé qu'elle n'était pas responsable de la mort de son père ; ce qu'elle avait vu dans ses yeux, c'était de la peur — non pas la peur de la mort, mais la peur que l'adolescente n'aille chercher sa mère. Elle l'appelle *William*, comme sa mère continue de le nommer encore aujourd'hui, mais avec un humour à peine voilé qui laisse entendre qu'il est mort. Elle raconte jusque dans leurs moindres détails les interminables silences de William au salon, ses crises de larmes inconsolables à la cave, ses cadeaux bizarres dont elle n'avait que faire, les nuits où il venait s'asseoir au bord de son matelas à quatre heures du matin, quand elle sentait qu'il avait bu et s'efforçait de faire la morte — comme il est recommandé aux campeurs d'agir quand ils se trouvent nez à nez avec un ours. Alors William, étendu sur le ciment, avait eu peur que sa fille ne lui sauve la vie par pure rancœur.

Stacey vous raconte cela dans un couloir ou un ascenseur, avec son pragmatisme habituel. Elle n'a aucune plaie à panser. L'incident s'est produit puis s'est complètement effacé, ne laissant aucune trace – tout comme la marée monte puis se retire, et seule la teinte plus sombre du sable indique que la mer se trouvait là un moment plus tôt.

Elle m'en a parlé la première nuit, dans sa chambre. Nous étions étendus dans le noir. La seule lumière était celle de son réveil. J'attendais de pouvoir partir. Je me disais que dix minutes supplémentaires feraient l'affaire. Je ne savais trop que penser d'elle. Elle s'était laissé faire sans résister, mais c'était purement sexuel. Un assouvissement de nature biologique (pour moi), d'une certaine curiosité (pour elle). Nous étions allés dans sa chambre ; après, elle était demeurée allongée là, nue. Nous étions restés un instant ainsi, Stacey silencieuse, couchée sur le ventre, et moi près d'elle. J'avais tendu le bras et j'avais passé la main sur son dos. Je me sentais massif et disproportionné par rapport à elle. Mes pieds dépassaient du bord du lit, et quand je bougeais, le matelas ployait. Elle était restée allongée sans bouger pendant une éternité. Puis elle m'avait parlé de son père. Je ne sais plus comment le sujet était venu sur le tapis.

J'ignore pourquoi elle a choisi de me le dire à ce moment-là ni à quoi elle songeait tandis qu'elle était allongée, silencieuse, dans le noir. Elle devait certainement être au courant de la mort d'Opal, qui remontait à six mois, et du départ d'Amanda. Savait-elle qu'elle était la première femme que je touchais depuis lors ? Je ne sais pas ce à quoi elle pensait ; peut-être à moi, mais peut-être aussi à son père ou à ce qu'elle avait lu sur le sol du garage lorsqu'elle s'y était allongée à treize ans. *Pardonne*, voilà tout ce qu'il avait réussi à écrire en éraflant le ciment avec son stylo avant de mourir.

## 26

Stacey gare sans douceur la Caprice sur le trottoir devant le poste du 75ᵉ district et s'éloigne sans bloc-notes derrière lequel se cacher, me laissant pousser vainement la porte coincée côté passager. À l'intérieur, elle tourne en rond, les bras croisés ; le sergent chargé de l'accueil me fait signe d'approcher pour me demander quel est son problème.

– Bonne question, dis-je en haussant les épaules, et il se mord la main.

Des flics traînaillent et bavardent non loin, et un téléphone chute brusquement à terre. Stacey sursaute et le sergent me jette un regard. Puis un type en uniforme s'approche d'elle, et elle se montre soudain excessivement chaleureuse. Je demande au sergent si Solano est à l'étage, mais il me désigne la salle de réunion. Je lui dis à un de ces jours, et à Stacey :

– Par ici.

Les mèches malodorantes de Dirty Dread le bien-nommé cascadent en épaisses torsades de cheveux feutrées dans son dos, jusqu'à ses fesses. Il est planté devant moi, crevette émaciée aux pommettes hâves à force de ne rien becqueter qui soit digne de ce nom ; un pauvre bougre qui fait peine à voir et que le crack bousille lentement.

– Yves St Ides ?

Les lèvres de Dirty articulent *oui*, mais aucun son ne s'en échappe. Il tousse, gêné, puis essaie une nouvelle fois.

– Comment va ? dis-je, bien que je connaisse déjà la réponse.

– J'vais bien.

– Je suis le procureur, Yves. On vous l'a dit ?

— Oui, m'sieur.

— Voici miss Sharp.

Il jette un rapide regard en direction de Stacey. Je la gratifie d'un bref coup d'œil, moi aussi, et je retiens une grimace en ajoutant :

— Elle est avec moi.

— D'cord.

— Vous savez pourquoi on vous a amené ici, Yves?

Dirty est nerveux; comme un chat, il donne l'impression d'être en permanence sur le qui-vive, prêt à bondir nerveusement et à s'enfuir.

— Asseyez-vous, Yves, dis-je, indiquant le banc où Solano s'occupe avec un coupe-ongles.

Ici, les tables sont fixées aux bancs peints en bleu et arborent des graffitis obscènes dignes de lycéens; des zobs énormes, des seins pendants et le reste à l'avenant.

— Vous savez de quoi il s'agit? Vous savez pourquoi vous êtes ici, Yves?

Dirty fait non de la tête.

— Non, m'sieur, répond-il dans un souffle.

— Vous voyez Lamar Lamb parfois?

— Qui?

— Lamar Lamb.

— Non.

— Non?

— Non, m'sieur, corrige-t-il, croyant que je veux entendre le « monsieur ».

— Comment ça, non?

— J'connais personne qui s'appelle comme ça.

— Inspecteur, vous avez une photo de l'identité judiciaire quelque part? demandé-je.

Solano rabat la couverture du dossier impeccable posé près de lui et en retire posément une feuille qu'il glisse sur la table, devant Dirty.

— Lui, dis-je. Qu'est-ce que vous en dites, Yves?

— Ouais, répond-il d'une voix lente. C'est mon pote, LL. J'l'appelle pas de cet autre nom que vous avez dit.

— Quand l'avez-vous vu – LL – pour la dernière fois?

— J'sais pas trop.

— Quand?

— Quel jour on est aujourd'hui?

— Mercredi. Le 22 août. Vous devez aller quelque part?

185

– Non, répond-il. M'sieur.

– Alors, quand était-ce ?

– Euh, quelque chose comme... comme y a un mois, peut-être.

– Peut-être moins ?

– Peut-être.

– Peut-être quinze jours ?

– Chais pas. Peut-être. Chais pas.

– Écoutez-moi bien, Yves, dis-je. Il y a quinze jours, votre pote a descendu une gamine de quatorze ans. Il vous a filé le pistolet.

– J'ai tué personne.

Dieu sait pourquoi, il regarde Stacey.

– Personne n'a dit que vous avez tué qui que ce soit, réplique-t-elle.

– Mais c'est vous qui avez l'arme, dis-je.

– Comment vous savez que je l'ai ? rétorque-t-il, se retournant vers moi.

– LL nous l'a dit. Hier.

Et Stacey d'ajouter :

– Il nous a dit qu'il vous l'avait donnée.

– C'est vous qui le dites, marmonne Dirty sans s'adresser à personne en particulier.

– Quoi ?

– C'est vous qui dites qu'il vous l'a dit, déclare-t-il, ce qui n'est pas bête, mais qui me fiche néanmoins en rogne. Qu'est-ce que j'en sais, moi, hein ?

– Vous voulez jouer au malin ?

– Nan.

– Qui nous l'a dit, à votre avis ? Vous croyez être un tel caïd que je vais aller vous chercher chaque fois que quelqu'un se fait buter à Brooklyn ?

– Nan, mec. J'disais juste ça comme ça. Où il est maintenant, LL ?

– En prison, répond Stacey.

– Pourquoi il est en prison ?

– C'est moi qui l'y ai mis, dis-je du tac au tac.

– Pourquoi ? C'est pas lui qui l'a butée.

– Vous savez quoi que ce soit à ce sujet ? demande Stacey d'une voix presque douce.

Dirty lui jette des coups d'œil de plus en plus fréquents. Sans l'avoir voulu, elle se mue en gentil flic.

– Je sais seulement ce qu'il a dit.

— Qu'est-ce qu'il a dit ? s'enquiert Stacey. Comment est-ce que vous savez qu'il ne l'a pas tuée ?

— Enfin quoi, pourquoi il serait allé buter sa copine ? Jamais elle lui a rien fait de mal. C'était sa meuf.

— Mais il vous a donné l'arme, reprend-elle, et Dirty opine. Racontez-moi.

— Il m'a juste dit, genre, rends-moi service. Qu'est-ce que j'pouvais faire ? J'lui dois ma vie. J'lui dois ma *vie*.

— Et vous l'avez cachée, poursuit-elle.

— Ouais, j'l'ai cachée. Qu'est-ce que j'pouvais faire ?

— Où est-elle ? dis-je d'une voix trop forte.

Stacey me jette un regard en coulisse.

— J'lai pas vue depuis une semaine ou què'que chose comme ça, répond-il, se fermant à nouveau. J'crois que quelqu'un l'a piquée.

— Pourquoi est-ce que vous devez la vie à Lamar, Yves ? demande Stacey, essayant de renouer le fil de la conversation.

— Ça, c'est autre chose, m'dame.

— Parlez-moi de l'arme, alors. Quand vous l'a-t-il donnée ?

— Hum. On était là où c'est qu'on va traîner quelquefois, dans Pitkin.

— Une maison ?

— Un appart. Un appart. LL habitait là, mais c'était pas à lui. Y a personne qui vit là. Ça appartient à personne. Y a juste une pièce et une autre à côté. Bon, alors j'dormais et LL est entré. Il est entré et il m'a dit genre, ho, Dirty, réveille-toi, réveille-toi.

— Il vous a dit quoi que ce soit concernant ce qui s'était passé ? lui demande-t-elle.

— Nan, il a rien dit. Sauf ce que je vous ai déjà raconté ; que sa copine s'était fait buter. Il était juste, genre, vous savez.

— Où est-il maintenant, ce pistolet ? demandé-je à nouveau, et Stacey m'écrase le pied sous la table. Fort.

— Chais pas. J'vous l'ai dit, répond-il.

Puis, regardant Stacey, il demande :

— J'suis dans la merde ?

— Écoutez, Yves, répond-elle. Vous avez caché l'arme qui a servi à commettre un crime ; ça veut dire recel, obstruction à la justice – c'est illégal, vous savez.

— Sans oublier cette affaire de vol, dis-je. Pour le fauteuil roulant.

— Vous allez me filer un A.C.D., rétorque-t-il, signifiant par là que c'est n'importe quoi et que nous allons classer l'affaire dès que nous reprendrons nos esprits. Foutaises, mec. Vous allez oublier ça.

— Pas question, mec. Ça pue, tout ça. (Je fronce les sourcils.) Tu trimballes ton cul dans un fauteuil roulant ? C'est quoi, ton problème ? T'as aucune dignité, Yves ? Pour voler le fauteuil roulant d'un frère handicapé ?

— Non, mec. Je l'ai trouvé, c'est tout.

— Ça pue, mec. (Je secoue la tête.) Je te le dis.

— Nan, c'est vrai. Quelqu'un me l'a donné.

— Quelqu'un te l'a donné ?

— Sans blague.

— Bon sang, Yves. Les gens n'arrêtent pas de te filer des trucs, hein ? dis-je. Comme ce flingue, par exemple. T'es quoi, une espèce de putain de prêteur sur gage ?

— Nan.

— Où est-il ?

— Chais pas.

— Où est-il ?

Revoilà le pied de Stacey.

— Chais pas, mec, répète-t-il (un mensonge). Ça fait un bail.

— Tu pourrais être inculpé de ça aussi, dis-je (un autre mensonge). De complicité de meurtre. Tu pourrais peut-être aller chercher le flingue. Avec l'inspecteur Solano, là.

— Chais pas si je pourrais le retrouver. Je vais chercher, si vous voulez. Si vous me donnez un peu de temps. Mais je l'ai pas vu depuis un bail, alors c'est possible que je le retrouve pas.

— Tu devrais être plus soigneux avec les armes. Un type futé comme toi.

— J'devrais pas prendre un avocat ? demande-t-il à Stacey.

— Tu sais quoi ? Tu devrais peut-être prendre un avocat, dis-je. Tu devrais pas nous parler sans que ton avocat soit là. T'as des droits, tu sais. Tu veux un avocat ?

— J'ai pas l'argent pour payer un avocat.

— Mais non, mec, ils sont gratos. Et c'est ce qu'ils valent, jusqu'au dernier centime.

— Vous croyez que je devrais me prendre un avocat ? demande-t-il de nouveau à Stacey.

— Dirty, mec, tu peux me croire, dis-je. Tu n'as jamais entendu parler de la Constitution ? Tu as des droits.

— Je sais bien que j'ai des droits. Garder le silence et toutes ces conneries.

— Il faut que tu approfondisses la question, mon pote, dis-je. Trouve-toi un de ces avocats gratos, et puis raconte-lui tout ce que tu as envie de me dire. Et dans à peu près deux mois, ton avocat m'appellera et me dira d'aller me faire foutre. C'est vraiment un supersystème. Alors, qu'est-ce que t'en dis ?

— J'vais pas vous dire d'aller vous faire...

— Tu seras en taule, bien sûr. Et tu devras attendre un an de plus pour passer en jugement. Tu attendras en taule, tu vois ce que je veux dire ?

— Oh, merde. Pour de vrai ?

— C'est ton droit d'aller en taule. C'est dans la putain de Constitution, mec. Il n'y a pas de Constitution là d'où tu viens ? Et d'où tu viens d'ailleurs, mon pote ? De l'Indiana ?

— De Port-au-Prince.

— D'où ça ?

— De Port-au-Prince.

— De Porta-John[1] ? C'est à Haïti ou je sais pas où, c'est ça ?

— Haïti. Ouais, mec.

— Haïti... bah, laisse tomber. Ils n'ont pas de Constitution là-bas. Tout ce qu'ils ont, c'est la plage. Des tripotées de plages de sable blanc. Ça te manque Haïti, hein, mon pote ? T'es mon pote, hein, Dirty Porta-John ? T'es mon putain de pote ? Ça te manque, Haïti ?

— Nan, mec.

— Non ? T'aimes pas la plage ? T'aimes mieux ces putains de rues dégueulasses où tu reçois de la merde en pleine tronche que la plage et le sable ? T'aimes vivre dans ces quartiers pourris où tu reçois de la merde en pleine tronche toute la journée ?

— Mon père a été tué à Haïti.

— Sans déconner.

— Ouais. Macoute.

— Ça c'est dur, mec, dis-je. Ton vieux qui claque comme ça ? C'est un sale truc. Quel âge il avait ?

— Chais pas. Il était pas vieux vieux.

— Il avait quatorze ans ?

— Quoi ?

— Je parle chinois ? Est-ce que ton vieux avait quatorze ans ?

— Non, mec. Qu'est-ce que...

— Je suppose que c'était pas une fille, non plus ?

— Hein ? demande-t-il, interrogeant du regard Stacey et même Solano. Mec, je ne...

— C'est quoi, ton problème ? Tu comprends pas ce que je te dis, Porta-John ? Tu crois que tu peux te foutre de moi ? Tu crois que tu peux me raconter des conneries ?

---

1. Marque de sanitaires portatifs. *(N.d.T.)*

– Non, mec. C'est juste que je comprends pas pourquoi vous me demandez...

– Gio, intervient Stacey.

Solano a posé son coupe-ongles.

– Fourre-toi ça dans le crâne, dis-je, ignorant Stacey. À moins que le macchabée de ton père soit une adolescente de quatorze ans qui s'appelle Kayla Harris, je n'en ai rien à foutre. Je m'en fous complètement si Bébé Doc Duvalier lui a coupé les couilles. Tu m'as bien compris, Porta-John ?

– Gio, insiste Stacey. Pourquoi ne...

– Tu crois que tu vas te foutre de ma gueule ? Me raconter des conneries ? Écoute-moi bien. Fous-toi de moi, et je te baise jusqu'au trognon.

Il ne répond pas.

– Écoute-moi bien maintenant, Yves. Tu vas m'aider, ou sinon je vais m'occuper de toi, je vais te faire condamner, et après ça je t'achèterai le billet le moins cher dans le prochain avion-cargo à destination de Haïti. Même pas, putain, je vais fourrer ton cul dans une enveloppe et t'envoyer là-bas par la poste, parce que c'est ta destination – aussi sûr que tu es assis là en train d'empester cette pièce. T'es pas un citoyen de ce pays, Yves. Je te condamne, t'es viré d'ici. Viré. *Au revoir*, bordel. *Comprenez-vous*, espèce de trou-du-cul ?

– Oui.

– Tu te prends toujours pour un enfoiré de petit malin ?

– Nan.

– Qui c'est, le plus malin des enfoirés que tu connaisses ?

– Chais pas.

– Oh, Dirty. Mais tu l'as sous les yeux, mon frère !

– D'accord.

– Alors je vais te poser encore une fois la question. Veux-tu exercer ton droit constitutionnel d'être représenté par un avocat conformément à la décision de 1963 faisant jurisprudence prise par la Cour suprême des États-Unis dans l'affaire Gideon contre Wainwright ? Alors, qu'est-ce que t'en dis ?

– Hein ?

– *Tu veux un putain d'avocat ?*

– Nan, nan. J'travaille pour vous.

– Dans ce cas, mon frère, je n'ai plus qu'une question à te poser aujourd'hui, dis-je. (Je suis de nouveau calme, et tout le monde est calme, silencieux, même le climatiseur.) Où est le flingue ?

190

*

Une heure plus tard, l'arme – un calibre .25 chromé de fillette –
scellée dans le sac plastique destiné à recueillir les pièces à conviction, Stacey, au volant de la Caprice bleue, commente :

– Et dire que je pensais qu'il n'y avait qu'avec moi que tu étais
un enfoiré.

## 27

La blonde Holly est assise à côté de moi sur une banquette d'angle dans une salle sombre où les verres vont et viennent avec une délicieuse facilité, et l'odeur antiseptique de la vodka imprègne son haleine. Je commence à être soûl, mais je suis dans la phase agréable; l'hébétude est encore loin. Holly n'est pas en reste, mais elle a atteint ce point ennuyeux où je lui semble presque trop fascinant, où elle est suspendue à chacune de mes paroles avec un enthousiasme indéfectible, inconditionnel. Après avoir renversé la tête en s'esclaffant à quelque commentaire qui n'a rien de drôle, elle doit de nouveau accommoder son regard gris-vert sur moi.

Après le bureau, nous sommes allés en taxi jusque chez elle; et tandis que j'attendais avec le chauffeur au volant alors que le soleil se couchait, elle est entrée dans l'immeuble, a ôté son tailleur et réapparu un instant plus tard, totalement transformée dans une robe légère, simple, d'une teinte beurre frais. Elle s'est élancée comme un garçon sur le trottoir en direction du taxi, avec une exubérance sans réserve – ouvertement, plaisamment séductrice –, parfumée de frais, les cheveux bien brossés.

– Je suis prête, a-t-elle dit. Et avec ces mots, la nuit s'est ouverte comme un cadeau.

C'est une solide jeune femme, avec des épaules de nageuse, et le taxi a fléchi sous son poids. Elle a les bras et les jambes nus; un muscle fuselé gonfle sa cuisse nue et se prolonge sans entrave sous la robe qui s'arrête haut sur sa jambe. Ses bras sont fermes. Elle pourrait briser Stacey en deux comme une brindille, je pense; mais dans un combat au finish je miserai sur Stacey – ne serait-ce que parce que cette dernière ne se battrait pas à la loyale.

À présent Holly me contemple d'un regard optimiste par-dessus son Cosmopolitan. Le pied délicat, très lourd, est figé en l'air; seul le soin avec lequel elle tient son verre indique qu'elle ressent les effets de l'alcool. La vodka est un voile, scintillant sous un étroit cône de lumière blanche situé au-dessus de la jeune femme et qui l'illumine en laissant le reste dans le noir. Même moi. Je suis assis dans le noir, la regardant boire (elle déplace sa tête, non le verre); ce faisant, une mèche blonde glisse et tombe le long de sa joue. Elle ne la repousse pas, mais incline sa tête selon un angle différent et me contemple de derrière ce voile – et elle sourit, sachant que je suis à sa merci désormais.

Le verre rejoint ses lèvres et elle boit, son rouge à lèvres dédoublé par le reflet. Elle est ivre mais encore ravissante, et alors qu'elle se laisse aller avec langueur contre le dossier, sortant du cône de lumière, je la perds momentanément de vue jusqu'à ce qu'elle réapparaisse à mon regard dans une posture de soumission bestiale, son cou nu invitant à la morsure.

– *Quoi?* me demande-t-elle, comme le font les femmes.

Nous sommes entourés de couples, et de la musique flotte dans l'air. Des femmes vont et viennent, des tabliers drapés autour d'elles comme des robes, plus longs encore que les jupes qu'elles portent. Elles se déplacent furtivement. Elles flottent. L'une d'elles surgit et s'immobilise non loin; ses traits se dissolvent alors qu'elle passe de la lumière à l'ombre, de sorte que seul demeure le scintillement de son épaule luisante.

– Quoi? répète-t-elle.

– Rien, dis-je.

Mais j'ai des pensées grivoises où elle joue le premier rôle, et elle le sait. Nous en sommes au commencement, et je suis prêt à tout lui concéder; mais elle, parce qu'elle est jeune, est prodigue de son avantage. Elle ne demande rien. Elle s'abandonne sans mot dire, sachant que les verres ne sont qu'un prélude et qu'autre chose va suivre. Elle semble toute disposée à se laisser mener.

Elle est trop disposée à se laisser mener. *Depuis quand les filles se rendent-elles sans résister?* J'éprouve brusquement une touche de déception. (Si ça ne coûte rien, je n'en veux pas.) Demain matin, elle s'éveillera encore convaincue d'avoir enfin trouvé, persuadée que je suis le bon, mais à côté d'elle le matelas sera vide. Si je lui expliquais que je n'ai rien contre elle, elle le prendrait quand même à cœur. La sentimentalité est la première faiblesse d'une femme. Son besoin d'être aimée, la deuxième. La troisième, le fait qu'elle prenne tout rejet personnellement.

Les derniers temps, Amanda ne me regardait jamais comme Holly ; elle ne m'accordait pas même un regard. Elle m'a quitté sans la moindre pensée sentimentale. Elle qui était médecin m'a amputé comme une jambe gangrenée, d'un seul coup de bistouri assuré. Elle est allée vivre à Manhattan et m'a laissé derrière elle, ainsi que tout ce qui appartenait à Opal à l'exception du souvenir de son visage.

*

Holly se lève et avale d'un trait ce qui reste dans son verre, attirant l'attention d'un homme assis à la table d'en face, ainsi que de la femme qui l'accompagne et qui suit son regard. Ils sont l'un et l'autre également fascinés par les seins merveilleux et libres de ma compagne, que couvre seulement l'étoffe mince de sa robe. C'est une splendeur, une beauté voluptueuse qui n'est pas courante de nos jours.

– Ne t'en va pas, s'exclame-t-elle d'une voix gaie, trop forte.

Je l'observe qui s'éloigne, le dos droit, consciente des regards, jusqu'à ce que ses épaules larges et nues disparaissent à l'angle sombre de la pièce.

Sur la banquette, près de moi, elle a laissé un sac en plastique jaune dans lequel se trouve un CD. Un peu plus tôt, encore sobres, nous sommes passés comme un véritable couple devant le magasin de disques sur Broadway où Fiona trône parmi les néons. (Je pensais que je la connaissais avant de prendre conscience qu'elle est tout simplement célèbre.) J'ai offert le CD à Holly. À présent j'ouvre le sac et je me retrouve seul avec Fiona, songeant à l'issue inévitable de la soirée ; songeant que nous allons retourner chez elle en titubant, monter l'escalier jusqu'à l'appartement où patiente sa colocataire. La robe se muera en flaque de beurre sur le plancher, et avec elle s'évanouira l'attrayante nouveauté de sa nudité.

*Est-ce qu'elle habite seule ?* Je l'imagine avec l'inévitable colocataire ; l'une de ces brunes enveloppées qui s'attachent ironiquement, tels des poissons pilotes, à la beauté féminine libérée. Je l'imagine devant la télé, en tee-shirt, nous attendant, m'attendant. Elle s'éclipsera discrètement, mais non sans m'avoir adressé le bonjour timide de la colocataire et m'avoir jaugé de la tête aux pieds, faisant provision de défauts comme de noix pour l'hiver, de sorte qu'en fin de compte elle n'offrira à Holly nulle consolation, mais : « *Tu sais quoi ? Je n'ai jamais aimé...* » L'appartement lui-même est un dortoir – il aura l'allure et l'odeur d'un dortoir –, il dégagera une odeur de filles avec leurs sprays, leurs tiroirs de sous-vêtements et leurs cycles menstruels synchronisés.

Soudain j'ai envie de me tirer de là. J'ai envie que la moquette s'enroule autour de moi et m'engloutisse dans l'oubli. J'ai envie d'être seul avec Fiona à la table de ma cuisine.

*Combien de temps faut-il pour qu'ils me remettent le câble?*

Une pensée sentimentale pour Stacey, pour ce qu'était notre relation avant que la routine ne s'en mêle. Elle ne se laissait jamais entraîner. Elle ne faisait jamais la morte (sauf pour William). Ce bar était l'un de nos endroits favoris. Un soir, dans le coin sombre – elle était juchée sur le lavabo, ses épaules étroites, parsemées de taches de rousseur, pressées contre la glace. Je grimace quand me revient abruptement le souvenir d'avoir ouvert les yeux et de m'être vu chevauchant Stacey, qui elle-même chevauchait le lavabo. (C'était son idée.) Elle m'avait dit : « Attends une minute; puis suis-moi », et j'avais obéi.

L'homme et sa femme sont assis loin l'un de l'autre. Il a les jambes croisées, la cheville posée sur le genou, et son mocassin Oxford pend mélancoliquement dans le vide. Il l'agite de temps en temps. Le soulier est élégant, d'une élégance anglaise, et bien ciré. Ils forment un couple heureux et jouissent des meilleures prestations lorsqu'ils voyagent. Il mange son dîner sans un mot. Son poignet où brillent des boutons de manchette pivote, une aile de poulet au bout de ses doigts. La femme a les mains jointes, comme si elle priait, devant ses lèvres pincées. Il lui propose de goûter. Elle décline d'un mouvement de tête presque imperceptible.

L'humanité dans toute sa multitude, avec ses myriades de relations, de besoins, de problèmes...

Je les vois dans la rue et le métro, et je ne peux même pas imaginer où ils dorment, encore moins comment ils peuvent être heureux si ce n'est l'espace de quelques moments brefs et sporadiques.

*Stacey pense que je suis un salopard, mais qu'est-ce qu'elle en sait, bordel?*

*Je suis un chien souffrant d'hémorroïdes sur du gazon.*

Je patiente une minute puis je rejoins Holly, tournant à l'angle de la pièce.

Je suis dans le coin obscur de la salle.

Une porte s'ouvre; dans son embrasure, de la lumière et Holly.

Nous voici tous les deux à l'intérieur de la petite pièce.

Je m'abats sur elle, sans un mot.

Bientôt sa robe passe par-dessus sa tête et tombe sur le sol. Elle est perchée sur le lavabo. Elle a le dos pressé contre la glace et je m'efforce d'éviter mon reflet, mais je suis là ; par-dessus son épaule, une expression désespérée sur mon visage, mais ce n'est pas cela que je désire désespérément.

Je détourne le regard et maintiens la porte en position fermée avec ma chaussure pourrie.

*

Elle est silencieuse, à présent, et veut s'asseoir tout contre moi. Cela ne m'ennuie vraiment pas. J'entoure même ses épaules de mon bras et j'enfouis mon nez dans ses épais cheveux dont s'échappe une fragrance de shampooing. Mais c'est une intimité qui n'a pas lieu d'être et devient vite lassante. Mon bras est engourdi et je ne peux pas atteindre mon verre. Il est là, sur la table, sans qu'un frémissement n'agite son ménisque clair, aussi épais que du mercure ; là, juste hors de ma portée, attirant comme l'est ce qui vous est inaccessible. Pas la peine d'espérer. Dans la glace murale, les paupières de Holly sont fermées. (Soit elle s'est endormie, abrutie par l'alcool, soit elle s'imagine que c'est un instant magique.)

L'homme et sa femme sont toujours silencieux ; elle me considère sans détour. À présent je la fixe, moi aussi. Elle me fixe. Nous nous regardons dans les yeux et nous avons l'un et l'autre perdu le réflexe instinctif de nous détourner. Nous nous dévisageons ouvertement pendant quelques secondes qui s'étirent indéfiniment jusqu'à ce qu'elle reprenne ses esprits et se détourne, se retournant vers son mari qui pose abruptement ses lèvres dans son cou et la fait rire. J'éprouve le sentiment injustifiable qu'elle m'a trahi, ainsi qu'une haine franche envers son mari.

Dans le miroir j'aperçois la fille, et je vois ma main gauche plonger maladroitement dans ma veste à la recherche de mon portefeuille, qui glisse entre mes doigts comme un poisson, m'échappe et tombe sur la table, exhibant le lourd écusson doré en forme d'étoile à douze pointes qui capte la lumière et la reflète insolemment. Il n'y a pas d'argent dans le portefeuille, ce qui restait a été dépensé pour Fiona. Quelques cartes de crédit auxquelles la banque a fait opposition, un plan de métro jaune et autre chose – du papier, froissé. Je reste un instant pétrifié avant de reprendre mes esprits. (Le message portant le nom d'Amanda – que j'ai ramassé dans l'angle poussiéreux du bureau.) De ma main libre, je le retire du portefeuille et je le déplie du pouce et de l'index.

Précautionneusement – avec le soin exagéré, réfléchi, de l'ivrogne – je cale le corps immobile et pesant de Holly dans l'angle

196

de la banquette. Son visage s'écrase contre le dossier de cuir, elle dort à poings fermés, les lèvres entrouvertes, dans un écrin de blondeur. Je m'éclipse silencieusement et disparaît par la porte d'entrée.

*

Tout près de là, il doit bien y avoir un téléphone. Il doit bien y avoir une banque – ou quelque chose d'autre ?

*Pourquoi est-ce que je suis parti ?*

*De quoi est-ce que j'ai besoin ?*

J'ai besoin d'argent.

J'ai besoin d'un téléphone.

Passant sous un lampadaire, un couple se dirige vers moi. Je consulte ma montre pour me donner une contenance. Ils passent tout près et je croise furtivement le regard de l'homme ; un piercing chromé transperce l'un de ses sourcils (et un autre sa lèvre). Sa compagne est sa version féminine. Ils s'éloignent dans un nuage de bras, de paroles, de fumée de cigarette.

À présent je cours dans la direction opposée. Je ne cours pas vraiment, en fait ; c'est plutôt une sorte de trot maladroit et qui n'a rien d'athlétique. Je trébuche et manque m'étaler sur un trottoir libre de tout obstacle. Un homme vêtu d'une veste de serveur blanche émerge d'un sous-sol, transportant des choux empilés dans un carton ; il suspend ses pas et m'observe. Sur le carton, je lis JUBILEE CABBAGES.

Je tourne à l'angle de la rue et je me retrouve dans Broadway. Astor Place, non ?

Je ralentis jusqu'à marcher de nouveau et j'enfonce les pans de ma chemise dans mon pantalon. J'aperçois mon reflet en passant devant l'éclatante lumière du disquaire, où brillent des néons de neuf couleurs. Dans la vitre je suis voûté, hanté, encadré par une musique que je n'ai jamais entendue. Ma braguette est ouverte. Personne ne semble le remarquer ou s'en soucier, à l'exception de Fiona. Nous sommes de vieux amis, blasés, à présent. Elle m'aperçoit et s'exclame : « Bon Dieu, Gio ! »

J'ai envie de m'asseoir quelque part.

J'ai besoin d'argent.

Je continue de marcher.

Je retourne son regard à l'œil optique du distributeur.

Dans un coin, sous l'éclat cru des néons, le gardien est assis. Badge carré.

197

*Quel est ce numéro ?*

Alors mon esprit dégorge tout cela comme un violent jet de vomi – 238 – la lumière du jour nauséabonde – la banque dans Montague – le 23 août – l'anniversaire d'Opal – le message téléphonique – Veuillez rappeler.

Mon front heurte le linoléum, ma tête repose sur un tapis de reçus abandonnés. Le gardien me surplombe, le buste incliné, les poings impatiemment campés sur les hanches. Je distingue à peine son visage à cause des lumières fluorescentes qui brillent derrière lui. Je l'entends très clairement. Je ne comprends pas un mot de ce qu'il dit. Le message téléphonique se trouve dans ma main, déplié. J'essaie de le lui montrer, de l'aider à comprendre. J'essaie de m'expliquer, mais je m'entends seulement répéter...

*C'est son anniversaire.*

## 28

Bloch a envie de savoir. Il traîne dans mon bureau, empli d'attente, aussi subtil qu'un chien sous la table de la cuisine.

*Où va-t-il pêcher ses informations, nom de Dieu ?* Personne à la Crim ne se confie volontairement à Bloch, pour autant que je sache. Pas à propos de ce genre de choses, en tout cas. Mais Bloch croit que je suis son ami. Il croit que nous sommes amis parce qu'il me paie à boire, me regarde m'effondrer, me relève et me met dans un taxi. Il croit que nous partageons ce que partagent les hommes, et que cela signifie que je vais lui raconter ce qu'il est venu entendre. Il est déjà au courant concernant la fille. Dieu seul sait comment, mais il est au courant.

Tout le monde est au courant, aucun doute là-dessus. Ce bureau étrangement incestueux. Nous savons ce que trafiquent les uns et les autres. Nous en savons beaucoup trop. Nous savons qui couche avec qui. Nous le savons parce que nous couchons les uns avec les autres et que nous en parlons entre nous. Nous couchons les uns avec les autres, nous en parlons entre nous, puis nous couchons avec des inspecteurs de police qui écoutent la même musique que les accusés sur leurs autoradios. Nous couchons avec des flics et ils en parlent entre eux, nous traitant de groupies de flics. Nous couchons avec des avocats de la défense et ils en parlent entre eux. Les avocats de la défense couchent les uns avec les autres, avec des fonctionnaires de justice, et parfois avec leurs propres clients. Les avocats de la défense couchent avec des criminels, aussi, et croyez bien que nous en parlons tous. Ils viennent au tribunal ou nous les voyons passer dans Montague Street et nous nous demandons : « Est-ce que c'est elle qui... ? » Nous couchons à droite et à gauche et nous en parlons entre nous, tout comme nous parlons des criminels qui baisent leur propre mère, en dépit du fil arachnéen qui relie les criminels et leurs avocats, les flics qui les arrêtent, les procureurs qui les traduisent en justice et les mères qui les ont mis au monde. Nous couchons les uns avec les autres et nous en parlons entre nous le lendemain matin. C'est comme au lycée ; nous avons même des flingues.

Bloch est au courant en ce qui concerne la fille. Il a simplement envie de l'entendre de ma bouche.

Il tourne autour du pot, remuant inconfortablement sur sa chaise trop étroite tandis que je m'active et lui réponds à l'occasion, distraitement, à travers le voile de souvenirs sordides.

En attendant, de l'autre côté de ma vitre encrassée de suie, quelqu'un a tracé un seul mot – SALOPARD – à l'envers, pour que je puisse en profiter, en majuscules de dix centimètres de haut. Mais celui ou celle qui l'a écrit a omis d'inverser le L et, rédigé de cette façon, on a l'impression que c'est l'écriture d'un enfant de cinq ans. Son auteur est probablement l'une des jeunes substituts (toutes des femmes) qui sont rassemblées au-dehors en cet instant, fumant et me toisant du regard. Cela va sonner le glas de l'intérêt qu'elles me portaient, ce mot qui m'encadre désormais comme un halo sale.

Holly ne se trouve pas parmi elles ; pas plus que Stacey, qui a pris l'ascenseur avec moi un peu plus tôt et n'a pas prononcé un mot. Je n'ai rien dit non plus. Elle est au courant, elle aussi.

*

Un moment plus tard, Bloch renonce et change de sujet.

– Qu'est-ce qu'il y a au programme aujourd'hui ?

– Le grand jury. L'affaire de l'adolescente morte.

– Ah, ouais, ouais. Abattue d'un coup de feu dans son pieu. Qui est le tireur ? Rafraîchis-moi la mémoire.

– Personne.

– Ce n'est pas une histoire de balle qui serait partie par accident ? Tu ne cherchais pas du côté de la mère ?

– Du côté de la mère ? Non. Qui t'a raconté ça, Phil ?

– Je pensais que tu m'avais dit... Tu ne m'avais pas dit quelque chose ? J'ai oublié.

Il se moque de lui-même, fait l'imbécile pour éviter d'avoir l'air d'un imbécile.

– Ce n'est pas la mère, dis-je. Je l'ai citée à comparaître. Elle doit témoigner devant le grand jury demain.

– Qu'est-ce qu'il y a derrière cette affaire, déjà? Pourquoi est-ce qu'on a tiré sur la gamine?

– Je n'en sais foutre rien, dis-je, agacé à présent et souhaitant qu'il s'en aille. (*Qu'est-ce que je vais faire à propos de ce fichu message? Je devrais faire quelque chose.*) Parce qu'il faisait chaud. Parce qu'elle n'avait pas de climatiseur.

Bloch me dévisage d'un air entendu. Il croit que j'ai quelque chose derrière la tête.

– Ah... dit-il.

– Quoi, ah?

– Donne-moi un autre indice, lance-t-il d'un ton enjoué.

– Quel indice?

– Allez. Il est dur, celui-là.

– Hein?

– Attends... Ne me dis rien. C'est dans ce roman, pas vrai? Celui qu'a écrit – *Sartre?* À supposer que ça se prononce comme ça.

– Phil...?

– *L'Étranger!* s'exclame-t-il, content de lui, en s'administrant une claque sur la cuisse. C'est à ça que tu pensais, pas vrai – Merlot tue l'Arabe... *à cause du soleil.*

– Meursault, dis-je distraitement. (*J'ai besoin d'un Pepsi.*) De Camus.

– Exactement, approuve-t-il, ravi quand même. Camus.

Un instant plus tard, il reprend :

– Tu ne cherchais pas l'arme dans cette affaire?

– On l'a trouvée. Un Lorcin .25 – je l'ai envoyé au D.A.A.F hier.

– Qu'est-ce que c'est que le D.A.A.F, bon Dieu?

– La Balistique, Bloch, dis-je. Tu es complètement largué, ou quoi?

– Le *D.A.A.F*, répète-t-il d'un ton pensif. Tu as trouvé quelque chose sur le calibre .25? Ils ont déjà fait des recherches dans le fichier central?

– Justement, dis-je en tendant le rapport à Bloch, je viens de recevoir ça. Le pistolet a servi à une tentative de braquage il y a deux ans. Et aussi – c'est intéressant – à descendre quelqu'un une semaine après le meurtre de la fille. Quelqu'un que je connais.

– Y a-t-il une quelconque relation avec le tireur?

– Concernant l'homicide, peut-être. Mais sans doute pas le braquage. Un certain Massiah Quelque Chose a déjà plongé pour ça. Il y a un ou deux ans.

– Massiah, répète-t-il, envisageant de tourner le nom en plaisanterie, avant de renoncer.

201

– J'ai quand même demandé à Sharp d'y regarder de plus près.

– À qui?

– À Stacey. *(Est-il au courant pour elle aussi? Est-ce que j'en ai quelque chose à faire?)* Stacey Sharp. Elle fait équipe avec moi sur cette affaire.

– C'est une des petites nouvelles?

– Exact. Une des petites nouvelles.

– La rousse?

– Ouais.

Et à ce moment-là...

Holly s'encadre soudain dans l'embrasure de mon bureau. Walkyrie courroucée, elle projette un éclair en direction de ma tête. J'esquive. De même que Bloch. L'éclair me manque et s'écrase bruyamment contre la vitre.

– Tu peux garder ton putain de CD! Et tu me dois quatre-vingt-neuf dollars.

Tandis que Holly reste plantée là, Fiona tournoie comme une pièce de monnaie sur le linoléum.

J'ouvre mon portefeuille (toujours vide) et l'offre aux regards.

– Phil?

Il s'incline docilement, pesamment, sur la chaise qui craque et sort de sa poche arrière une pince portant le sceau d'une association bénévole d'inspecteurs de police. Il en tire des billets de vingt dollars qu'il me tend un par un, comme un père.

– Trois, quatre...

– Plus, dis-je, et j'en tends cinq à la fille.

– Je n'ai pas de monnaie, réplique-t-elle en s'adoucissant, la respiration bruyante, le visage bouffi.

– Aucune importance.

– Je te dois onze dollars, ajoute-t-elle, sans s'en aller.

– Holly... dis-je, me levant. Holly, répété-je, et je voudrais en dire davantage, mais je suis incapable d'aller au-delà de son prénom.

Immobile devant moi, elle hésite encore un instant – un bref instant durant lequel elle ajouterait peut-être quelque chose si j'avais moi-même dit quelque chose; mais je reste silencieux et elle tourne les talons avant de s'éloigner dans le couloir, ses cheveux blonds dansant au-dessus des cloisons de séparation, tous les yeux rivés sur elle (le sujet de conversation du jour), me donnant le sentiment d'être quelque chose qui aurait la couleur du canapé en Naugahyde de Bloch.

Stacey est à l'entrée de mon bureau. Je suis seul, occupé à ne rien faire. Je sens son parfum avant de la voir et je l'aperçois à la périphérie de mon regard avant de tourner la tête. Elle est immobile sur le seuil. Elle vient rarement dans mon bureau, s'imaginant peut-être que le ruban de plastique jaune que j'ai déployé tout autour de Windsor Terrace s'étend jusqu'ici, l'empêchant de trop approcher.

– Ne... Tais-toi, dis-je.

Je suis faible et elle pourrait me vaincre aisément ; je suis un Romain licencieux et débauché, nu devant les Goths. Mais elle n'est pas d'humeur. On devine du brun à la racine de ses cheveux roux, qui pendent mollement. Elle a le teint cireux. Elle est trop parfumée. Je ne suis probablement pas très brillant à voir non plus, mais nous avons atteint le point où ça n'a pas d'importance. Je la vois jeter un bref coup d'œil au mot inscrit sur la vitre, mais elle ne commente pas cela non plus.

– Je ne veux pas discuter avec toi, d'accord ? dit-elle d'un ton neutre. Mais réponds à une question, si tu veux bien. Je ne veux pas discuter ; disons simplement que ça fait partie de mon éducation ou Dieu sait quoi.

– Très bien. Vas-y.

– Qu'est-ce que tu vas faire concernant Lamar Lamb ?

– Tu le sais.

– Imaginons que je n'en sais rien, alors.

– Je vais le mettre en accusation.

– Pour meurtre.

– Pour meurtre.

– Giobberti. Tu ne peux pas faire ça. Tu le sais. Tu sais qu'il n'est pas coupable. Ça n'a aucun sens.

– Ça n'a aucun sens ?

– Non !

– Tu crois que ça a besoin d'avoir le moindre sens ? Qui sont ces gens, d'après toi ? Ça n'a jamais de sens.

– Ce n'est pas ce que je veux dire.

– Regarde donc ça.

– Qu'est-ce que c'est ?

– Les enquêtes pour homicide datant de la semaine dernière, dis-je. Un homme retrouvé dans un appartement, une balle dans la tête, une autre dans le pied, emmené à Brookdale, déclaré mort à son arrivée à l'hôpital. Une femme retrouvée sur un toit, morte par suffocation avec un sac sur la tête, ses sous-vêtements dans la bouche. Emmenée à Kings County Hospital, déclarée morte à son arrivée à l'hôpital.

— Giobberti...

— Un homme retrouvé menotté, une balle dans la tête, continué-je à lire. Dans l'appartement, un chien sur lequel on avait tiré aussi.

Après un silence, elle s'enquiert :

— Mort ?

— Comment ça, mort ?

— Le chien. Tu n'as pas dit si le chien était mort.

— Je ne sais pas. Le rapport ne le dit pas.

Elle laisse échapper un soupir et demande :

— Alors, où veux-tu en venir, Giobberti ? Au fait qu'il arrive des choses affreuses aux gens à Brooklyn ?

— Non, Stacey. Au fait qu'il arrive des choses affreuses aux chiens à Brooklyn.

— Arrête.

— Stacey, tu as vraiment envie que je te le dise, ce que je pense ?

— Oui.

— Mais non. Tu devras l'apprendre seule. Tu as trop de... de ce qu'ont les jeunes de vingt-cinq ans, quoi que ce puisse être.

— Pas moi, Giobberti.

— Même toi, Stacey ; mais je vais te le dire quand même. Voilà. Ici, les gens meurent pour toutes sortes de raisons, et la plupart sont vraiment des raisons tordues. Si tu essaies de comprendre, tu perdras la boule. Arrête de te demander *pourquoi* les gens meurent et passe plus de temps à te demander *comment*, *quand* et *où* ils meurent et *qui* est le putain de coupable ; c'est tout ce que tu dois prouver. C'est tout ce qui compte. Tu n'es pas une philosophe, bordel. Tu n'as pas besoin de prouver *pourquoi*. Pourquoi, c'est bon pour la télé. C'est bon pour les films. C'est pour... pour cette foutue Jane Starr qui vient de revenir de congé de maternité. On n'en a rien à foutre du *pourquoi*, Stacey. On ne sait jamais pourquoi les gens meurent ; ils meurent, c'est tout.

— Gio, dit-elle, s'approchant, me touchant l'épaule. Je lui ai parlé.

— À qui ?

— À Utopia. Elle me l'a dit.

— Qu'est-ce qu'Utopia t'a dit, Sharp ?

— Gio, murmure Stacey. Qu'elle a vu sa mère tirer sur Kayla.

— Utopia a vu sa mère tirer sur Kayla, répété-je.

– Elle me l'a dit. C'était un accident.

– Elle te l'a dit. Quand ?

– Hier soir. Je t'avais dit que j'irais là-bas.

Puis elle me demande :

– Elle te l'avait dit, hein ?

Voici ce que je réponds, un instant plus tard :

– Je le savais.

– Gio. Quel foutu gâchis, dit-elle, appuyant son corps menu contre le bord de mon bureau métallique gris. Qu'est-ce que tu veux que je fasse ?

– Ramène-moi Utopia.

– D'accord.

– Je veux lui parler.

– Et Nicole ?

– Laisse-la tranquille. Elle témoigne devant le grand jury demain matin. Laisse faire Solano. Je veux parler à Utopia.

– Qu'est-ce que tu vas faire ?

– Je ne sais pas.

– Est-ce que ça va ? demande-t-elle

– Je vais bien.

– Je veux dire, est-ce que ça te va ?

– Ça n'est plus pareil maintenant. Ça me va.

– Tu es sûr ? Tu n'as pas l'air dans ton assiette.

Je réponds (sans réfléchir) :

– J'ai passé une mauvaise nuit, c'est tout.

Et, tournant le regard vers la vitre puis vers moi, d'une voix triste, mesurée, elle dit :

– Tu *es* vraiment un salopard, Gio.

## 29

Utopia Carbon me fixe d'un œil torve, réprobateur, aussi noir que le canon d'un pistolet. Ses yeux étaient différents dans mon souvenir. Différents, et pas subtilement ; ils étaient totalement différents, comme si une autre personne me regardait à présent dans sa silhouette filiforme, derrière ses cheveux qu'une permanente a aplatis et raidis.

Il y a dans ce monde des filles comme elle et des civilisations entières qui vivent dans toute leur complexité juste sous notre nez sans que nous les remarquions. Utopia, assise à la réception, près de la table où trône une boîte de Kleenex, se trouve à présent dans mon univers, bouteille fermée échouée sur une plage. Je voudrais pouvoir lui dire que je connais la raison de sa présence ici, mais je l'ignore. Je sais seulement ce qu'elle est venue faire. (Elle est venue dénoncer sa mère.)

Je marche et elle me suit. Je la fais asseoir dans mon bureau, sur une petite chaise métallique. Elle place une jambe fine sur l'autre et ne bouge plus. Je m'assois. Elle ne me regarde pas. Elle examine distraitement le bout de ses doigts. Un voile de cheveux couvre l'un de ses yeux. Soudain, je réalise qu'elle ne porte pas ses lentilles d'un vert chlorophylle inquiétant.

— Pourquoi ? (Voilà la première question que je lui pose.) Pourquoi lui a-t-elle tiré dessus ?

— C'était... mmh... c'était n'importe quoi, répond-elle. C'était rien du tout. Juste un truc entre eux.

— Qui ça, eux ?

— Ma mère et lui. Lui. LL. Lamar, je sais pas comment vous l'appelez. Elle voulait pas que LL sorte avec Kayla.

— Pourquoi ?

— Vous savez bien – c'est comme ça qu'elles sont, les mères, dit-elle. Ils étaient dans la chambre. Ma mère, heu, elle cognait sur la porte et elle disait à Lamar qu'il devait partir, et Lamar faisait comme s'il entendait pas ou je sais pas quoi. C'est là que je me suis réveillée, quand j'ai entendu le bruit et tout ça.

— Que s'est-il passé à ce moment-là ?

— C'est là qu'elle a foutu le camp. Je l'ai vue flanquer un coup de pied dans la porte et se barrer dans la cuisine.

— Pourquoi ?

— C'est là qu'elle planquait le pistolet.

— Quel genre de pistolet ?

— Un automatique ? C'est comme ça qu'on appelle ceux qu'ont pas un machin rond ?

— C'est ça.

— Tout argenté, avec la crosse marron. Un petit. Elle l'avait depuis que... depuis que Mass le lui avait donné. Elle disait que c'était pour se protéger et tout ça. Je l'ai jamais vraiment regardé, mais je savais qu'il était derrière le frigo.

— Qui le lui a donné ?

— Le père de Kayla. Il s'appelle Mass.

— Ah, oui. Vous reconnaîtriez le pistolet si je vous le montrais ?

— Il est ici ? demande-t-elle, s'agitant soudain, comme si je venais de lui dire qu'une vipère cuivrée était enroulée sur le plancher derrière le tiroir cassé de mon bureau.

— Non. Je l'ai en photo, mais finissez d'abord de me raconter ce qui s'est passé. Qu'est-il arrivé quand elle a pris le pistolet ? Où étiez-vous ?

— J'étais dans l'autre chambre. C'est là où je dors avec ma mère.

— Vous pouviez tout voir ?

— J'étais là. C'est petit. Et y a pas de porte à ma chambre.

— Je sais, dis-je. Et alors ?

— Alors elle est retournée à la chambre de Kayla, à la porte, et elle a continué à cogner dessus en disant à Lamar de sortir, de s'habiller et de se tirer et tout ça. Et c'est là que la porte s'est ouverte d'un seul coup et Lamar était là et ils se criaient dessus et – oh mon Dieu ! – c'est là que j'ai entendu le pistolet faire bang et tout.

— Vous avez vu le coup partir ?

— Mmh, ça s'est passé comme ça.

— Est-ce que votre mère tenait le pistolet quand le coup est parti ?

– Ouais, elle était plantée là. Elle faisait des grands gestes avec. Comme ça. (Elle mime avec son long bras, mince comme une corde.) C'est pas comme si elle visait ni rien. Elle... le coup est parti, c'est tout. Et après, elle s'est laissé tomber par terre. Et LL s'est tiré.

– Mon Dieu.

– Vous savez, m'sieur. Je ne... commence-t-elle, mais elle ne parvient pas à achever sa phrase.

Je patiente. Je feuillette les photographies prises par les techniciens de la scène du crime, et j'en montre une à la jeune fille.

– C'est votre chambre ?

– Ouais. (Elle hoche la tête, effleurant l'une de ses joues.) Et la chambre de ma sœur, elle est par là.

– Cette chambre-là ?

Je lui montre une autre photo.

– Oui. Mais la porte était plus ouverte que ça. Je peux regarder ces photos, monsieur ?

– Je ne crois pas que ce soit une bonne idée.

– Pourquoi ?

– On y voit votre sœur.

– Je veux quand même les regarder, réplique-t-elle, et rien ne la ferait changer d'avis.

Je les lui tends. Elle les examine l'une après l'autre. L'adolescente morte figure étendue bras et jambes écartés sur le lit, nue, dans des photos prises à des distances et selon des angles différents ; toutes avec le même détachement clinique, comme si elle était une tache de sang, une arme ou une quelconque autre preuve matérielle. Elle est la pièce à conviction numéro 1. Dans certaines photos, on voit son corps tout entier. Dans d'autres, ses pupilles sans vie fixent le vide. Si l'on ne tient pas compte de ses yeux (et d'un orifice de la taille et de la couleur de l'extrémité d'un tube de rouge à lèvres sur son sternum, entre ses seins épanouis), elle pourrait être endormie. Elle a le corps d'une adulte, des cuisses épaisses et les aréoles larges, circulaires, d'une femme qui a récemment accouché.

– Elle est tellement belle, dit Utopia après un long moment. (Elle a la tête baissée et je ne vois pas son visage.) Tellement belle.

– Oui, dis-je, la regardant à nouveau.

D'une beauté posthume.

– Elle est si bien coiffée, murmure Utopia, puis elle relève la tête et regarde dans le vide. Je lui prends la photo des mains.

– Qu'est-ce qui va se passer maintenant, m'sieur ? demande-t-elle. Vous allez l'arrêter, hein ?

– Oui, dis-je. Ça ne va pas vous poser de problèmes ?

– Je la déteste pas, si c'est ce que vous voulez dire, réplique-t-elle. Vous comprenez ?

– Non.

– Non, hein, dit-elle. Je pense pas qu'il y ait un coupable. Je veux dire, je pense pas qu'elle soit coupable. C'est la faute de personne. Elle a fait une connerie, c'est tout. C'est pas de sa faute si elle est comme ça. Elle était pas pareille, avant.

– Non ?

– Non, m'sieur. Vous la connaissiez pas avant. Une fois qu'elle a commencé, quand Mass a été en prison – ça a été, genre, boum. Tout a changé.

– Quand était-ce ?

– Oh là là. Je dirais il y a un an. Peut-être moins. Après que le père de Kayla, il s'est retrouvé au pénitencier. C'était en été, en tout cas.

– C'était Massiah Harris ? dis-je. Son père ?

– Oh là là, vous êtes au courant de ça ? Vous savez tout sur nous. C'est drôle.

– Vous m'avez dit que vous l'aviez déjà vu ? Le pistolet ?

– Juste une fois avant cette nuit-là. Je savais même pas qu'il était chargé. Quand ma mère l'a pris, je croyais que c'était pour déconner. Vous savez. Pour essayer de faire peur à Lamar et qu'il s'en aille, ou un truc comme ça.

– Votre mère le savait ? Qu'il était chargé, je veux dire ?

– Je ne sais pas. Je l'ai juste vue le prendre une fois. Elle nous avait dit de pas y toucher. Les fusils c'est dangereux, elle disait. Elle avait raison, hein.

– Quand est-ce que vous l'avez vue le prendre ?

– Quand elle a essayé de le fourguer à un type. J'étais là. Je l'ai juste regardé, je l'ai pas touché ni rien. J'avais jamais vu un pistolet de si près alors je l'ai regardé et je me suis dit, alors c'est à ça que ça ressemble.

– Qui était le type ? Lamar ?

– Non. C'était juste un... C'était personne, vraiment. Il traînait dans le coin à une époque, c'est tout.

– C'était un ami ?

Elle ne peut pas s'empêcher de rire.

– Il a pas d'amis. Il traînait juste dans le coin, vous voyez ? C'est un dealer, voilà. C'est lui qui fourguait la came à ma mère avant que Lamar revienne.

– Pourquoi est-ce qu'elle lui montrait le pistolet?

– C'est que... Un jour, elle avait pas de thune. Elle avait pas d'argent pour le payer, je veux dire. Après un temps, vous savez, elle s'envoyait peut-être pour cinquante billets par jour.

– Cinquante dollars? Où est-ce que votre mère trouvait cinquante dollars par jour?

– À votre avis, m'sieur? rétorque-t-elle, me riant presque au nez. Vous savez bien ce qu'elles font!

– C'est chez vous qu'elle faisait ça?

– Non, dit-elle. Pas au début. J'imagine qu'elle allait sur Belmont Avenue avec les autres. Mais ce type dont je vous parle, c'était un régulier ou quelque chose comme ça. Parfois elle l'invitait chez nous, quand elle avait pas d'argent à lui donner. Ils se sont vus régulièrement pendant un bout de temps. Quelque chose comme une nuit sur deux. Mais après il lui a dit, genre, laisse tomber.

– Qu'est-ce que vous voulez dire?

– Il en avait marre; c'est quand elle essayait de lui refiler n'importe quoi. Une chaîne que Mass lui avait offerte. Le magnéto-scope. Elle le lui a donné. Elle a essayé de lui fourguer le pistolet, comme je vous ai dit. Mais il n'en a pas voulu, alors elle savait plus quoi faire. C'est là qu'elle lui a dit, vas-y. Va dans la chambre de Kayla. Vas-y, mais je veux rien entendre.

– Qu'est-ce que vous voulez dire?

– Dans sa tête, ça allait tant qu'elle entendait rien. Mais c'est Kayla qui a fait du bruit. Qui a dit non et tout. Enfin, au début; après, elle a plus rien dit. Kayla faisait toujours ce que ma mère lui demandait. Elle était comme ça.

Je ne souffle mot.

– Moi je faisais semblant de rien savoir, mais je savais.

– Mon Dieu. Mon Dieu.

Sourcils froncés, Utopia scrute l'extrémité de ses doigts.

– Regardez-moi ces ongles!

Puis elle ajoute, après un silence durant lequel je ne dis rien et elle ne regarde rien d'autre que ses ongles:

– C'est la came qui fait ça, vous voyez? Je le sais. Je l'ai déjà vu. C'est arrivé à un ami, aussi. Pas juste à ma mère. Vous faites n'importe quoi pour en avoir, et l'argent, la famille... Ça compte plus du tout.

– Je suis désolé.

– Ouais, murmure-t-elle. Alors la fois dont je vous ai parlé, c'est la seule où j'ai vu le flingue avant cette nuit-là; la fois où elle a essayé de le fourguer à Pirelli.

– À qui? demandé-je, envahi par un soudain sentiment de malaise.

– Le type. Il a dit, et pourquoi je voudrais d'un flingue de gonzesse? Parce que le flingue était trop petit pour lui. Il se la ramenait toujours comme si personne lui arrivait à la cheville. Il était toujours en train de se la jouer, vous voyez? Il s'imaginait qu'il était vraiment comme ça. Mais c'est pas vrai. C'était rien qu'un éclopé. Un sale vieux dégueulasse. Je le déteste.

– Qu'est-ce que vous voulez dire, un éclopé? demandé-je, mais j'ai déjà compris.

– Ouais, il s'imaginait qu'il était un vrai balèze et tout. Mais il était que dalle. Tout ce qu'il savait faire, c'était se balader dans Sutter Street avec son fauteuil roulant.

– Comment est-ce qu'il s'appelle?

– Tout le monde l'appelait Pirelli. Parce qu'il avait des pneus à la place des jambes.

– Portoricain?

– Je suppose. Il avait la peau plutôt claire, en tout cas. Il se la ramenait toujours comme s'il était un *Neta*[1] ou je sais pas quoi. Mais y avait vraiment de quoi rigoler, parce qu'il était rien du tout, en fait.

– Est-ce que vous connaissez son nom? demandé-je. Son... son vrai nom?

– C'est *lui*, maintenant que j'y pense, lance-t-elle, s'animant soudain et ignorant ma question. Tout à l'heure, quand je vous ai dit que c'était la faute de personne? Maintenant que j'y pense, c'est la faute de *Pirelli*. C'est lui qu'a fait plonger ma mère.

– Est-ce que vous connaissez son nom?

– Moi, je dis que c'est Pirelli qu'a tué ma sœur, insiste-t-elle.

Je n'ai pas besoin de répéter ma question. Je sais que Pirelli est Milton Echeverria, tout comme je sais que j'ai laissé filer Milton, que Milton a fait plonger Nicole et que cette dernière n'est pas plus à blâmer que lui; car s'ils sont coupables, je le suis également, moi qui ai libéré Milton et enclenché l'engrenage qui a conduit à la mort de Kayla. Je n'ai pas envie qu'Utopia m'en dise davantage. J'en sais bien assez.

Dans le silence revenu, pourtant, l'adolescente prend enfin conscience de ma question et répond :

– On l'appelle juste Pirelli. Vous le connaissez?

---

1. Gang portoricain d'une extrême violence, fondé dans les années soixante-dix par un détenu purgeant sa peine à Rio Piedras, Puerto Rico. *(N.d.T.)*

— Non, dis-je. C'est sans doute une... une simple coïncidence.

— Eh bien, il a eu ce qu'il méritait, de toute façon.

— Qu'est-ce que vous voulez dire ? demandé-je malgré moi.

— Un garçon que je connais dans Dumont, il m'a dit qu'on l'avait buté, réplique-t-elle. Dans Euclid, il y a une semaine ou quelque chose comme ça. On dirait que vous le connaissez.

— Il s'appelait Milton Echeverria, dis-je enfin. C'était... juste un dealer. Comme n'importe quel dealer qui aurait pu fourguer sa came à votre mère. Ce n'était personne. Ce n'est pas sa faute.

— Eh bien maintenant, c'est *vraiment* plus personne, rétorque-t-elle. C'est bien fait pour lui.

— C'est ce qu'a dit l'inspecteur en charge de son affaire.

— Quelle affaire ?

— Il a failli être condamné. Il y a un an environ. Pour meurtre.

— Oh merde. Il avait tué qui ?

— Des... des Jamaïquains. En fait, c'étaient des types qui avaient essayé de le descendre.

— Oh là là. Pourquoi il est pas allé en prison ?

— Il y a eu des problèmes, dis-je. Des problèmes juridiques. Quand est-ce que vous l'avez vu pour la dernière fois ? À Cypress, je veux dire ?

— Oh là là, ça fait un bail. Je l'ai pas revu depuis le retour de Lamar. Il est sorti de taule en mai ou quelque chose comme ça et il est revenu. Il est revenu voir Kayla. C'était avant que... comment est-ce que vous appelez Pirelli ?

— Milton.

— Avant que Milton Je-sais-pas-quoi s'en aille. Lamar l'a fait décamper, rapport à ce qu'il y avait entre Kayla et lui.

— Lamar et Kayla sortaient ensemble ?

— Ils étaient pas mariés ni rien, mais ils se voyaient souvent, vous savez ? Lamar a toujours été gentil avec elle, même quand ils étaient gosses. Il lui apportait des trucs. Et après la naissance du bébé, ils allaient toujours se promener comme si Meeka c'était sa fille. Lamar, c'est le seul garçon que Kayla elle a jamais aimé comme ça. Elle est jamais sortie avec personne d'autre. Elle restait presque toujours dans son coin. C'est drôle, vous savez, mais je crois que Pirelli c'est le premier type avec qui elle a couché.

— Que s'est-il passé quand Lamar est revenu ?

— Quand Lamar est revenu, il s'est passé quoi ? s'interroge-t-elle. C'était avant la naissance du bébé, ça c'est sûr. Parce que Lamar a fait genre, oh là là – il a pas dit oh là là, mais il a fait genre oh là là, petite, qui c'est qui t'a fait ça ?

212

— Et qui était-ce ?

— À votre avis ? (Elle esquisse un sourire.) Vous savez tout sur nous ; vous avez jamais vu le bébé ? Comme elle a la peau claire ?

— C'était Milton ? Pirelli ?

— Eh ouais. Et quand Lamar l'a appris, il a fait genre, je vais lui botter son sale cul de 'ricain. Mais je sais pas s'il l'a vraiment fait. Lamar, il a souvent une grande gueule. Je sais juste que Pirelli, il est jamais revenu. Peut-être que Lamar l'a buté quand même.

Une émotion soudaine arrache un frisson à l'adolescente.

— Ça va ? dis-je.

— Ça va, réplique-t-elle. C'est comme si tout ça, c'était pas vraiment arrivé. Je peux pas vous expliquer. (Un moment plus tard, elle s'y efforce pourtant.) Vous avez entendu parler de l'hôpital où ils se sont trompés de bébés quand ils les ont donnés à leurs parents ? Vous en avez peut-être entendu parler ?

— Non.

— Enfin bon, c'est ce qui s'est passé. Et puis ils se sont rendu compte qu'ils s'étaient trompés, plus tard, quand les gosses ont eu cinq ans et qu'il y en a eu un qui a eu une – je sais pas quoi, un genre de maladie, et qu'il est mort. Vous êtes sûr que vous avez pas entendu parler de ces bébés ? C'était dans le journal.

— Non.

— Vous savez, c'est déjà affreux quand votre bébé il meurt, mais en plus maintenant votre vrai bébé il vit avec quelqu'un d'autre. Ce que je veux dire, c'est qu'un tas de gens – des gens bien, en plus, vous voyez ? –, ils font des erreurs. On vit pas dans un monde parfait.

— Non, dis-je.

— Voilà. Je... Je peux pas penser que c'est la faute de ma mère. Elle a juste fait une connerie, vous savez ? Elle a fait une connerie, et puis elle a continué à en faire d'autres. Vous voyez comment ça s'est passé. Elle se sentait coupable et tout parce qu'elle avait fait tapiner Kayla avec Pirelli, alors quand Lamar est venu nous voir, elle a essayé de lui faire peur pour qu'il dégage. Elle s'imaginait que Kayla faisait des passes avec lui alors que c'était pas du tout ça. C'est presque marrant. Comme si elle faisait ce qu'elle aurait dû faire avant, mais c'était trop tard – trop tard pour Kayla.

— Vous ne pensez pas que ce soit la faute de votre mère ?

— Comment ça pourrait me rendre les choses plus faciles ? C'est quand même ma mère. Je peux pas faire comme si j'avais pas de mère à cause de ce qu'elle a fait. Qui j'ai d'autre ? (Elle scrute de nouveau ses ongles.) De toute façon, peut-être qu'elle est clean maintenant. Je l'ai pas vue toucher à la came depuis cette nuit-là; Kayla l'a fait décrocher en mourant.

— Vous pensez que vous pouvez passer l'éponge? demandé-je. Je veux dire, je n'ai rien à voir dans tout ça, et pourtant...

— Vous croyez que vous avez rien à voir là-dedans? (Elle esquisse un sourire.) Mais c'est pas vrai, m'sieur. Écoutez comment vous parlez; vous savez tout sur nous. Comment vous parlez de nous, comme si vous faisiez partie de la famille! Oh là là. Vous faites partie de la famille. Vous faites partie de la famille, maintenant.

— Et Kayla?

— Voilà comment c'est, dit-elle après un instant. Je suis allée voir un film, celui où la terre explosait et tout. Ça a l'air plutôt crétin, mais c'était pas mal. Vous l'avez vu, celui-là?

— Je ne vais pas vraiment au cinéma, dis-je.

— Enfin bon, la planète allait exploser ou quelque chose comme ça parce qu'il y avait un volcan ou un truc sous la terre, alors ils étaient tristes et tout dans le film parce qu'ils allaient mourir. Mais moi je me dis, comment vous pouvez savoir? Vous savez pas ce que c'est, la mort. La mort, c'est peut-être mieux. Peut-être que c'est un endroit meilleur, là où elle est, Kayla. (Elle me regarde.) Alors, vous vous dites que je suis qu'une demeurée ou une folle ou je sais pas quoi?

— Non, dis-je. Rien de tout ça.

— Vous avez déjà eu envie d'être mort? demande-t-elle.

— Non, dis-je. Non.

— C'est drôle, mais moi non plus. Seulement parfois, je me dis qu'on m'a peut-être donnée à une famille qu'était pas la mienne quand j'étais bébé et qu'un jour on va revenir me chercher pour me le dire. C'est juste un truc à quoi je pense. Comme quand on rêve tout éveillé, un truc comme ça.

# 30

Prospect Park West est baptisée ainsi d'après Prospect Park ; c'est une large avenue qui, en retour, donne son nom à plusieurs blocs d'immeubles et de maisons de ville situés en bordure du parc. Ce dernier est juché au sommet d'une pente qui va déclinant vers l'ouest et, de concert avec la topographie, il donne un nom au quartier : Park Slope[1].

Mais au sud, Prospect Park West se prolonge après l'extrémité du parc lui-même, et ce qui reste de l'avenue se rétrécit en deux voies qui coupent Windsor Terrace sans le moindre arbre pour faire de l'ombre au soleil de l'après-midi ; les rayons tapent sur les vitrines des commerces exposés plein ouest et leur donnent l'air nu, sale et ordinaire.

Un couple marche sur le trottoir, affaibli par l'âge et les infirmités. Au coin de la rue, un homme est juché à califourchon sur une bouche d'incendie, torse nu, immobile. Un petit enfant ivre de liberté jaillit soudain d'une porte, ses cris couvrant les vibrations monotones des climatiseurs qui inondent le trottoir de flaques. Une adolescente le suit, agrippant son tee-shirt dans un effort dérisoire et criant son nom. Elle est vulgaire et déjà usée. Il croit que c'est un jeu.

Je suis dans ce quartier que je ne vois jamais : celui d'un après-midi de semaine. Vampire hantant mon propre appartement, je m'attarde ailleurs jusqu'à la nuit pour éviter de m'y trouver ne serait-ce qu'au coucher du soleil. En ce moment le soleil est encore haut dans le ciel et il n'y a que des jeunes, des vieux et des chô-

---

1. *Slope* signifie « pente ». *(N.d.T.)*

meurs. Ils déambulent dans les rues et sur les trottoirs, et n'ont aucune idée de l'endroit où ils sont.

Cet endroit vide de sens, détestable. Combien je voudrais qu'il ait été gommé de la carte du monde le jour où Opal en a disparu ; pourtant il est encore là, poursuivant son existence ordinaire, les gens marchent sur ses trottoirs et circulent dans ses bodegas, ses boutiques italiennes et ses comptoirs d'endossement de chèques, ignorant qu'à moins de quinze mètres de l'endroit où ils font tout cela, mon adorable petite fille a été tuée. *Comment peuvent-ils l'ignorer ?* Quelle notion étrange – qu'il y ait un endroit dans ce monde où elle s'est trouvée, puis ne s'est plus trouvée. Cet endroit, ce simple rond de bitume ordinaire, l'axe du monde ; et autour de lui, le monde a cessé de tourner. (Mais seulement pour moi.)

À cet endroit, par un après-midi aussi radieux que celui-ci, sous un soleil d'été pareil à celui-ci, où les climatiseurs ruisselaient sur les trottoirs, une petite fille est morte. Elle a été engloutie dans une horreur que l'insignifiance du moment et du lieu rends plus horrible encore ; l'horreur d'un jeudi après-midi ordinaire.

Il y avait une Oldsmobile verte.

Je me souviens de chaque détail. Je revois chaque élément ordinaire, fatal, de cet après-midi-là...

Je conduis – je suis au volant de ma voiture – ma Honda pourrie – la climatisation est en panne, les vitres sont baissées – la circulation est dense sur la Quatrième Avenue – c'est étouffant, j'inhale des gaz d'échappement et je songe à Nina et à sa chambre, douze heures plus tôt ; je suis conscient de ce que je suis maintenant, et je me demande ce que je vais faire à son sujet, mais je n'arrive pas à oublier avec quelle facilité sa robe a glissé de son corps, et je pense à cela aussi.

Je n'ai pas envie d'être là, d'aller chercher Opal à quinze heures à l'école – Heather est en voyage – je n'ai pas vu Amanda depuis mardi...

L'institutrice d'Opal m'attend sur le perron de l'école, impatiente – je suis en retard – Opal a oublié sa boîte à sandwich ; elle commence à dévaler les marches du perron, mais il lui faut retourner en courant à l'intérieur – je me gare en double file et j'attends dans la voiture – quelqu'un derrière moi n'arrête pas de klaxonner – *mais double, espèce de crétin !*

Opal approche à présent, brandissant sa boîte à sandwich *La Petite Sirène* pour me la montrer – l'institutrice nous fait signe – Opal grimpe sur le siège à côté de moi – elle veut savoir où est Heather – elle veut savoir où est maman – elle veut savoir pourquoi je suis fâché...

Elle essaie de boucler sa ceinture toute seule – *Papa!*

Je tourne dans Prospect Park West – *Je sais, Opal, tais-toi* – ses petites mains s'activent toujours – elle n'arrive pas à joindre les deux extrémités – *papa!* – et un break immobilisé à un stop dans une rue perpendiculaire, à un bloc de là, s'engage lentement sur ma voie – *Papa, normalement tu dois* – le break est vert, une Oldsmobile hideuse – le conducteur avance petit à petit, impatiemment – *On est presque arrivés, Opal...*

Puis brusquement il est juste devant nous, ce break...

Je donne un grand coup de volant – tout se brouille tandis que la Honda tournoie comme un jouet, et s'immobilise brusquement face aux vitrines des commerces; puis, de nouveau, tout est silencieux sous le soleil.

Je tends la main vers Opal, mais il n'y a que le vide; même le break a presque disparu, s'éloignant avec un grand bruit de ferraille dans Prospect Park West, presque invisible à travers la vitre baissée par laquelle elle a été éjectée.

\*

Je m'immobilise sous l'auvent de l'épicerie coréenne au coin de la rue. J'avais quelque chose en tête, mais j'ai perdu le fil de mes pensées. Bêtement planté là, je regarde – je regarde l'asphalte.

Au milieu du trottoir, un Mexicain adossé à un parcmètre est assis sur un cageot violet, écossant des petits pois. Il sépare les cosses et fait tomber les grains vert pâle dans une cuvette métallique emplie d'eau posée sur le trottoir; ils flottent et dansent à la surface de l'eau. Il jette les cosses vides dans un carton posé là. Je ne vois pas une seule cosse lancée à côté, ni un unique petit pois égaré sur le trottoir. Il ne paraît ni heureux ni malheureux. Ses pommettes sont très écartées dans son large visage maya, que surplombe une épaisse tignasse emmêlée de cheveux d'un noir bleuté elle-même couverte d'une casquette de base-ball incongrue : DALLAS COW-BOY. Je me détourne seulement quand il lève les yeux vers moi.

Sur le trottoir se trouvent des étals de fruits montés sur roulettes et tapissés d'un faux gazon d'un vert éclatant, recouverts de pyramides de poires, d'oranges et de pamplemousses. Il y a également des fleurs dans des seaux. Je choisis une botte d'œillets enveloppés de cellophane et les tire, roses, ruisselant d'eau, d'un des seaux. Le

217

caissier me demande : « Vous voulez... ? », en désignant les tiges. Je hoche la tête, il taille légèrement leur extrémité avant de placer les œillets dans un carré de papier paraffiné et de rouler le tout en forme de cône.

Je me mets à penser à Amanda et à ce que je vais lui dire. Je pose les fleurs sur le siège en vinyle du taxi ; je suis toujours en train de m'interroger sur ce que je vais éprouver en la voyant, quand soudain elle est là. Je la reconnais avant même d'apercevoir son visage. Elle est immobile près de la porte de la loge du gardien, à côté de la grille du cimetière où elle m'avait dit qu'elle m'attendrait. Je la reconnais alors que le taxi ralentit. Il s'écoule une minute entière tandis que je me dirige vers elle. *M'a-t-elle vu ?* L'espace d'un moment, je pense que je pourrais tourner les talons, et elle ne saurait jamais que je suis venu. Elle se tient là, dans la posture qui m'est familière – le dos droit, les genoux joints, les bras croisés comme s'il faisait froid. Alors que je me trouve à dix pas d'elle, elle pivote sur elle-même sans manifester la moindre surprise. Elle a toujours su que j'étais là.

Elle gère cette situation mieux que moi. C'était son idée que nous nous retrouvions ici ; jamais je n'aurais suggéré une chose pareille. J'aurais souhaité à Opal un bon anniversaire à ma façon, mais la démarche d'Amanda est empreinte d'une rigueur péremptoire, sacramentelle, qui m'interdit de faire quoi que ce soit si ce n'est obtempérer.

Quand j'arrive près d'elle, elle me sourit et je l'embrasse sur la joue. Il émane d'elle la même fragrance qu'autrefois, et son sourire est teinté de gentillesse. Elle a toujours été gentille envers moi. Quand elle est partie, elle ne m'en voulait pas. Elle m'a dit qu'elle m'aimait, qu'elle était navrée, mais qu'elle devait partir. Et j'avais beau la croire et savoir qu'elle n'avait pas le choix, je voulais qu'elle reste. Je voulais dire quelque chose pour qu'elle reste, mais la seule chose qui me soit venue à l'esprit, elle ne l'avait pas comprise. Elle était restée un instant immobile dans l'embrasure de la porte tandis qu'un taxi noir, moteur tournant au ralenti, patientait dans la rue.

– Qu'est-ce que tu as dit ? avait-elle demandé.

Je l'avais répété d'une voix faible, honteux, pitoyable. Un avion était passé dans le ciel.

– Que quoi... ? avait-elle demandé. Quoi ? Excuse-moi ?

Je l'avais répété une fois encore.

– Je ne comprends pas ce que ça veut dire, Andrew. C'est un poème ? Le taxi est là. Je...

Elle était partie et j'avais répété une dernière fois dans l'appartement empli d'échos : « *Sur la terre tout entière, mon petit nid est le plus joli.* »

\*

À présent, nous bavardons comme si de rien n'était.

– Bien, bien, dis-je. Et ton père ?

– Bien, bien, répond-elle. Il joue beaucoup au golf, tu sais. Il s'est blessé à la hanche...

– Oh...

– Non, dit-elle. Ce n'est rien. Il va bien. Mais toi, comment vas-tu ?

– Tu sais... bien, bien.

– Tu as l'air en forme, remarque-t-elle d'un ton médical.

– Tu es resplendissante, Amanda, dis-je avec sincérité.

Elle est superbe ; profondément troublante aussi, néanmoins, avec le visage d'Opal qui transparaît dans le sien.

Nous continuons dans cette veine, parlant pour ne rien dire. Nous sommes des étrangers dans le métro.

Quand nous sommes arrivés, elle me prend la main, mais cela ne signifie rien. *Si tu veux savoir, je ne t'en veux pas, moi non plus.* Je sais qu'elle n'avait pas le choix. Elle ne pouvait même pas supporter de me regarder. Aujourd'hui encore, ses yeux n'ont pas cherché les miens à l'exception de coups d'œil rapides, curieux. Elle n'aurait jamais pu se remettre de la mort d'Opal en ma présence. L'amour persistant et illogique qu'elle éprouve pour moi est déplacé, inconvenant. Elle est dotée de la parcimonie d'émotion propre aux médecins et, quand elle m'a dit qu'elle m'aimait, elle a eu l'air de me révéler un diagnostic fatal. Si nous n'avions pas été encore amoureux l'un de l'autre, nous serions peut-être restés en contact. J'aurais pu déménager ses cartons à Manhattan. Nous aurions été voir un film de temps à autre.

Serrant la main d'Amanda, je regarde la pierre tombale étroite, rectangulaire, enchâssée dans la terre et portant son nom ; mon nom. Je ne pense jamais à elle comme à *Opal Giobberti* – elle est seulement *Opal*. C'est étrange de voir mon nom accolé à son prénom, encombrant cette succession épurée de lettres avec ses sonorités truffées de voyelles, imprononçables. Elle-même n'arrivait jamais à l'articuler correctement, souriait d'un air embarrassé chaque fois qu'elle le disait. Auprès de son prénom, mon nom semble être une légende erronée.

J'essaie de me la représenter, m'imaginant que dans ce lieu il pourrait se produire quelque chose. Mais toujours rien.

Je contemple intensément le rectangle de marbre d'Opal, et ce n'est pas à elle que je pense mais à l'adolescente morte. Elle s'appelait Kayla Harris. Sa photo, une photocopie du cahier de classe de son collège, trônait sur un chevalet près de son cercueil. Elle aurait pu être n'importe laquelle d'une multitude d'adolescentes ; la sous-exposition du cliché empêchait de discerner ses traits sombres. Je sais seulement à quoi elle ressemblait morte, pour l'avoir vue dans les polaroïds de la scène du crime et les diapos du médecin légiste. (J'ai vu son cœur perforé, Kodachrome.) Je songe à la réaction d'Utopia devant sa sœur morte : « Elle est si bien coiffée. »

Je pense enfin à elle.

— Andy, lance soudain Amanda, me faisant tressaillir. Est-ce que tu travailles sur une affaire intéressante, ces temps-ci ?

— Oh, tu sais. Toujours la même histoire.

— J'ai entendu parler de toi dans le journal, poursuit-elle.

Et l'espace d'un instant, je me demande comment elle peut être au courant en ce qui concerne Kayla ; elle ne lit pas le *Post*, et le *New York Times* (son journal) n'en a pas parlé. Mais alors elle ajoute : « Pourquoi est-ce qu'on l'appelle l'Homme-Araignée, d'ailleurs ? » et je me détends. Elle ne parle pas de l'adolescente. Elle ne parle même pas de mon travail. C'est une façon de changer de sujet.

— Parce qu'il aimait les bandes dessinées, c'est tout, dis-je. Il s'en est enfilé toute une pile pendant que le jury délibérait. Ce type était vraiment un cas.

Encore quelques platitudes ; mais elle a quelque chose derrière la tête. Elle finit par me demander :

— Tu habites toujours l'appartement de Windsor Terrace ?

— Oui.

— Andy, murmure-t-elle.

— Oui ?

— Est-ce qu'on peut y aller ? En partant d'ici.

— Oui.

— J'aimerais pouvoir prendre quelques affaires, poursuit-elle d'une voix neutre, mais – étrangement hésitante à présent – elle ajoute : Si cela ne te dérange pas.

— Quelques-unes de ses affaires, tu veux dire ?

— Si tu es d'accord, poursuit-elle. Je me souviens d'une robe. J'ai une photo où elle la porte, jaune, avec un petit col comme ça ?

— Tu peux prendre tout ce que tu veux, Amanda. Tout est là-bas.

— C'est drôle, tu sais. J'ai l'impression de... je ne sais pas... de te demander la permission.

— C'est absurde.

— Non, c'est vrai. Parce que dans mon esprit, tout cela t'appartient. Ma mère m'a demandé où étaient ses affaires, ses habits et le reste, et je lui ai dit que je t'avais tout laissé. Ça m'a fait prendre conscience que – à mes yeux, j'imagine – c'est presque comme si elle t'avait appartenu davantage, davantage qu'à moi. Tu comprends ce que je veux dire ?

— Non, Amanda. Pourquoi dis-tu ça ?

— Je sais que je ne devrais pas éprouver ça, poursuit-elle en fronçant les sourcils comme à son habitude, mais pour moi, c'est comme si elle t'avait appartenu davantage. Je ne sais pas.

— Mais non.

— Mais c'est vrai, Andy. Quoi qu'il en soit, c'est ce que je ressens. Ça me fait du bien de parler d'elle. Nous pouvons parler d'elle, aujourd'hui.

— Très bien.

— Je veux te dire quelque chose, et je ne te le dis pas pour te faire du mal ; mais quand je pense à ce qui s'est passé, tu sais ? Quand je pense à elle et à ce qui s'est passé, je peux presque te... te détester plus à cause de cela – du fait que tu aies davantage profité d'elle – qu'à cause de ce que tu as fait.

— Amanda...

— Je sais que ça n'a pas de sens. C'est une raison idiote de te détester. J'aimerais en avoir une meilleure. Ça serait plus facile si je réussissais vraiment à te détester. Mais j'en suis incapable. On ne peut pas détester quelqu'un parce qu'il a été idiot et négligent – on a beau essayer, c'est impossible. On finit juste par le plaindre, et alors où va-t-on ? On finit par se plaindre soi-même, et plaindre la personne qui...

Elle parle, pleure, parle. Elle n'en a jamais parlé de cette façon, pourtant elle est toujours incapable de prononcer son nom à voix haute. Durant un instant fugitif je pourrais faire un geste vers elle, mais je ne peux rien faire d'autre que lire les lettres gravées dans le marbre.

— Je sais que je ne devrais pas te dire ça. Je n'essaie pas de te faire du mal, mais j'étais si... Je ne sais pas, je t'enviais tellement, je pense. Elle t'aimait tant, Andy. C'est vrai. C'est vrai. Vous deux. *Seigneur !* Vos mots secrets et les livres que vous connaissiez tous les deux... Et vous passiez votre temps à finir les phrases de l'autre et à chanter des comptines ensemble. Des comptines parlant de... de sirènes... et de *pucerons*, bon sang. Cette maudite chanson du puceron. Je n'arrive pas à...

— Amanda...

— Oh, et ce film de Cary Grant qu'elle adorait, *L'Impossible Monsieur* — je ne sais plus quoi.

— Tu avais tellement de travail, Amanda ; tu étais au beau milieu de ton internat, tu ne peux pas te reprocher... dis-je, mais cela ressemble à une accusation.

— Tu disais n'importe quoi et elle éclatait de rire. Juste un mot. Ou une expression. Juste... juste un regard... et je devais rester assise là... Sans avoir aucune idée. Aucune idée. La façon dont elle me regardait quand vous étiez ensemble... comme si j'allais l'enlever à toi. La mettre au lit. Mais je ne l'ai pas enlevée à toi. Je ne te l'ai pas enlevée.

Je la laisse pleurer, toujours pétrifié.

— Je n'étais jamais là, reconnaît-elle. Je le sais bien. C'est ma faute, je ne sais pas pourquoi je t'en rends responsable. Elle t'aimait tant. Tu étais un si bon père, Andy, et je te déteste pour ça. C'est terrible, et cruel, n'est-ce pas ?

— Arrête, Amanda.

— Tu as tout eu, Andy. Et maintenant tu as... tu as tous ces souvenirs que je n'ai pas. Je ne peux même pas la voir quand je ferme les yeux. Je me suis dit que si j'avais cette robe jaune...

— Amanda. Seigneur !

— Je n'arrive même pas à voir son visage...

## 31

– Je ne sais vraiment pas ce que je fais là, déclare le médecin légiste après une bonne heure de martini-gin relevés d'une rondelle de citron – ce qu'elle a commandé, et qui n'est pas ce que je conseillerais chez Batson où même l'eau du robinet trouve le moyen de virer, vous collant une migraine de quarante-huit heures.

Elle a les bras croisés sur la table, une table d'angle, à l'écart, derrière le billard, derrière Bloch et sa clique qui nous ont regardés passer comme un seul homme quand nous sommes entrés et que nous sommes allés nous asseoir au fond de la salle. Mon médecin légiste est plus jolie que je n'en avais gardé le souvenir après notre entrevue dans mon bureau, et je suis sûr que Bloch a secoué la tête au moment où je passais devant son regard insistant. Il croit savoir de quoi il retourne, mais avec elle, c'est autre chose.

– Apparemment, vous ne savez jamais ce que vous faites là où vous êtes, dis-je.

– Apparemment, je ne sais jamais ce que je fais avec *vous*.

– Je ne vous ai pas expliqué le fonctionnement du grand jury, l'autre jour ?

– Alors maintenant, expliquez-moi ça. (Elle décroise les bras et désigne rapidement l'alliance à mon annulaire.) Ça, répète-t-elle.

– Je croyais que nous prenions simplement un verre, docteur ? dis-je.

– « Prendre un verre » tout court, ça n'existe pas, réplique-t-elle. Joe.

– Parfois, un verre n'est rien d'autre qu'un verre.

Elle me considère, les sourcils froncés.

– Et un coup gratuit n'est rien d'autre qu'un coup gratuit, je suppose.

– Non, répliqué-je. Je paie toujours moi-même mes consommations.

– Oh ! Ah ! Vous n'êtes donc jamais sérieux ?

– Vous ne pouvez pas imaginer.

– J'imagine très bien. Et je peux deviner le reste.

Soudain, des exclamations bruyantes s'élèvent à l'autre bout du bar. Nous tournons à l'unisson les yeux dans cette direction. Les hommes brandissent les bras en l'air, ils regardent la télé fixée au mur, et nous les regardons. Ce n'est pas du golf ; un type vient d'en massacrer un autre qui gît sur le tapis, et ne se relève pas. Bloch le spectateur est là, l'air idiot et ravi.

– Je ne suis pas marié ; plus maintenant, dis-je. Je suis légalement séparé.

Elle me dévisage d'un air sceptique.

– Vous savez, je ne crois pas que j'aie déjà prononcé ces mots – *légalement séparé*.

– Non ?

– C'est drôle, non ? C'est drôle à dire, en tout cas.

– Drôle, répète-t-elle, l'air peu convaincu. Que s'est-il passé ?

– C'est un sujet plutôt déprimant.

– Vous en connaissez, des histoires de divorce réjouissantes ?

– Elle est médecin, comme vous, dis-je sans raison particulière. Je viens de réaliser que vous étiez toutes les deux médecins. C'est une drôle de coïncidence, non ?

– Elle n'est pas médecin légiste, j'imagine ?

– Non. Ses patients sont bien vivants.

– C'est pour ça qu'elle vous a quitté ? Parce que vous étiez du mauvais côté de la barrière ?

– Qu'est-ce qui vous fait penser que c'est elle qui m'a quitté, et pas... Vous savez ?

– Parce que vous vous donnez un mal fou. Comme si vous essayiez de prouver quelque chose.

– Quelque chose comme quoi ?

– À vous de me le dire.

– Mais c'est vous qui avez abordé le sujet.

– Que vous êtes... Je ne sais pas. Que vous êtes gentil ; que vous êtes un brave type, malgré tout.

– *Gentil ?* Je ne suis pas gentil. C'est ce que je suis en train de faire ?

– Oui. Quoi qu'il en soit, vous avez quelque chose derrière la tête.

– Vous vous faites peut-être des idées, dis-je. Vous n'êtes peut-être pas habituée à ce qu'un homme s'intéresse à vous, après ces nombreux cocktails – assise toute seule à la table de votre cuisine et tout le tralala.

Elle esquisse un sourire.

– Bon, et alors, comment je m'en tire ? dis-je un instant plus tard.

– Ne vous inquiétez pas, Joe, réplique-t-elle en portant son verre à ses lèvres. Vous vous en tirez très bien.

– Vous voulez dire que vous me trouvez gentil ? Qu'est-ce que vous entendez par là, *je m'en tire bien* ?

– Vous êtes en train de me demander si je vais coucher avec vous ? Ce n'est pas ce que les hommes veulent savoir ?

– Nous avons peut-être envie de le savoir, dis-je à l'instant où des exclamations joyeuses s'élèvent de nouveau à l'autre bout du bar. Mais nous n'avons peut-être pas envie qu'on nous le dise. Ça reviendrait à regarder un combat en sachant qui va prendre la pâtée.

Elle boit une gorgée de martini-gin avec la rondelle de citron ; elle ôte celle-ci de sa bouche d'un geste séduisant mais peut-être inconscient, puisqu'elle la laisse tomber sans cérémonie dans un cendrier en répliquant :

– Ce n'est pas un combat.

– Qu'est-ce qui n'est pas un combat ?

– Ça. Vous et moi. Les hommes et les femmes. Une femme n'est pas vaincue parce qu'elle couche avec vous. Elle ne sacrifie rien, au cas où vous ne l'auriez pas remarqué. Et si vous ne l'avez jamais remarqué, c'est sans doute la raison pour laquelle votre femme vous a quitté.

– Non, ce n'est pas pour ça.

– Pourquoi, alors ? demande-t-elle.

– Écoutez. Je ne vais pas entrer dans les détails avec vous. Tout ce que vous voulez, c'est... non, laissez-moi vous dire une chose.

– Allez-y. J'adore ce genre de conversation.

– Je vais vous dire comment sont les femmes.

– Dites-moi.

– Vous êtes sûre d'avoir envie de l'entendre ?

– Dites-moi, répète-t-elle. Vous semblez vraiment en connaître un rayon sur nous.

– Croyez-moi ; une femme ne se forge pas sa propre opinion sur un homme. L'opinion qu'elle a de lui, c'est... c'est une copie carbone de ce que pensent les autres femmes.

– Une copie carbone ? répète-t-elle. C'est totalement absurde.

– Non. Vous voulez savoir pourquoi Amanda est partie afin de décider ce que vous devez penser de moi. Vous voulez le savoir ? Vous voulez savoir pourquoi Amanda est partie ? Très bien. Parce qu'elle ne pouvait pas supporter ma présence ; parce qu'elle ne pouvait plus me regarder en face. Vous êtes contente ?

– Combien de temps êtes-vous restés mariés ? demande-t-elle.

– Huit... presque neuf ans. Écoutez. Je sais ce que vous pensez ; voilà un laissé-pour-compte. C'est parfait, parce que je vais vous dire une chose ; un laissé-pour-compte n'a pas la moindre envie d'une femme qui voudrait bien de lui.

Elle me sourit.

– Mais si une femme voulait de lui, ce ne serait plus un laissé-pour-compte, si ?

– À d'autres.

– Non, vraiment. De toute façon, ça n'est pas ça, l'amour ?

– Comment ça ?

– Ce qu'on ne mérite pas. C'est la définition de l'amour. À mon avis.

– Mais je veux avoir ce que je mérite. Si ça ne coûte rien, c'est de la triche. On ne peut y accorder aucune valeur.

– Nous ne méritons jamais l'amour que...

– On dirait un poster à dix balles, dis-je, l'interrompant. Je vois des chatons...

– Ma foi, c'est votre opinion, Joe. Chacun a le droit d'avoir la sienne, vous savez ; même les femmes. Les miennes ne sont pas des copies carbone de qui que ce soit, je peux vous l'assurer.

Elle boit un instant en silence, m'ignorant, puis reprend :

– Mais si vous entendez par là que j'ai envie de savoir si votre femme pense que vous êtes un pourri, vous avez raison. J'ai envie de le savoir.

– Elle ne le pense pas, dis-je avec emphase.

– Elle pense que vous êtes un type *gentil* ?

– Non. Je ne suis pas gentil. Je suis un pourri – je me suis conduit comme un pourri vis-à-vis d'elle, mais elle n'en sait rien. Elle pense juste que je suis idiot et négligent. Elle ne me déteste pas.

– Idiot et négligent ? (Elle fronce les sourcils, incrédule.) C'est l'opinion générale qu'on a de vous ? Que vous vous êtes conduit comme un pourri, et qu'aujourd'hui vous êtes juste idiot et négligent ?

– Non. L'opinion générale, c'est que je suis un salopard, dis-je. En lettres majuscules. Plus personne ne m'aime.

— Pas étonnant que vous vous donniez tant de mal.

— Arrêtez.

— C'est le moment où nous allons mettre en application votre théorie concernant l'opinion des femmes, dit-elle. Je ne sors pas avec des salopards, Joe.

— Je ne vous jette pas la pierre, répliqué-je en me levant.

— Mais j'aimerais parvenir à cette conclusion toute seule, si ça ne vous fait rien.

Elle m'agrippe l'avant-bras et m'oblige à me rasseoir.

Je suggère :

— Vous êtes peut-être simplement désespérément en quête d'un homme ?

— À ce que je vois, l'opinion qu'on a de vous n'est peut-être pas mauvaise, après tout, dit-elle en soupirant, avant d'ajouter : Mais ce n'est vraiment pas le cas. Et si ça l'était, est-ce que ça n'en dirait pas plus long sur *vous* ?

— Rien que je ne sache déjà.

— Maintenant, c'est vous qui paraissez désespéré.

Elle pose la tête au creux de ses bras d'un geste dépourvu de féminité, le geste d'un garçon de douze ans. Elle ferme les paupières et, quelques instants plus tard, elle dit :

— Je ne veux plus parler de ça.

— Je croyais que vous adoriez ce genre de conversation.

— Non, pas celles-là. Parlons d'autre chose. Au téléphone, vous m'avez dit que vous vouliez me poser une question.

— Oh, je pensais juste au type dont je vous ai parlé.

— Quel type ?

— Milton Echeverria. Le type en fauteuil roulant.

— Je vois.

— Je voulais vous poser une question à ce sujet. Et voir ce que vous en pensez.

— Très bien.

— Je me disais que vous aviez peut-être raison. Bref, je m'occupe d'une affaire similaire, à présent.

— Racontez-moi.

— Un type est au volant de sa voiture, vous voyez ? Et il a un passager. Son gosse. Sa... son petit garçon. Qui a six ans, mettons. Qui est assis sur le siège à côté de lui. Et disons que le type oublie de lui mettre sa ceinture, et que le gamin est assis là sans ceinture de sécurité. Ils ont un accident, et le gosse est – vous savez – éjecté par la fenêtre. Et il est tué.

227

– C'est vraiment une affaire dont vous vous occupez ? demande-t-elle en levant la tête.

– Oui.

– C'est affreux. Qu'est-ce que vous voulez savoir ? Vous voulez savoir si je pense que le père devrait être inculpé pour meurtre ?

– Pas pour meurtre, peut-être pas ; mais pour autre chose. Est-ce que vous pensez qu'il devrait continuer à vivre comme si de rien n'était après ce qu'il a fait ?

– Je ne crois pas qu'il puisse continuer à vivre comme si de rien n'était, pas vous ?

– Alors vous êtes d'avis qu'il devrait être inculpé ? Pour homicide involontaire, peut-être ? Homicide par imprudence ?

– Mon Dieu, je ne sais pas. Vous savez – c'est tellement dur.

– Laissez-moi vous poser une question. Et si je vous disais que le type – le père – n'a pas *oublié* de mettre la ceinture à son gosse ? Si je vous disais qu'il avait chaud, qu'il pensait à autre chose et qu'il n'avait pas envie de se donner la peine de... Qu'il se disait que c'était juste pour quelques blocs...

– Je ne sais pas, répète-t-elle. Je ne sais pas.

– Et si je vous disais que la climatisation de la voiture ne marchait pas et qu'un autre véhicule essayait de lui passer sous le nez...

– Oh, mon Dieu ! Je ne sais pas.

– C'est difficile, hein ?

– C'est affreux.

– Je me demandais simplement si... ce père... cet abruti de père... si je devais l'inculper ou... ou juste le laisser filer, vous voyez ? Le laisser filer, et *basta*. En partant du principe qu'il ne pourra jamais – comme vous l'avez dit – oublier ce qu'il a fait. Simplement le laisser vivre avec ça, vous voyez ?

– Je ne sais pas. Je ne sais pas.

– Je ne sais pas non plus, dis-je.

– C'est tellement triste.

– Et puis j'ai pensé à Milton Echeverria et à ce que vous m'avez dit.

– Pourquoi lui ?

– Vous savez... Vous m'avez dit que ce n'était pas vraiment ma faute s'il avait descendu quelqu'un après que je l'ai laissé filer. Et imaginons que... qu'il ait fourgué sa merde à un junkie, et que ce junkie se soit shooté et ait buté quelqu'un, est-ce que ce serait ma faute aussi ? Je veux dire qu'il doit y avoir un... ça doit bien s'arrêter quelque part, non ? Ce n'est pas ce que vous m'avez dit ? Que ce n'était pas ma faute ?

– Oh, Joe, c'est ce qui s'est passé? Avec Milton?

– Oui.

– Vous ne pouvez pas vous sentir responsable de ça.

– C'est ce que vous m'avez dit.

– Vous vous sentez responsable? demande-t-elle. C'est de ça qu'il s'agit? Vous pensez que vous êtes comme ce conducteur?

– C'est la même chose, pas vrai? Une erreur – une erreur idiote, en fait. Est-ce qu'on devrait le juger responsable, ce père? Il a fait une erreur et quelqu'un en est mort. On ne peut pas vraiment le détester, penser que c'est sa faute, simplement parce qu'il s'est montré négligent et idiot, si? Est-ce qu'on peut juger que c'est sa faute?

– *Oui*, réplique-t-elle d'un ton calme. C'est dur, mais je crois que c'est nécessaire. Je ne sais pas si c'est répréhensible d'un point de vue légal, mais ce qu'il a fait... ce n'est pas la même chose que ce qui vous est arrivé. Vous n'êtes pas comme lui. Regardez-moi.

J'obéis.

– Vous n'avez rien à voir avec ce conducteur, affirme-t-elle sans ciller.

Je garde le silence et, après quelques instants, elle ajoute :

– Si vous voulez mon opinion, voilà ce que j'en pense.

Après un autre silence, elle se lève.

– Allons-nous-en, dit-elle, ses longues jambes visibles à présent et pâles sous sa jupe noire.

– Oh, dis-je, jetant un coup d'œil dans mon portefeuille. Je suppose que je ne pourrais pas vous emprunter deux billets de vingt?

– Aucun problème, Joe. (Elle sourit.) Mais ça va plutôt gâcher l'effet de votre réplique spirituelle : « Je paie toujours mes consommations moi-même. »

*

Le soleil s'est couché derrière Court Street et un avion clignote et rugit dans un ciel d'un noir bleuté, parfaitement vide d'étoiles. Nous nous dirigeons en silence vers sa voiture.

– Venez avec moi, lance-t-elle alors de but en blanc, l'air enjoué et libre comme je ne pourrais jamais l'être.

Lorsque je refuse, elle me frappe et déclare d'un ton faussement prude :

– Vous ne voulez pas de moi parce que je suis prête à me satisfaire d'un laissé-pour-compte !

— Non. (Je l'embrasse malgré tout.) Je dois d'abord régler certaines choses.

Elle hoche la tête, s'imaginant qu'elle comprend. Nous nous approchons de sa voiture. Quand nous l'atteignons, elle dit :

— Pourquoi est-ce que vous... vous savez... pourquoi est-ce que vous ne viendriez pas me délivrer une assignation à comparaître, un de ces jours ?

— Entendu.

À l'instant où elle démarre, elle m'adresse un léger sourire derrière la vitre, et ce n'est pas ainsi que je veux que cela se termine. Je pourrais mieux me conduire avec elle que je ne me conduis avec moi-même ou avec quiconque. Quand je suis avec elle – *comment s'appelle-t-elle ?* –, je n'ai pas l'impression de voler quoi que ce soit. Je n'ai pas l'impression de risquer d'être pris. Avec elle, je pourrais bien me tenir pendant six mois.

— Attendez ! crié-je, m'élançant dans Court Street alors que, par chance, sa voiture freine et s'arrête à un feu orange clignotant. Sa vitre baissée, elle me regarde gaiement.

— Comment est-ce que vous vous appelez ? Votre prénom, je veux dire ; j'ai oublié.

— Vous avez vraiment l'art et la manière, Joe.

Elle lève les yeux au ciel et le feu passe au vert ; par la vitre de sa voiture, à trente mètres de moi, elle lance :

— Ann !

*Ann*, me répété-je en mon for intérieur alors que je me dirige vers le métro F. Souviens-toi : *Ann*.

Ça devrait être facile ; nous faisons la paire. (Les célèbres Ann et Andy[1].)

---

1. Poupées de chiffon extrêmement populaires aux États-Unis. *(N.d.T.)*

## 32

– Mesdames et messieurs les membres du grand jury, bonjour, dis-je, chacun de mes mots consigné à présent, transitant par les doigts de la dactylo du tribunal avant de s'imprimer sur le ruban blanc qui émerge lentement de la machine, conservant *ad vitam æternam* et à l'attention de tous ce que je suis en train de dire, ce que je m'apprête à faire. *Qu'est-ce que je m'apprête à faire ?*

Il est trop tard pour me poser cette question. (Ma décision est déjà prise.)

– Bonjour, répètent-ils comme des écoliers sages assis dans ce carton à chaussures beige et impersonnel – à l'exception d'un homme, au dernier rang, qui lance : « Salut, Mr G. ! (Bientôt il s'endormira.) Mr G. ! (Il rit tout seul.) *G-man* le *G-man* [1]. Ha, ha, ha ! »

– Bonjour à tous, dis-je. Au cas où vous l'auriez oublié, je suis le procureur Andrew Giobberti. Le numéro de ce grand jury est sept-huit-trois-trois. Aujourd'hui, je vais vous soumettre des éléments supplémentaires dans l'affaire de l'État de New York contre Lamar Lamb. Madame le premier juré, le quorum est-il atteint ?

– Oui, il l'est, répond-elle d'un ton guindé, prenant son rôle bien trop au sérieux.

– Qu'il soit pris note du fait que le quorum est atteint. Avant que nous commencions, le grand jury souhaite-t-il que je lui soumette de nouveau les pièces à conviction relatives à cette affaire ?

---

1. Expression argotique signifiant *Government man*, faisant généralement référence aux employés du FBI. *(N.d.T.)*

Un seul juré, assis au premier rang, me regarde et répond par l'affirmative. Les vingt autres posent les yeux sur lui et secouent la tête. Cela fait trois semaines qu'ils siègent ; assez longtemps pour savoir de quoi il retourne vraiment. À l'exception de celui-là, au premier rang, et de Mme le premier juré, ils savent qu'il vaut mieux ne pas prendre tout ça trop au sérieux. Ils mangent, dorment et feuillettent des magazines pendant qu'un défilé de procureurs en costumes et tailleurs bon marché leur présentent une affaire, puis une autre et une autre encore. Impliquant des armes à feu pour la plupart, et de la drogue ; seuls varient les noms et les lieux, les calibres et les narcotiques. Mais il y a également des agressions, ce qui les sort un peu de leur torpeur ; rien de tel qu'une bonne bastonnade avec un tuyau métallique, une fusillade, ou un couteau planté dans la gorge. Il y a aussi des braquages et des viols, et il arrive qu'un suspect témoigne ; c'est toujours une perspective excitante qui tourne en eau de boudin et s'achève fréquemment par des larmes de crocodile laissant les membres du jury indifférents, leur visage de marbre – à l'exception de l'inévitable emmerdeuse de service (inévitablement blanche, inévitablement thérapeute soignant par l'art, et habitant inévitablement Park Slope). Elle verse toutes les larmes de son corps devant le spectacle humain dévoilé sous ses yeux, car elle n'a jamais rien vu de semblable. Depuis le premier jour elle verse toutes les larmes de son corps, et les autres jurés vont ignorer ses faibles protestations et déclarer l'ordure coupable simplement pour l'emmerder.

Voilà ce qu'est le grand jury, si vous voulez savoir. Et pourtant, parmi les vingt procureurs qui, cette semaine, ont présenté des pièces à conviction à ce jury-là (l'un des huits qui siègent actuellement), ils se souviennent de moi. Des cinquante affaires dont ils ont pris connaissance cette semaine, ils se souviennent de celle-là. Ils s'en souviennent tous, à l'exception du juré, au premier rang, qui me dévisage avec sérieux ; non pas paresseux ou apathique, comme les autres, simplement demeuré.

– Que cette requête soit notée, dis-je. À présent, avant que je vous soumette de nouveau l'ensemble des pièces à conviction, souvenez-vous que rien de ce que je vous dis ne constitue une preuve ni n'a la moindre valeur probante. En ce qui concerne les pièces à conviction, vous ne devez vous appuyer que sur votre jugement parce que c'est le vôtre...

– ... et non le mien qui est déterminant, m'interrompt l'homme assis au dernier rang, finissant ma phrase, cette phrase qu'ils connaissent tous par cœur.

— ... et non le mien qui est déterminant. Je dois quand même vous le répéter, vous savez ? Une fois ce point réglé, je vous rappelle que vous avez été informés que le 4 août, une adolescente de quatorze ans du nom de Kayla...

Le juré assis au premier rang hoche la tête.

— Ah, ouais. L'affaire de la fille. D'accord.

— ... du nom de Kayla Harris.

— Ah ouais, bien sûr. L'affaire de la fille. Bien sûr. Ça me revient maintenant, chef. Vous pouvez y aller.

— La mémoire des membres du grand jury est-elle rafraîchie ? demandé-je.

Hochements de tête. Une femme lève les yeux de son ouvrage. Elle me tricote un pull. « Pas pour maintenant, m'a-t-elle dit. Pour quand il va commencer à faire froid. »

C'est gentil, mais il est trop grand, trop turquoise.

*

Ce qui se passe ensuite est consigné dans les archives publiques ; les mots que je prononce, du moins, et les réponses que je reçois. Ils sont parfaitement concrets. Rédigés noir sur blanc dans une transcription dactylographiée. Je déclare :

— Vous allez à présent entendre le témoignage de Nicole Carbon.

Et alors que s'ouvre la porte de la salle d'audience, la dactylo tape : « Présentement, le témoin entre dans la salle d'audience. » Huit mots composant une phrase, cette phrase encadrée de parenthèses et la parenthèse tout entière précédée d'un alinéa ; comme pour souligner l'importance implicite de ce fait, de l'apparition de Nicole Carbon dans la pièce.

Les archives indiquent que Mme le premier juré demande à Nicole Carbon de jurer de dire la vérité, et que cette dernière s'exécute. J'entends tout cela alors que je me dirige vers le fond de la salle, tournant le dos à Nicole assise dans le box des témoins qui écrase presque sa silhouette menue. Lorsque je me retourne, je la vois à l'intérieur, ressemblant à un enfant perdu dans un Pack N' Play.

Les archives font également état de la première question du procureur au témoin : « Pouvez-vous décliner votre identité au grand jury ? » Et de la réponse : « Nicole Carbon, comme du papier carbone. »

Mais les archives, dans leur insensibilité, ne rendent pas compte d'une multitude de choses ; du fait qu'un homme au dernier rang du grand jury ronfle déjà bruyamment, qu'une femme lève les yeux de son tricot lorsque Nicole Carbon pénètre dans la salle d'audience, légèrement voûtée, que sa présence en ces lieux – la mère d'une adolescente décédée de mort violente – suscite à peine un remous sur l'onde placide du visage collectif du grand jury.

Les archives n'indiquent pas non plus si l'omission du procureur, qui néglige de demander à Nicole Carbon de renoncer à son immunité, est un simple oubli ou tout à fait autre chose.

Les avocats pourraient faire ce qu'ils ont pour rôle de faire ; ils pourraient débattre du moment (c'est-à-dire de l'instant exact) à compter duquel Nicole Carbon bénéficie d'une immunité totale dans l'accusation d'homicide par arme à feu sur la personne de sa plus jeune fille. Et d'un point de vue légal, c'est une question intéressante. Cette immunité entre-t-elle en vigueur à l'instant précis où le témoin pénètre dans la salle d'audience ? À l'instant où le procureur lui demande de décliner son identité, et où elle s'exécute ? Ou encore ultérieurement dans le déroulement de l'audience, à l'instant, par exemple, où il lui demande de donner sa version des faits qui ont conduit à la mort de sa fille ; version dont elle a déjà fait le récit, encore et encore, au point que c'est devenu (pour elle) l'équivalent de la vérité.

Je l'ignore ; c'est là un sujet qui conviendrait parfaitement à un article publié dans une revue juridique. Cela m'intéresserait de le lire.

Mais pour l'instant, je demande simplement :

– Miss Carbon, habitez-vous avec quelqu'un ?

– Avec ma famille, répond-elle. Avec mes filles.

– Êtes-vous apparentée à Kayla Harris ?

– Je suis sa mère, réplique-t-elle sans émotion apparente. Mais elle a été tuée.

– Quand l'avez-vous vue pour la dernière fois ?

– Vivante, vous voulez dire ?

– Oui.

– Cette nuit-là. La nuit où il lui a tiré dessus.

– Où était-ce ?

– Dans mon appartement.

– À présent, j'aimerais que vous vous concentriez sur les environs de minuit, d'accord ? Cette nuit-là. Peut-être juste un peu après minuit, entendu ?

– D'accord.

– À ce moment-là, étiez-vous chez vous ?

— Oui. J'y ai passé toute la nuit.

— Bien. À cette heure-là, et à cet endroit-là, ajouté-je, connaissant déjà sa réponse (« *J'dormais* »), que faisiez-vous ?

— J'dormais.

— Est-ce que quelque chose vous a réveillée ?

— Oui.

— Quoi ?

— Ma fille, la grande, Topia, est allée au fond du couloir, là où Kayla dormait avec son bébé – sa petite fille – et elle s'est mise à crier ; c'est ça qui m'a réveillée.

— Que s'est-il passé alors ? demandé-je.

— Elle était morte, répond Nicole.

— Qui était morte ?

— Kayla, réplique-t-elle en désignant son buste plat, dépourvu de seins. Elle avait reçu une balle là.

— Vous dites qu'elle avait reçu une balle ?

— Ouais. Ici.

— À un quelconque moment, cette nuit-là, avez-vous vu Kayla avec quelqu'un ?

— Pas moi, commence-t-elle, mais miss Iris, c'est ma voisine, elle a vu le garçon...

— Madame, l'interrompé-je, je dois vous demander de ne pas évoquer ce qu'une tierce personne vous a dit, et je dois donner au grand jury l'instruction de ne pas tenir compte de ce ouï-dire. (Je retiens un sourire. L'affaire est bouclée. Finie. Pourtant je continue, jouant à l'avocat, mégotant au sujet des ouï-dire et donnant des instructions au jury ; comme si le témoignage de Nicole allait mener à quoi que ce soit si ce n'est à lui permettre de s'esquiver, tel un moineau s'échappant de la gueule du chat.) Dites-nous donc si vous – vous, personnellement, madame – avez vu Kayla avec quelqu'un cette nuit-là ?

— Non.

— Avez-vous vu quelqu'un tirer sur elle ?

— Non.

— À présent j'attire votre attention sur la journée du 6 août, à environ huit heures quarante du matin. Vous rappelez-vous où vous étiez ?

— Non.

— Laissez-moi vous poser une question, dis-je. Étiez-vous à la morgue de Kings County ?

— Oui.

– À cette heure-là et à cet endroit-là, avez-vous vu quoi que ce soit ?

– Qu'est-ce que vous voulez dire ?

– Avez-vous vu quoi que ce soit à la morgue ?

– J'ai vu Kayla. Ils m'ont montré une photo. Ils m'ont dit qu'avant, on vous laissait voir le corps, mais qu'aujourd'hui on vous montre seulement une photo.

– Je vous remercie, miss Carbon. Je n'ai plus de questions. Vous pouvez vous retirer.

– Je peux rentrer chez moi ? demande-t-elle, assise dans le box des témoins.

– Veuillez attendre un instant à l'extérieur, je vous prie.

Après qu'elle est sortie dans le couloir et que la porte s'est refermée sur elle, je m'adresse au grand jury :

– Souhaitez-vous poser des questions à miss Carbon ?

Ils n'en ont aucune. Ils ont le droit de poser des questions, mais après trois semaines passées à accomplir leur devoir civique, leur curiosité s'est évanouie. *De plus !* C'est presque l'heure de la pause. (Ils sont déjà ailleurs.) Un homme est plongé dans ses mots croisés. Une jeune femme a chaussé les écouteurs de son Walkman. Au dernier rang, j'entends des ronflements. J'entends cliqueter des aiguilles à tricoter.

– Pas de questions, déclare Mme le juré principal.

– Pas de question ?

– Non, répète-t-elle.

– Qu'il soit noté que le grand jury n'a pas de questions, dis-je, et la dactylo tape tout cela.

Ils s'agitent, dans l'attente de la pause. Mon pull (déjà deux bras et une étroite lanière de torse turquoise) est suspendu au-dessus de l'ouverture d'un sac en plastique. Quelqu'un laisse échapper un pet sonore, et des regards accusateurs balaient la salle.

– Pas de questions, dis-je.

Puis, abruptement, j'abats mon dossier rouge sang sur la table.

– Vous, au dernier rang... Hé-ho ! Vous dormez, monsieur ? (Je me dirige vers le dernier rang.) Hé-ho ? Hé-ho ?

– J'suis réveillé, m'sieur G., marmonne-t-il en se réveillant. Je me reposais juste les yeux, vous savez. J'ai pas beaucoup dormi cette nuit.

– Avez-vous des questions, monsieur ?

Il lance des coups d'œil penauds, endormis, de droite et de gauche.

— Quelqu'un a-t-il une question à poser à ce témoin ? demandé-je. (Rien.)

— Ça fait... quoi ? Quatre jours que je viens ici ? lancé-je à la cantonade. Et c'est drôle, parce que... Je suppose que le sujet n'est jamais vraiment venu sur le tapis, mais personne n'a demandé « pourquoi ». Je veux dire, pourquoi cette adolescente a-t-elle été tuée ? Pourquoi est-elle morte ? Est-ce que personne... est-ce qu'aucun d'entre vous n'a envie de savoir pourquoi cette fille, cette fille de quatorze ans, est morte ? Personne n'a envie de savoir pourquoi ? Pourquoi une telle chose peut arriver ? Aucun d'entre vous ne va poser la question ? Je suis désolé...

Ils ont les yeux rivés sur moi.

— Vous me regardez comme si j'étais fou ou je ne sais quoi. Non, tout va bien. Je vais bien. Simplement, j'ai quelques questions à poser, vous voyez. Juste encore quelques questions. D'accord ? Je suis désolé. Je sais que c'est presque l'heure de votre pause, mais j'ai encore quelques questions à poser. Bien. Que tout le monde se rassoie.

Ils s'assoient.

Et je déclare :

— Le ministère public rappelle Nicole Carbon.

Je regarde Mme le premier juré, les yeux écarquillés, devant sa table.

— Tout va bien, lui dis-je. Allez-y.

« Présentement, le témoin regagne la salle d'audience », tape la dactylo en me regardant.

Ils ont tous le regard braqué sur moi, y compris Nicole, qui se contente de glisser la tête dans la salle.

— Nous vous rappelons que vous êtes toujours sous serment, déclare Mme le premier juré.

— Asseyez-vous, s'il vous plaît, miss Carbon, dis-je.

Elle s'exécute avec réticence, et me fixe avec une expression revêche.

— J'croyais que vous aviez dit que j'avais terminé ?

— J'ai juste encore quelques questions à vous poser, d'accord ?

J'ouvre le dossier et j'en extrais une chemise sur laquelle il est inscrit « preuves photographiques et probantes ».

J'en tire un polaroid flou où l'on distingue un pistolet posé sur une table en imitation bois. Je le tends à Nicole.

— Actuellement, dis-je, je tends la pièce à conviction numéro 14 du ministère public au témoin. Mesdames et messieurs du grand

237

jury, vous vous souvenez peut-être que la pièce à conviction numéro 14 du ministère public représente un polaroid d'un certain pistolet semi-automatique calibre .25 Lorcin, présenté comme pièce à conviction par l'inspecteur Ralph Archer du service balistique, euh – du Département d'analyse des armes à feu.

Nicole s'empare de la photo et je poursuis :

– Miss Carbon, veuillez considérer la pièce à conviction et me dire si vous la reconnaissez.

Elle garde le silence. Une minute s'écoule. J'entends les aiguilles à tricoter cliqueter de nouveau, et le grésillement d'insecte du Walkman.

– Miss Carbon, répété-je. Reconnaissez-vous la pièce à conviction numéro 14 ?

– C'est un pistolet, dit-elle. Un pistolet argenté.

– Je vais vous poser une nouvelle fois la question, madame Reconnaissez-vous la pièce à conviction numéro 14 ?

– Non, répond-elle en plissant les yeux. Non. Pourquoi vous voudriez que je reconnaisse un pistolet ?

– Non ? dis-je.

Juste « non », pas un *non* facétieux de salle d'audience.

– J'vous ai dit non.

– Laissez-moi vous poser une autre question, lui dis-je. Connaissez-vous un certain Massiah Harris ?

– Oui, je connais un Massiah Harris, répond-elle vivement, jetant le polaroid sur la table et croisant ses bras nus et maigres.

– Quels sont vos liens avec lui ?

– C'est mon mari.

– Massiah Harris vous a-t-il donné une arme ?

– Non il m'a jamais donné d'arme, réplique-t-elle ; non pas effrayée, mais en colère.

– Vous a-t-il donné un pistolet que vous gardiez chez vous, derrière le frigo ?

– Il m'a jamais donné d'arme du tout, rétorque-t-elle.

– Vous a-t-il donné cette arme ? L'arme qui figure dans la pièce à conviction numéro 14 ?

– Non, répond-elle d'un ton neutre.

– Vous a-t-il donné cette arme ?

– Non.

– Regardez-la encore une fois.

– Non. Combien de fois faut que je vous dise non ?

– Avez-vous pris cette arme..

– Arrêtez de me dire que j'avais une arme.

– ... le 4 août de cette année, et l'avez-vous emportée dans la chambre de votre fille...

– Non.

– ... la chambre de Kayla...

– Non.

– Lamar Lamb y était, n'est-ce pas ? N'est-ce pas ?

– J'l'ai pas vu. C'est miss Iris qui l'a vu.

– Vous avez ordonné à Lamar de s'en aller, n'est-ce pas ?

– Miss Iris...

– Oubliez miss Iris. Vous l'avez vu. Vous l'avez vu.

– Non.

– Vous ne vouliez pas qu'il soit là. Vous ne vouliez pas qu'il soit là parce que vous pensiez que Kayla faisait une passe, n'est-ce pas ? Qu'elle faisait une passe dans sa propre chambre, n'est-ce pas ce que vous pensiez ?

– Non.

– Vous lui avez ordonné de partir, et voyant qu'il ne partait pas, vous l'avez menacé avec ce pistolet. Vous êtes allée chercher ce pistolet et vous le lui avez collé sous le nez. Comme ça.

– Non c'est pas vrai.

– Vous avez gesticulé avec le pistolet – ce pistolet – sous son nez. Et le coup est parti.

– Non.

– Vous l'avez tuée.

– Non.

– Vous l'avez tuée, dis-je à nouveau. Vous avez été imprudente.

– C'est lui qui l'a tuée.

– Vous avez fait quelque chose d'idiot, d'imprudent et d'idiot.

– Non.

– Et maintenant elle est morte.

– C'est lui qui l'a tué, répète-t-elle, se levant dans le box des témoins et désignant un « lui » invisible.

– Elle avait confiance en vous.

– C'est LL ! crie-t-elle.

– Vous étiez sa mère. C'était une petite fille.

– Non !

– Elle vous faisait confiance, elle vous aimait ; vous étiez censée prendre soin d'elle, mais vous ne l'avez pas fait.

– Non, répète-t-elle inlassablement. Non.

– Vous étiez censée prendre soin d'elle mais vous l'avez tuée, vous l'avez tuée, parce que vous, vous...

– Non. (Elle répète ce mot, toujours dressée dans le box.) Non !
Non ! Non !

– Vous lui avez ordonné de ne pas faire de bruit, dis-je.

Et il n'en faut pas plus.

– C'est bon, dis-je. C'est fini. C'est fini. Sortez d'ici. Faites-la
sortir – sortez d'ici. Bon Dieu, sortez d'ici.

Et la dactylo tape tout cela en lettres noires, aseptisées.

« Présentement », tape-t-elle tandis que Nicole franchit en trébu-
chant la porte du couloir où l'attend Solano, « le témoin quitte la
salle d'audience ».

*

– Qu'est-ce qui s'est passé là-dedans, nom de Dieu ? me
demande Solano quand je quitte la salle à mon tour.

Nicole pleure toujours à gros sanglots déchirants sur un banc en
bois à trois mètres de là. C'est ce que je voulais entendre, mais je
n'en ai plus envie. Elle n'a plus aucune importance, si tant est
qu'elle en ait jamais eu. Elle a la tête presque enfouie entre les
jambes.

Les membres du grand jury défilent devant et autour de nous,
l'air honteux. L'un d'eux – celui qui s'était endormi – tapote sans
un mot l'épaule osseuse de Nicole.

– Eh, me dit-il en arrivant à ma hauteur. C'était vraiment un sale
truc, G.

– Il ne s'est rien passé, dis-je à Solano lorsque nous nous retrouvons seuls avec Nicole dans le couloir. On s'est un peu amusés,
c'est tout. Maintenant, coffrez-la.

– Pour quel chef d'inculpation ?

– Vous aviez raison ; c'est elle qui l'a tuée. Emmenez-la.

Et c'est ce qu'il fait, l'entraînant avec douceur vers la procédure
routinière du commissariat du 75ᵉ district, où – une fois ses
empreintes relevées, en état d'arrestation, libre, mais pas encore tout
à fait, ignorant que la loi n'a aucune prise sur elle – elle sombrera
rapidement dans un sommeil sans rêves, l'extrémité jaunâtre de ses
doigts noircie par l'encre fraîche.

## 33

– Espèce d'abruti, d'abruti, d'abruti de...

Bloch s'efforce de trouver le mot adéquat, mais le meilleur qui lui vienne à l'esprit est :

– ... connard ! Tu sais ce que tu viens de faire ?

Voilà ce qu'il me dit quand je lui rapporte ce qui s'est passé.

– Oui. Je le sais, Phil. Je viens de te le raconter.

Qu'à cela ne tienne, il me le répète quand même.

– Tu as fait témoigner Nicole Carbon devant le grand jury sans qu'elle ait renoncé à son immunité !

– Je sais.

Il feuillette la transcription de la déposition de Nicole, la relit encore et encore. Assis devant lui, pas mécontent de moi, je regarde à travers la vitre de son bureau. J'aperçois Stacey, seule.

– Qu'est-ce qui s'est passé là-dedans, nom de Dieu ? s'exclame Bloch, en écho aux paroles de Solano. (Avant de dire cela, il a vainement essayé de faire un bruit impressionnant en frappant, avec les douze pages du compte rendu, son bureau tout droit venu d'un vide-greniers.) Tu as perdu la tête, bon Dieu de merde ? Tu sais ce que ça veut dire ?

Cela réussit à Bloch, me dis-je. Ce soir il rentrera chez lui, à Cranford, et allongera son infirmière pulpeuse sur la table. Les chiens aboieront.

– Oui, Phil. Je sais ce que ça signifie.

Il me le précise quand même :

– Ça signifie qu'elle va rentrer chez elle les doigts dans le nez !

– Je sais.

Il décoche sans grande conviction un crochet à un ruban de papier tue-mouches qui pend du plafond, le rate. Vexé, il recommence, jure pathétiquement, et cette fois le papier tue-mouche se scotche au dos de sa main, se détache d'une dalle acoustique et se plaque tout au long de la manche de sa chemise blanche amidonnée.

– *Beuurk*, s'exclame-t-il avec un mouvement de recul, cherchant du regard l'extrémité du ruban par-dessus son épaule en tournant sur lui-même comme un chien qui pourchasse sa queue. *Beuurk* – putain – putain de truc de merde !

– Là, dis-je, décollant le ruban et chassant les cadavres gluants de mouches de sa chemise.

– Il y en a une autre ici, fait-il en la désignant. (Je l'enlève aussi.)

Sa colère éventée, Bloch se laisse tomber sur le canapé.

– Gio, reprend-il, redevenant l'homme que je connais. Gio. Qu'est-ce que tu as fait ? Tu sais dans quelle position ça me met vis-à-vis du boss. La presse s'est jetée sur l'affaire ; ces trois derniers quarts d'heure, j'ai reçu quatre coups de fil du *Post*.

– Je suis navré, Phil.

Je suis navré pour Phil.

– Dis-moi une seule chose, reprend-il. Dis-moi que tu ne te doutais absolument pas qu'elle avait tiré ce coup de feu, bordel, et que c'est pour ça que tu ne l'as pas fait renoncer à son immunité. Dis-moi simplement ça, et je mourrai en paix.

– Très bien, dis-je. Je ne me doutais absolument pas qu'elle avait tiré ce coup de feu et c'est pour ça que je ne l'ai pas fait renoncer à son immunité.

– À d'autres, réplique-t-il en se frottant le crâne. (Il sait, bien sûr.) C'est ce que je vais devoir leur dire. J'entends par là que je ne peux pas leur raconter que tu as tout bonnement oublié. *Tu* ne peux pas me raconter que tu as tout bonnement oublié – pas après ce qui s'est passé avec l'autre type.

– Quel autre type ?

– Tu sais bien, dit-il, agitant la main. Celui dont le nom m'a toujours échappé.

– Milton Echeverria ?

– Oui. Tu ne peux pas me raconter que tu as oublié, Gio. Pas une deuxième fois.

– Non.

– N'empêche, c'était un accident, reprend-il, plein d'espoir. Pas vrai ?

– Oui, Phil. J'ai été idiot et négligent.

– C'est déjà ça. Ils ne vont pas te – *me* – crucifier, bon Dieu. (Il se calme un moment ; puis quelque chose lui traverse l'esprit et il

242

s'enflamme à nouveau, saute sur ses pieds.) Putain de merde ! Qu'est-ce qui s'est passé là-dedans ? Qu'est-ce que je vais leur raconter ?

– Eh bien, dis-leur que *necessitas vincit legem*.

– Quoi ? lance-t-il alors que j'ouvre sa porte, qui se coince dans un repli de la moquette rouge et rêche. Qu'est-ce que tu as dit ? Giobberti, reviens ici ! Qui a dit ça ? Qu'est-ce que c'était ? Une connerie en latin ?

– C'est du latin, Phil, lui dis-je avant de m'éclipser. Regarde dans ton dictionnaire de droit.

Bloch s'imagine que j'ai de nouveau disjoncté. Il s'imagine que je craque, comme il l'a vaguement espéré. Il l'a vu venir, et il l'a fait savoir autour de lui. Il trouvera quelqu'un à qui lancer : « Je vous l'avais bien dit », si ce n'est déjà fait. Dans quelques jours, il me fera asseoir dans son bureau pour que nous ayons une conversation entre quat'z-yeux. Il sera très ouvert, s'inquiétera de ma santé, me demandera comment je vais et si j'ai besoin de repos. Il m'appellera son vieux pote. Peut-être suggérera-t-il une mutation dans un bureau placard, comme celui des Appels ; un bureau où je n'aurai pas besoin de fréquenter des gens ni de leur parler, pas plus que je ne risquerai de laisser une meurtrière d'enfant prendre la tangente. Il dira un grand nombre de choses, et pour l'essentiel il sera sincère et il aura raison. Je serai incapable de répondre quoi que ce soit. Je me contenterai de rester là, les mains croisées sur les genoux, assis sur son canapé couleur merde de chien, regardant les climatiseurs à travers la vitre.

\*

– Giobberti, espèce de stupide connard.

– Stace, bon Dieu... Tu ne vas pas t'y mettre aussi.

Stacey me fixe d'un regard ironique. Je l'ai rejointe sur la passerelle en bois où elle est seule, une cigarette aux lèvres. Pour l'instant il ne tombe pas une goutte du ciel gris, bien que les averses du matin aient fertilisé le jardin de cendres et de fientes d'oiseau répandu à nos pieds. Elle reste un moment silencieuse. Elle fume gracieusement, la fumée de sa cigarette se fondant dans les nuages gris – cotonneux et rebondis – qui bouillonnent lentement derrière elle.

– Tu es au courant, pour Lamar Lamb ? dis-je alors.

Les seuls mouvements sont ceux des nuages et de sa main qui tient la cigarette.

– Non. Qu'est-ce qu'il a encore inventé, ce voyou ?

– Apparemment, il s'est fait embarquer hier soir.

– Ça n'aura pas pris longtemps, il n'était sorti que depuis quelques jours, remarque-t-elle, soudain intéressée. Encore un meurtre ?

– En fait, oui.

– Sans déconner ? lance-t-elle, manifestement surprise. Pour le meurtre de qui est-ce que tu essaies de faire plonger le pauvre lascar, cette fois-ci ?

– Personne que tu connaisses, Sharp.

– Quelqu'un que *tu* connais, alors ?

– Un vieil ami à moi. Un certain Echeverria, mais ses potes l'appelaient Pirelli.

– Je ne savais pas que tu avais des amis, Giobberti.

– Nous n'étions pas très proches ; disons que nous avions deux ou trois choses en commun.

– En commun avec toi ? Ça devait être un sacré pauvre type, alors.

– Un sacré pauvre type, en effet. Il s'est pris une balle et s'est retrouvé dans un fauteuil roulant.

– Un fauteuil roulant ?

– Et puis sa copine l'a plaqué.

– On dirait une chanson de country.

– Et maintenant il est mort.

– Continue, tu m'intéresses, dit-elle d'un ton sceptique. C'est quoi, la chute de ton histoire ? Pourquoi Lamar aurait-il voulu buter ton vieux pote ?

– Toujours en train de demander « pourquoi », hein, Sharp ?

– Les garçons veulent savoir comment, les filles veulent savoir pourquoi. Rien n'arrive par hasard. Même pas les accidents, Gio.

– Bien, alors cite-moi un mobile classique.

– L'argent.

– Autre chose.

– L'amour.

– Tu chauffes, dis-je. Mais tu me surprends.

– Pourquoi ?

– Je croyais que ce sentiment te laissait de marbre.

– En règle générale, réplique-t-elle, faisant tomber d'une chiquenaude la cendre de sa cigarette. La haine ? Non. La vengeance.

– Oui. La vengeance, Sharp.

– De quoi est-ce qu'il voulait se venger ? demande-t-elle.

– Kayla.

– *Kayla ?* répète-t-elle, les sourcils froncés, incrédule.

– Oui.

– Et qu'est-ce que ce Eck-machin-truc vient faire là-dedans ?

– C'était le père de la petite, dis-je. LL n'a pas apprécié. Sans compter qu'il dealait ; c'est lui qui a fait plonger Nicole. J'imagine que Lamb le tenait pour responsable. De ce qui est arrivé à Kayla.

– Il ne pense pas que ce soit la faute de Nicole ?

– Je suppose qu'il s'est dit qu'elle était juste très conne.

– Et toi ? Tu ne la juges pas responsable non plus ? demande-t-elle, et je m'abstiens de répondre.

Alors elle reprend :

– Tu as la moindre preuve de ce que tu avances, ou tu tires ça de ton chapeau ?

Je hausse les épaules pour indiquer qu'il s'agit de la seconde hypothèse.

– Bon Dieu, Giobberti ! La dernière fois, tu avais toutes les preuves mais pas de mobile. Est-ce que tu es en train de me dire que tu as enfin un mobile mais pas de preuve ?

– Même pas, Sharp. J'ai Dirty Dread. Tu te souviens de lui ?

– *Le fauteuil roulant !* comprend-elle aussitôt, éclatant de rire.

– Exactement.

Elle continue de rire.

– Ce petit mec, dit-elle. J'étais surprise qu'il ne s'accuse pas du meurtre, tu lui as flanqué une telle trouille ! (À présent nous rions tous les deux, songeant à Dirty.) Ceci dit, tu as raison sur un point.

– Lequel ?

– Si tu n'as que lui, t'as que dalle.

– Je suppose.

– Pourquoi avoir coffré LL dans ce cas, Giobberti ? Juste pour le principe ?

– Sans doute, oui, en un sens. Parfois la nécessité est plus forte que la loi, mais la plupart du temps, il faut savoir respecter les règles.

– C'est assez drôle. Venant de toi. Tout le monde s'imagine que tu as pété un câble.

– Et toi ?

Elle tire sur sa cigarette.

– Je pense que c'est toi tout craché.

– Tu penses ça ?

– Et comment. Toujours une quelconque foutaise théâtrale pour conclure. Tout se barre en couille, et puis te voilà... mon putain de héros.

245

– Tu es une telle autorité en la matière.

– Non, réplique-t-elle. Je ne sais pas ce que tu penses.

– Tu ne le sais pas, hein. Pourquoi tu ne laisses pas tomber, alors ?

– Parce que c'était mon affaire, Giobberti. C'était aussi mon affaire.

– Mais ce n'est pas de l'affaire que tu parles.

– L'affaire, c'était à propos de nous deux, rétorque-t-elle. Ne sois pas idiot.

– Et maintenant, c'est fini.

– Tu ne parles pas de l'affaire, toi non plus, dit-elle un instant plus tard.

Je secoue la tête.

– Mais non, imbécile, lance-t-elle. C'est le moment où tu es censé faire quelque chose de théâtral.

– Que veux-tu que je fasse ?

– Tu sais bien, réplique-t-elle, sarcastique. Sois mon héros. Sauve-moi, bordel.

– Arrête.

– Sauve-moi. Dis-moi encore une fois que tu m'aimes. (Elle se met à rire puis se déchaîne soudain contre moi, sans cesser de rire faiblement.) Espèce de pourri. Tu n'es pas mon héros !

– Stace, il ne s'agit pas de... dis-je, m'approchant d'elle.

– Non, Giobberti, réplique-t-elle avec un mouvement de recul. Pas la peine d'être gentil avec moi. Je savais ce que tu allais dire. Je le savais depuis la première nuit.

– Depuis quand ? J'ai toujours pensé que tu nous croyais faits l'un pour l'autre.

– Non. Je croyais seulement que nous nous méritions ; c'est complètement différent.

– Non, Stacey. Je ne te mérite pas.

Elle me dévisage. Puis elle m'embrasse pour la dernière fois, en murmurant :

– Salopard.

– Je suis désolé.

– Non, proteste-t-elle, se mettant presque à rire de nouveau. Ce n'est pas ce que je cherche. Tout le monde est toujours désolé ; tu sais que je finirai par passer l'éponge.

– Stace...

– Tu es désolé, hein ?

– Stace...

– Répète-le, ordonne-t-elle en repoussant ma main, laissant enfin libre cours à son émotion.

– Je suis désolé.

– Non. Dis-le pour de vrai.

– Je suis désolé.

– Encore une fois.

– Je suis désolé. Stacey. Je suis...

– Non. Tais-toi maintenant, dit-elle. Maintenant, c'est juste ridicule.

## 34

Bientôt, c'est l'heure.

Durant l'après-midi, la pluie est tombée puis s'est arrêtée, mais le ciel est encore couvert, chargé d'averses à venir. Je reste un long moment immobile, silencieux, près d'une colonne marron devant le 210. L'homme qui vit derrière cette colonne dort sans faire le moindre bruit (peut-être même est-il mort). À peine visible au loin, à cinq kilomètres de là, la flèche art déco de l'Empire State Building perce une couche de nuages qui filent à vive allure – menaçante, comme un périscope dans l'Atlantique-Nord glacial. Le brouillard ensevelit les tours de Manhattan, et Brooklyn redevient ce qu'elle était voici un siècle : autonome, une ville régie par ses propres lois, où l'on voyait des champs et des fermes honnêtes et où Manhattan était considéré comme un lieu de débauche éhontée.

Sur le trottoir noirci de pluie fleurissent des parapluies cassés de couleur vive, leur toile retournée, leurs baleines rompues. Je les enjambe alors que je traverse Joralemon Street puis longe Borough Hall, contournant ma petite place et gravissant l'escalier qui mène à la Cour suprême où, sur la pierre humide, un homme fait des pompes avec un seul bras. J'entre dans le hall du tribunal, me frayant un chemin dans la foule qui s'efforce de décider d'un commun accord si elle doit ou non se ruer sous un ciel plus sombre d'instant en instant.

– Eh bien, Mr Giobberti, lance le juge Harbison à l'étage supérieur, écorchant mon nom.

Ses paroles sont officieuses, mais toutes les personnes présentes dans la salle d'audience en profitent. À peine un moment plus tôt, il nettoyait les interstices entre ses dents avec du fil dentaire ; ce dernier est encore enroulé autour d'un de ses index, en rougissant l'extrémité.

– Voici quelques jours, vous aviez une adolescente morte et deux suspects. Je me suis dit : il en a un de trop. Mais après réflexion, j'ai pensé : ma foi, il peut toujours éliminer celui dont il n'a pas besoin.

– Oui, Votre Honneur.

– Mais à présent, Mr Giobberti, je crois comprendre que vous n'en avez plus aucun. Pas un seul. Ai-je bien saisi ?

– Oui, Votre Honneur.

– L'un d'eux est ressorti libre comme l'air de ma salle d'audience voici quelques jours, poursuit-il. Il avait l'air plutôt content... N'est-ce pas qu'il avait l'air content ?

– Oui, Votre Honneur.

– Il avait l'air content, en effet. La seconde accusée se trouve ici même en cet instant. Elle ne semble pas très heureuse, hein ? Mais ça devrait changer dans un instant. Qu'en pensez-vous ?

– Je n'en sais trop rien, Votre Honneur.

– Et en ce qui vous concerne ? s'enquiert-il.

– Pardon, Votre Honneur ?

– En ce qui vous concerne ? Êtes-vous content, Mr Giobberti ?

– Je ne sais pas, Votre Honneur.

– Eh bien, entre vous et moi, sans oublier bien sûr les cinquante personnes qui se trouvent dans cette salle, laissez-moi vous dire qu'il n'y a pas de quoi. Vous devriez vous sentir foutrement mal, Mr Giobberti.

– Oui, Votre Honneur.

– Ça n'est pas comme ça que les choses sont censées se passer, Mr Giobberti, poursuit Harbison. Vous laissez les accusés quitter ma salle d'audience plus vite que la police n'arrive à les coffrer. Et je crois qu'il y a un an, un certain monsieur en fauteuil roulant est sorti d'ici l'air plutôt réjoui, lui aussi.

– Oui, Votre Honneur.

– Êtes-vous en train de vous exercer pour devenir avocat de la défense, Mr Giobberti ?

– Non, Votre Honneur. (*Va te faire foutre, juge, qui t'ait d'abord ?*)

Harbison secoue la tête, empli d'un dégoût non feint.

– Annoncez l'affaire, lance-t-il au greffier, et la dactylo du tribunal commence à taper.

– Affaire numéro 19, l'État de New York contre Nicole Carbon. Nicole Carbon. L'accusée se trouve présente devant la cour. Vos comparutions, je vous prie.

– Jonathan Gruber, avocat de Nicole Carbon. Je vous souhaite bien le bonjour, Votre Honneur.

– Andrew F. Giobberti, pour le ministère public.

Nicole Carbon est assise près de Gruber, menottée.

Elle éternue sans grâce.

Et je la laisse partir.

\*

Au rez-de-chaussée, une nouvelle averse bat son plein et la foule amassée dans le hall s'anime joyeusement, comme c'est parfois le cas lorsque des inconnus se trouvent réunis, comme s'il s'agissait d'un jour férié décrété à leur intention. Des gens qui d'ordinaire ne s'adresseraient pas la parole ou même s'ignoreraient discutent bruyamment tandis qu'au-dehors, l'averse estivale balaie la place. Ils semblent tous dire : « Bah ! »

Bah, suis-je en train de penser moi aussi lorsque j'entends s'élever une voix familière.

– Monsieur le procureur Giobberti. (Nicole.)

Elle s'approche, sa silhouette menue se frayant un chemin dans la foule jusqu'à ce qu'elle parvienne à mes côtés ; elle est accompagnée d'Utopia – gênée, ou simplement intimidée – qui tient la petite dans les bras.

– Monsieur le procureur Giobberti, j'veux vous dire quelque chose. J'veux vous serrer la main. J'veux vous poser une question.

Son visage disgracieux rayonne, sa paume jaunâtre est tendue. Je la saisis.

– J'voudrais savoir quelque chose. Vous avez des enfants ?

– Une fille.

Elle laisse échapper un rire malicieux.

– Oh, oh. Les filles, c'est pire que les garçons. Quel âge elle a, votre fille ?

– Sept ans.

– Oh, oh. Attendez un peu, poursuit-elle, tendant le bras vers moi puis, se ravisant, se tournant vers Utopia et enfonçant un doigt pointu dans son flanc. Les filles, elles vous causent toutes sortes de soucis que vous y auriez même pas pensé. Vous verrez c'que je veux dire.

– Entendu.

– Je savais que vous aviez un enfant. Je sais que c'est pour ça que vous m'avez laissée partir. Vous vouliez pas que mes enfants, ils aient pas de mère. Vous avez été bon pour moi.

– Je n'ai rien fait du tout.

– Vous avez été bon pour moi, m'sieur, insiste-t-elle, retrouvant sa gravité. Et je l'oublierai pas. Cet avocat, il m'a dit que vous aviez fait quelque chose pour que je puisse sortir ; j'ai entendu ça et je me suis dit, cet homme il est bon. Il doit être papa. J'ai pas compris tout de suite, et puis je me suis souvenue de quelque chose que vous avez dit. Vous vous souvenez de ce que vous avez dit quand vous êtes venu chez moi ?

– Non.

– Vous avez dit : les enfants sont une bénédiction. Vous vous en souvenez, maintenant ?

– Oui.

– C'est comme ça que j'ai su que vous étiez un bon père. Les enfants, c'est une bénédiction. C'est vrai.

Sur ces mots, elle s'éclipse.

Je m'éloigne sous la pluie, et brusquement j'ai envie de savoir si elles vont s'en sortir. Finalement, Utopia avait raison. Je fais partie de leur famille ; ce n'est pas une famille très glorieuse, mais si on la compare à la mienne...

Puis je songe à Opal et, comme si un rideau venait d'être tiré, je distingue son visage avec une parfaite clarté. Je la sens entre mes bras. Je respire la fragrance de ses cheveux. J'entends sa voix, pure et haut perchée. Et alors que je m'arme de courage, redoutant le déferlement de culpabilité et de haine qui la maintenait loin de moi, m'attendant à ce qu'il m'inonde comme l'averse et me donne la nausée – il me laisse en paix.

Seuls demeurent la sensation de la pluie, la rumeur de la foule et l'enchantement de voir Opal de nouveau, respirant doucement dans mes bras.

## Dans la même collection

*Cet ouvrage a été réalisé par*

**FIRMIN DIDOT**

GROUPE CPI

*Mesnil-sur-l'Estrée*

*pour le compte des Éditions Payot & Rivages
en janvier 2004*

*Imprimé en France*
Dépôt légal : janvier 2004
N° d'impression : 66723